GWARLINGO

T. J. Davies

Argraffiad cyntaf—Tachwedd 1986
Agraffiad print bras—Rhagfyr 1988

ISBN 0 900439 48 3

ⓗ T. J. Davies, 1986 ©

Dymuna'r cyhoeddwyr gydnabod cymorth a chyfar-
wyddyd Adrannau'r Cyngor Llyfrau Cymraeg a
noddir gan Gyngor Celfyddydau Cymru.

CYNNWYS

RHAGAIR

Mae 'na ambell i berson y gwyddoch y gallwch ddibynnu'n llwyr arno. Os yw'ch perthynas yn 'mestyn dros nifer o flynyddoedd, gorau i gyd. Pan own i yn Ysgol Ramadeg Rhydaman y deuthum i adnabod T. J. Davies i ddechre. Gwyddwn ei fod bob amser â lle yn ei galon i ieuenctid, iddo ymweld â'r Almaen, ac iddo dreulio cyfnod yn America. Ymhen blynyddoedd ef fu'n gyfrifol am fy mherswadio innau i dreulio cyfnod yn America, ac wedi dod nôl i Gymru, dyma ailgydio yn y berthynas. Gwyddwn ei fod yn hen law ar ddarlledu a naturiol oedd manteisio ar ei brofiad pan ddeuthum i weithio i'r BBC.

Ddywedodd T.J. erioed 'na' wrthyf pan ofynnais iddo baratoi rhywbeth i'w ddarlledu. Mae'n un o'r bobol rheini sy wedi achub ar y cyfle y mae radio, teledu a phapur newydd yn ei gynnig i gyrraedd cynulleidfa eang, ac mae'n hen gyfarwydd bellach â defnyddio'r cyfryngau i ledaenu ei neges.

Ysgrifen traed brain sy ganddo, a byddwn innau'n falch bob tro mai fe fyddai'n rhaid darllen ei sgript! Byddai'r darllen hwnnw'n fywiog a byrlymus, fel ei ysgrifen; ei eirfa wedi'i gwreiddio yn y pridd, a phawb yn ei ddeall. Mae defnyddio dwy funud a hanner 'Munud i feddwl' i ddweud rhywbeth perthnasol yn gamp. Prin y methodd T.J.

Ond digwydd a darfod yw hanes unrhyw ddarlledu. Mae'n dda fod y llefaru byrlymus wedi'i ddiogelu mewn print—ac mae'r un bywiogrwydd a'r un perthnasedd i'w ganfod rhwng tudalennau'r gyfrol hon. Mae'n dda ei chael, fel popeth arall o law T.J. Davies.

Meurwyn Williams

CYFLWYNIAD

Roedd y system gwres canolog yn gwarlingo y bore 'ma. Rhyw gynyrfiadau perfeddol yn cyhoeddi ei bod yn fyw, a bod y gwres yn dechrau gwasgaru ar hyd y tŷ. Bid siŵr, doedd dim gwres canolog ar y fferm lle'm magwyd i; y cloc fyddai'n gwarlingo. Yntau a rhyw glic neu glec yn ei goluddion yn cyhoeddi fod adeg taro'r awr ar ddod. A dyna, mewn gwirionedd, yw'r rheswm am y gyfrol yma. Bu gwarlingo. Rhywbeth yn peri clic yn y meddwl neu'r galon a rhaid oedd 'sgrifennu amdano.

Ces gyfle, a diolchaf amdano, i lunio degau o sgyrsiau ar gyfer y radio ac, ar dro, byddai rhywrai caredig yn anfon am gopi ac yn annog eu cyhoeddi. Pwysau'r cyfryw garedigion fu'n gymhelliad i gychwyn dethol a dewis ar gyfer y gyfrol hon.

Am flynyddoedd bûm yn cyfrannu colofn Gymraeg i'r *Cambrian News*, o dan y teitl 'O Ben Dinas'. Cynhwysir yma rai o'r 'sgrifau a gyhoeddwyd gyntaf yn y papur hwnnw, gyda diolch am y cyfle a roddwyd i mi. Gwnes lu o ffrindiau a'r penna oedd Mr Henry Read, perchen y papur—yr unig bapur lleol, gyda llaw, nad yw'n derbyn hysbysebion diod, a hynny oherwydd argyhoeddiadau'r perchen.

Mae arnaf ddyled i amryw am lawer cymwynas, yn enwedig i'r Cyngor Llyfrau Cymraeg. Gwnaeth y gweithwyr o'r tu ôl i'r llenni beth wmbredd o waith tawel a byddwn lai na'r lleia ped esgeuluswn eu cydnabod.

Gollyngaf y gyfrol hon gan obeithio y daw â budd a bendith i lawer. Fel llyfr ochor y gwely y'i gwelaf. Gellir troi ato a darllen pennod, ac efallai y bydd yn help i gysgu! Gobeithio y bydd yn help i ddeffro hefyd.

Fi biau'r gyfrol a rhaid imi arddel ei diffygion; hynny a wnaf. Hyd nes daw'r gwaith cwbl berffaith rhaid bodloni ar bethau llai perffaith.

Boed hwyl ar y darllen,

T.J.

Hydref, 1986

SGYRSIAU 'MUNUD I FEDDWL'

YMADRODDION

1. Taith yr anialwch

'Newch chi fadde imi am agor ar nodyn personol? Fel y gŵyr rhai ohonoch, rydw i wedi treulio llawer o f'amser yn ystod y blynyddoedd yng nghwmni dau Negro, Martin Luther King a Paul Robeson—hynny'n fendith na alla i ddiolch digon amdani. Ac ar ddechre blwyddyn fedra i ddim meddwl am well cyngor na'ch annog i dreulio cymaint o amser ag a fedrwch yng nghwmni rhywun a wnaeth gyfraniad arhosol ac arloesol, a da chi, peidiwch ag anwybyddu cymeriad a chyfraniad cyffrous Mab y Saer o Nasareth dre.

Un o'r pethau y bu raid imi ei wneud wrth ymchwilio i fywyd a gwaith Paul Robeson oedd darllen y caneuon negroaidd, y rhai a elwir yn gyffredin yn *Negro Spirituals*, a pha ragoriaeth byn- nag a berthyn i Paul Robeson, fe'i cofir, yn siŵr, fel datgeinydd a dehonglydd eneiniedig caneuon ei hil. Ac ni all neb bori yn y caneuon hynny heb sylwi ar eu dyled i'r Hen Destament, ac yn arben- nig i'r waredigaeth ryfeddol o'r Aifft. Ma Pharo greulon a'i ormes annynol yn gyson ynddynt, a'r un mor amlwg yw Moses waredwr. Gwelent yng nghaethiwed yr Iddew a'i waredigaeth stori gyffelyb i'w hynt a'u helynt hwy fel pobol, a chaent fod Duw Israel, a'u Duw hwythau, bid siŵr, â'i glust yn gyson i gyfeiriad cri a gwaedd y gorth- rymedig, a'i fod yn ei ryfedd ragluniaeth yn codi rhyw Foses yn gyson i arwain pobol orthrymedig o'u caethiwed. Dis- gwylient yn eiddgar am ddyfodiad y cyfryw berson i dorri gafael gyndyn y dyn gwyn, creulon.

Clywsoch y sylw lawer tro—mae'n addas nawr—haws oedd dod â'r Israeliaid o'r Aifft na thynnu'r Aifft o'r

2

Israeliaid. Faint ohonom sydd â'n haddewidion blwyddyn newydd yn yfflon jibidêrs erbyn hyn? Arferion ddoe wedi trechu addewidion heddi. Nid calendr newydd, nid daearyddiaeth newydd, nid swydd newydd sy'n newid dyn. Rhaid wrth galon newydd. 'Eithr y mae gennym ni feddwl Crist', medde'r Apostol; dyna'r newid sy'n newid parhaol.

2. Rhwng Pihahiroth a Baalseffon

Cyfeiriais ddoe at ddyled y caneuon negroaidd i'r Hen Destament ac, yn benodol, i daith yr anialwch. Nid llai ein dyled ninnau fel Cymry. Benthyciasom yn drwm ohoni; daeth yn rhan o'n hymadrodd. Tebyg i chi, fel finne, glywed yr ymadrodd neu efallai i ni ei ddefnyddio—'rhwng Pihahiroth a Baalseffon'. Awgrymu a wneir fod person mewn cyflwr meddyliol arbennig. Pa gyflwr? Odi diffyg cyfarwyddineb â'r Beibl wedi diffodd ergyd y gymhar-

iaeth? Am eglurhad trowch i Lyfr Ecso-
dus, Pennod 14, a dyma a gewch chi:
'Dywed wrth feibion Israel am ddych-
welyd a gwersyllu o flaen Pihahiroth,
rhwng Migdol a'r môr, o flaen Baalseff-
on'. Hynny a fu, ond daeth Pharo a'i lu
ar eu gwarthaf—hwnnw wedi sylwedd-
oli mai camgymeriad oedd gollwng yr
Israeliaid o'r Aifft, ac fe â'r bennod yn
ei blaen fel hyn:

'A phan nesaodd Pharo, meibion Israel a
godasant eu golwg; ac wele yr Eifftiaid yn
dyfod ar eu hôl; a hwy a ofnasant yn
ddirfawr: a meibion Israel a waeddasant ar
yr Arglwydd.'

A dyma'r waedd:

'Ai am nad oedd beddau yn yr Aifft y
dygaist ni i farw yn yr anialwch? ... canys
gwell fuasai i ni wasanaethu'r Eifftiaid na
marw yn yr anialwch.'

'Chydig ddyddiau oedd er pan adaw-
sent yr Aifft, ond dyma nhw'n barod yn
dechre gwamalu. A dyna a olyga 'rhwng
Pihahiroth a Baalseffon', y cyflwr ansicr

o amheuaeth, o gloffi rhwng dau feddwl. Byddech yn disgwyl fod co'r rhain am enbydrwydd yr Aifft yn ddigon byr i'w cadw rhag awyddu dychwelyd yno. Na, pylu, diffodd a wnaeth yr awydd i barhau pan ddaeth helynt a thrafferth. Peth diafael, diflanedig yw brwdfrydedd y dorf; buan y try yn 'Croeshoelier ef'. Pwy fynnai fod yn Foses ar bobol gaeth? Ma caethiwed o bob math yn beth anodd i'w dorri; dylai Cymru wybod hynny, o bosib, ac y mae'n ymddangos i mi ein bod yn barhaus rhwng Pihahiroth a Baalseffon—yn awyddu mynd nôl yn lle mynd ymlaen.

3. Mara

Os yw 'rhwng Pihahiroth a Baalseffon' wedi dod yn rhan o'n hiaith, yn sicr ddigon, daeth Mara. Canwn emyn sy'n agor gyda'r cwpled:

Er dod o hyd i Mara,
A'i dyfroedd chwerw'u blas ...

5

a dyma'r cyfeiriad at Fara yn Llyfr Ecsodus, Pennod 15:

'A phan ddaethant i Mara, ni allent yfed dyfroedd Mara, am eu bod yn chwerwon ... A'r bobl a duchanasant yn erbyn Moses, gan ddywedyd, Beth a yfwn ni? Ac efe a waeddodd ar yr Arglwydd: a'r Arglwydd a ddangosodd iddo ef bren; ac efe a'i bwriodd i'r dyfroedd, a'r dyfroedd a bereiddiasant ...'

Hawdd deall eu tuchan. Blinedig a sychedig oedd yr anial cras a galw mawr am ddracht o ddŵr ar dafod sych, a siom oedd cael dŵr na allent mo'i yfed. Camp Moses oedd pureiddio'r dŵr a'i gael yn ddŵr ffit i'w gymryd. Tipyn o gamp, yn wir.

Er nad yw'r flwyddyn ond ifanc eto, mae'n siŵr gen i eich bod wedi taro ar Mara a'i dyfroedd chwerw'u blas erbyn hyn. Ma Mara ym mhob ardal. Y peth neu'r person hwnnw sy'n gwenwyno'r awyrgylch, yn halogi cymdogaeth, a'r ddawn fawr yw pureiddio dyfroedd Mara. Un peth y carwn ei wasgu: os na fedrwch buro'r dŵr, da chi, peidiwch â'i wneud yn fryntach ac yn chwerwach. Dyna a ddigwyddodd yn hanes Wayne Williams; bu chwerwi ar y dyfroedd a rhai yn fwriadol yn tryblu'r dŵr. Y galw yn y sefyllfa yna a phob un debyg oedd am rywun i bureiddio'r dŵr. A'r hyn a wnaeth Moses oedd taflu rhywbeth i'r dŵr. Fe fedrwn ni i gyd daflu gair cymodlon neu gymwynas rasol—rhywbeth i lanhau'r drwg. Peth ofnadw yw fod plant yn yfed dyfroedd sur, chwerw, ardal—dyfroedd sy'n berwi o gecraeth a chweryl na allant ond gwneud niwed parhaol iddynt. Gadewch i hon fod yn flwyddyn o bureiddio'r dyfroedd yn eich teulu, eich ardal a'ch gwlad; troi Mara yn ddyfroedd ffit i'w hyfed.

4. Croesi'r Môr Coch

Os oes digwyddiad wedi aros ar go' a chadw'r Iddew, wel, croesi'r Môr Coch yw hwnnw. Dyma'r digwyddiad mawr, tyngedfennol. Fe gewch salm ar ôl salm yn canmol y waredigaeth.

'Trodd efe y môr yn sychdir: aethant trwy yr afon ar droed: yna y llawenychasom ynddo.'

Cystal dyfynnu'r adnod o Ecsodus:

'A Moses a estynnodd ei law ar y môr: a'r Arglwydd a yrrodd y môr yn ei ôl, trwy ddwyreinwynt cryf ar hyd y nos, ac a wnaeth y môr yn sychdir, a holltwyd y dyfroedd. A meibion Israel a aethant trwy ganol y môr ar dir sych.'

Nid oes amheuaeth ynglŷn â phwysigrwydd croesi'r Môr Coch i'r Iddew; mae'n ganolog i'w hanes.

Ma tristwch yn fy nghalon i fel Cymro, a rhaid i mi rannu'r tristwch hwnnw â chi ar ddechre blwyddyn. Ymddengys i lawer ohonom ein bod fel cenedl yn benderfynol o foddi ym môr coch alcoholiaeth. Myn adroddiad ar ôl adroddiad ein bod yn suddo'n ddyfnach i afaelion y ddiod, ac mae'r sawl sy'n rhybuddio ac yn galw sylw at y ffaith drist yma yn cerdded ar ei ben i dudalennau sarhaus *Lol,* ac yn cael ei ystyried yn anghymwynaswr. Un peth y gallaf ei addo i chi heddi: y bydd y rheini ohonom sy'n gwybod am ddistryw môr coch alcoholiaeth a'i gelaneddau mynych yn gwneud ein gorau i agor llygaid cenedl er cerdded i ddiogelwch. Trist iawn fyddai stori'r genedl Iddewig pe bai wedi'i boddi a'i cholli yn nyfnderoedd y Môr Coch, a mwy trist na thristwch fyddai boddi o'n cenedl ni yn nyfnder y môr alcoholig hwn. Beth am annog rhai i gerdded rhagddynt?

5. Gwlad yr Addewid

Mae'n well i chi gael y Môr Coch o'r tu ôl i chi yn hytrach na'i gael ynoch chi; wedi ei groesi ma Canaan a Gwlad yr Addewid. Wedi'r cwbl, gorchymyn i groesi'r Môr Coch a gafodd yr Israeliaid, nid i'w yfed, ac alla i ddim gweld i'r gorchymyn newid.

Mae'r emyn:

Adenydd colomen pe cawn,
Ehedwn a chrwydrwn ymhell;
I gopa bryn Nebo mi awn,
I olwg ardaloedd sydd well ...

yn ddigon cyfarwydd, onid yw?
Cadwyn o fynyddoedd oedd Nebo a'r
pigyn uchaf oedd Pisga, ac yno yr
esgynnodd Moses. Dyma'r cyfeiriad yn
Deuteronomium, Pennod 34:

'A Moses a esgynnodd o rosydd Moab, i
fynydd Nebo, i ben Pisga ... A'r
Arglwydd a ddywedodd wrtho, Dyma'r
tir a fynegais i Abraham, i Isaac, ac i
Jacob, gan ddywedyd, I'th had di y
rhoddaf ef; perais i ti ei weled â'th
lygaid, ond nid ei di drosodd yno.'

'Na un lwcus oedd Moses! Ca'l gweld
Gwlad yr Addewid ar y gorwel agos a
ffroeni ei ffrwythau; a phetai'n edrych
nôl ar gopa bryn Nebo, gwelai fod y
genedl a arweiniodd ef ar hyd deugain
mlynedd yn yr anialwch yno gydag e, er
pob trafferth a methiant ar hyd y daith,
yn barod i gerdded i Wlad yr Addewid.

Alla i ddim llai na meddwl am Gwynfor Evans yn ymddeol ar ôl yn agos i ddeugain mlynedd o geisio arwain ein cenedl. Efallai—wel, nid efallai—y *mae* Gwynfor yn gweld gwlad yr addewid, wedi'i gweld o'r dechre, ond dyw hi ddim mor agos ato ag oedd un Moses. Pe troai ef yn ôl i edrych ar genedl y Cymry, yn sicr, nid ydynt gydag ef fel yr oedd cenedl Israel gyda Moses; cenedl ar goll yn yr anial yw hi, a chenedl heb lawer o awydd i feddiannu Gwlad yr Addewid.

Ac ni alla i lai na chofio'n ddiolchgar am ein cyfaill arall, y Parchedig Erastus Jones—Ras i'w ffrindiau—yn ceisio arwain ei genedl o gaethiwed enwadaeth i wlad addewid yr un eglwys. Ni fynnant mo'i weledigaeth; gwell ganddynt yw marw yn Aifft eu caethiwed enwadol na chamu'n ddewr tu cefn i un a gwlad yr addewid yn ei lygaid a'i enaid. Na, roedd Moses yn lwcus. Nid yw'r Cymry mor gefnogol i'w Mosesau hwy, ddoe a heddiw. (Gwanwyn,1980)

11

AR DDECHRAU BLWYDDYN

1. Gofal

Dyma wythnos cyrdde gweddi dechre'r flwyddyn. Ma lle i gredu fod y cyrdde yn llai amal a'r gweddïwyr yn brinnach. Cofiaf fel y byddai ambell gapel ar y cefen gwlad yn Shir Aberteifi yn cynnal cwrdd bob nos, ac yn tawel ymffrostio ar ddiwedd yr wythnos fod gyda nhw ddigon o weddïwyr cyhoeddus fel na bu raid galw neb yr ail waith. Arall yw'r stori bellach. Ac y mae tristwch mwy, a symptom o'r tristwch hwnnw yw'r gwanychu sy yn hanes cyrdde gweddi dechre'r flwyddyn. Collwyd y gred, yr argyhoeddiad mewn nerth a gwaith gweddi. Yr atgo sy gen i yw fod pawb o aelodau'r eglwys, o'r lleia ffyddlon i'r cysona ei gefnogaeth, yn treio cael rhai o gyrdde'r wythnos. Roedd yna gred ac fe'i perchid hi: y ffordd ore i'r flwyddyn newydd oedd trwy weddi ac emyn.

Erys un atgo arall—Mam yn paratoi swper cynnar. 'Ma'n bwysig i chi ga'l pryd da cyn mynd mas i'r oerfel.' Dyna'i sylw. Ac yn ddiarwybod iddi roedd yn llefaru mewn damhegion. Onid diben y cwrdd gweddi oedd ein harfogi ar gyfer oerfel y flwyddyn newydd? Yna 'Nhad yn mynd â dau ohonom yn ei law. Bracsan hi ar draws y caeau a'i lyged fel llyged cath yn gweld yn y nos. Pan ddeuem at ambell glwyd, a'r bustych wrth sefyllian a thindroi wedi corddi'r cwbl yn un foddfa o bwdel, gafaelai 'Nhad yn dynn ynom a'n sugno i glydwch ei geseiliau—y breichiau tragwyddol oddi tanom, yn wir—a'n gosod yn y man ar y lan brydferth draw. Pan gyrhaeddem y long rŵm—dyna'r enw ar y festri, a 'stafell hirgul oedd hi—byddai tanllwyth o dân yn bwrw'i wres ac yn aml gwelech gymylau o stêm yn codi o ddillad gwlybion yr addolwyr gwladaidd. Pob un, fel ninnau, wedi dod trwy faw a llaca, a chaglau yn drwch arnom. Erbyn meddwl, ma dameg fan 'na— onid oes damhegion ym mhobman? Y flwyddyn y daethant drwyddi wedi gadael ei chaglau a'i chreithiau arnynt, ambell un wedi bod yn stablan mewn tipyn o bwdel, ond er gwaetha enbyd-rwydd a pheryglon y daith, daethant drwyddi; ac o fryniau Caersalem blwyddyn newydd arall, caent weled holl daith yr anialwch i gyd, a'r adeg hynny troeon yr yrfa yn felys yn llanw eu bryd—a dyna'r nodyn a drewid. Diolch am gael gorchfygu a mynd trwy, diolch am y cynnal a'r cadw a fu arnynt, a deisyfwn am fendithion yr un cadw yn ystod blwyddyn arall. Bydd y rhan fwyaf ohonom yn gyrru car a rhaid cael trwydded. Nid ni biau'r ffordd; rhaid wrth ganiatâd i dramwyo arni. Faint, dwedwch, sy'n gyrru i'r flwyddyn newydd heb ofyn am drwydded gan y sawl sy'n berchen y ffordd? Na, fedra i ddim meddwl am ffordd well i'r flwydd-yn na thrwy weddi. Cydnabod ein dreifio sâl a pheryglus yn ystod y flwyddyn a aeth heibio; gofyn am ras a doethineb i yrru'n gyfrifol ar ffyrdd y flwyddyn newydd hon gan yr Un biau'r ffordd.

2. Rhagluniaeth

Odych chi'n credu mewn rhagluniaeth? Y gred honno y cenir amdani yn ystod cyrdde gweddi dechre'r flwyddyn yn emyn Nantlais:

Yn dy law y mae f'amserau,
Ti sy'n trefnu 'nyddiau i gyd,
Ti yw Lluniwr y cyfnodau,
Oesoedd a blynyddoedd byd ...

Ga i adrodd gair o brofiad? Cyrhaeddais Washington yn hwyr ar nos Wener ym Medi 1980. Fore trannoeth rown i fod i gwrdd â rhywrai mewn ysbyty am naw a dyma ofyn am gyfarwyddyd. Fe'm cynghorwyd i alw tacsi. Dyna a wnes. Ddaeth hwnnw

15

ddim. Dyma holi be i'w wneud gan nad oedd digon o amser i fynd ar fws, ac meddai un wrthyf, 'Ewch chi mas i Massachusetts Avenue, un o'r prif strydoedd. Chewch chi ddim trafferth i ga'l tacsi.'

Fe es. Gwibiai digon o dacsis ond ni fynnai'r un fy nghodi. Aent heibio'n dalog. Sylwi ar fy watsh a gweld nad oedd gen i lawer o amser mewn llaw. Galw tacsi arall, hwnnw'n saethu heibio. Rown i bron â rhoi i fyny, ond dyma gar preifat yn stopio.

'I ble'r ŷch chi'n mynd?'

'Lawr i'r ddinas ... i ysbyty.'

'Rydw i'n mynd i'r cyfeiriad 'na, dowch i mewn.'

Wedi imi eistedd, dyma fe'n gofyn, 'I ble yn hollol ŷch chi'n mynd?'

Dyma ddangos darn o bapur iddo a gwelodd yntau nad i ysbyty yr own i'n mynd eithr i adeilad cysylltiedig â'r ysbyty, sef *Detoxification Centre,* lle sobri'r meddwon. Yr heddlu yn eu casglu a'u gosod yn y lle hwnnw. Wedi

16

i'r cyfaill yma sylweddoli fy mod yn mynd at y meddwon dyma fe'n gofyn, 'Odych chi'n alcoholig?'

'Nadw ... diolch i'r drefn. Rwy'n gweithio yn y maes hwnnw yng Nghymru.'

Dyma fe'n estyn ei law mas ac yn gafael yn dynn yn fy llaw i. 'Rown i'n alcoholig ond rwy'n sych ers tro bellach. Seiceiatrydd ydw i. Af â chi bob cam i lety'r meddwon.'

Ac yr own i yno cyn naw, wedi'r cwbl. Ni allwn gredu fy lwc—o'r cannoedd ceir a wibiai ar hyd Massachusetts Avenue ar fore Sadwrn ym Medi, a'r degau o dacsis di-hid a'm gadawodd ar y palmant—fod hwn o bawb wedi fy nghodi. 'Rhaid oedd bod rhagluniaeth ddistaw'—ond nid fy nghodi yn unig a wnaeth; gofalodd amdanaf, agorodd ddrysau imi gwrdd â phobol a gweld sefydliadau lle y trinid alcoholiaid. Oes, ma un sy'n gofalu—'Yn dy law y mae f'amserau.'

3. Anrhydedd

Oes gyda chi ddiddordeb yn rhestr anrhydeddau'r flwyddyn newydd? Tebyg y carech weld anrhydeddu rhyw-rai nad oes rithyn o obaith ganddynt i dderbyn llythyr o Balas Buckingham. Ise sôn rydw i y bore 'ma am un o'r rheini. Llawer ohonoch wedi teithio o Ferthyr i Gaerdydd, ac yn union wedi i chi adael Merthyr, yn pasio ffatri en-fawr Hoover, yna ychydig ymlaen ma stad ddiwydiannol newydd yn codi. Yr ochr arall i'r ffordd ma pentre; ei enw yw Pentre-bach. Er gwaetha'i enw nid bach mohono oherwydd mae yno ryw bum mil o boblogaeth. Hyd y deallaf, un lle o addoliad sy yno, capel gyda'r Bedyddwyr Saesneg. Tuag ugain o aelodau sy'n perthyn i hwnnw. Es yno ar noson waith, y gweinidog wedi fy ngwahodd i gwrdd pobol ifainc i ddangos ffilm ac arwain trafodaeth ar beryglon y ddiod. Down i ddim wedi cwrdd â'r gweinidog cyn y noson honno, ond mewn sgwrs cefais ar ddeall ei fod yno ers dwy flynedd ar hugain. Treuliodd ryw bum mlynedd yn y llynges a gwasanaethu ar yr un llong am bedair blynedd. Mae'n drydanwr trwyddedig a gallai fod wedi ennill bywoliaeth frasach drwy drafod y pŵer sy'n cerdded i'n tai i'n goleuo a'n cynhesu. Eithr cydiodd Pŵer ynddo ef ac oddi ar i hynny ddigwydd bu'n gwneud ei orau i gysylltu'r Pŵer hwnnw â'r gymdogaeth gymysglyd lle y gweinidogaetha.

Oddi ar y noson honno rydw i wedi meddwl llawer am y gweinidog yna. Yn ymyl ei bentre ma ffatri Hoover sy'n cynhyrchu peiriannau golchi sy'n ca'l eu hanfon dros y byd. Gwir fod terfysgoedd economaidd ein dyddiau cythryblus ni yn effeithio er drwg ar gynhyrchu'r ffatri honno, ond er hynny ma rhywrai'n dal i brynu'u peiriannau am eu bod yn credu mewn ca'l dillad glân. Yng nghysgod y ffatri sy'n cynhyrchu peiriannau golchi ma gweinidog cyffredin—roedd e yno o flaen Hoover—

wedi treulio dwy flynedd ar hugain yn ceisio golchi'i ardal a'i ardalwyr, ac yn ôl y criw a ddaeth ynghyd y noson yr own i yno, ma gydag e dipyn o waith golchi. Fe all y galw am beiriannau Hoover beidio; dyw hi ddim yn debyg y gwelir y dydd pryd na bydd galw am efengyl i olchi'r aflanaf yn wyn. Shwd ma hwn yn dal ati? Os yw'r dirwasgiad yn effeithio ar Hoover – ac y mae, yn sicr – mae'n effeithio llawer mwy ar blwyfolion hwn. Diweithdra, segurdod, a'r diafol yn chwilio gwaith i ddwylo segur. Esgob Lerpwl, y Gwir Barchedig David Sheppard, a ddywedodd pan oedd yn gweithio yn y Mayflower Centre yn Llundain mai'r peth pwysicaf yw *stickability—dal-atrwydd*. Ma fe gyda hwn—dwy flynedd ar hugain o ddal ati—a rhodded iddo bob anrhydedd. Da was, da a ffyddlon, buost ffyddlon ar ychydig.

4. Aberth

Ma rhagor na deng mlynedd ar hugain oddi ar y digwyddiad. Newydd gyrraedd Coleg Trefeca own i. Pwdlac y fferm yn gaglau ar fy 'sgidie gwledig, a hiraeth dygn am a adewais ar ôl yng ngogledd Shir Aberteifi. Yn ystod yr wythnos gynta hir honno, ces orchymyn i fynd i bregethu y Sul canlynol i Gaeharris, Dowlais. Wyddwn i ddim am y lle. Wyddwn i ddim ble'r oedd e. Teithiais ar y bws i Ferthyr nos Sadwrn a chael y lle hwnnw gyda'i dorfeydd morgrugaidd yn lle gwahanol iawn i Lanfihangel-y-Creuddyn. Y noson honno allwn i lai na chytuno â'r gŵr a fynnai aralleirio yr adnod o'r salm a dweud: 'Ond ffordd yr annuwiolion a â i Ferthyr.'

Roedd gen i gyfeiriad llety a balch oeddwn o'i gyrraedd. Ni chofiaf ddim am y lle. Yn wir, ni chofiaf ddim am y penwythnos ond un peth, a dyw'r blynyddoedd ddim wedi pylu'r co' am yr un peth hwnnw. Gwraig weddw a gadwai'r llety. Collodd ei gŵr yn y Rhyfel Byd Cyntaf, ac yr oedd iddi un mab. Fe a finne yr un oed. Ond doedd e ddim yno. Newydd adael am goleg Bangor i gychwyn ar ei gwrs addysg. A hynny cyn dyddiau'r grantiau hael. Wel, hael i rywun fel fi na chafodd erioed ddimai o goffrau'r wlad. Roedd rhoi addysg y blynyddoedd rheini yn gryn aberth ar ran rhieni. Ond sut y gallai hon, o'i phensiwn rhyfel pitw, obeithio cwrdd â gofyn ei mab? Ni allai. Eto, gwnaeth un peth, a dyma'r hyn sydd wedi glynu—cododd arian ar ei bwthyn. Swm sylweddol. Aeth i ddyled fawr a gosododd y cyfan yng nghyfri ei mab yn y banc a gadael iddo ddefnyddio'r arian fel y mynnai i dalu ei ffordd. Cryn fenter, a dweud y lleia, ac yr own i yn llythrennol wedi fy mharlysu gan syndod ac edmygedd. Ni chefais gymaint cariad, naddo, yn unman, ag a gefais ar Ddowlais Top y Sul hwnnw. A does neb yn mynd i ryfeddu fod gweithred fawr, gariadus y fam weddw hon wedi bwrw ei chysgod ar fy Sul. Fe welwn i gysgod o aberth y Groes yn aberth hon ac, yn wir, rwy'n dal i weld cysgod un yn y llall.

Ma lot o gwestiyne y licwn i ga'l atebion iddyn nhw.

Be dda'th o'r wraig a'i dyled?

Be 'nath y crwt â chymwynas gostus ei fam?

'Bwrw dy fara ar wyneb y dyfroedd; canys ti a'i cei ar ôl llawer o ddyddiau,' medd y Gair. A dda'th bara hon yn ôl ati yn dorthau o ddiolch?

Dwedwch y gwir, pwy ydych chi a fi i feiddio gofyn cwestiyne fel 'na? Pa mor ddiolchgar a gwerthfawrogol fuon ni? Fe gofiwch am y deg gwahanglwyfus yn ca'l glanhad:

'Ac un ohonynt, pan welodd ddarfod ei iacháu, a ddychwelodd, gan foliannu Duw â llef uchel. Ac efe a syrthiodd ar ei wyneb wrth ei draed ef, gan ddiolch iddo. A Samariad oedd efe. A'r Iesu gan ateb a ddywedodd, Oni lanhawyd y deg? ond pa le y mae y naw?'

(Ionawr, 1981)

DIARHEBION

1

Alla i gymryd yn ganiataol fod 'na Feibl wrth law gyda chi? Fydda i am i chi droi iddo yr wythnos hon. Gwyddoch o ddyddiau eich ysgol Sul fod y Beibl yn rhannu'n ddau: yr Hen Destament a'r Testament Newydd. Yr hen oedd Beibl yr Iddew. Ar hwnnw y codwyd Iesu, ac oni bai am ei godi E fore'r trydydd dydd fydde gyda ni ddim Testament Newydd. Dysgwyd yr Iesu yn y synagog i rannu'i Feibl yn dri, *Y Gyfraith, Y Proffwydi* a'r *Ysgrifeniadau.* Casgliad o lyfrau gwahanol iawn yw'r Ysgrifeniadau, yn cynnwys rhai mor wahanol â'r Salmau, Caniad Solomon, Esther, Ruth a'r Diarhebion, neu ddoethineb Solomon.

Ni wn pa ddiffiniad o ddihareb yw'ch dewis chi, ond hoffais hwn: *The wit of one and the wisdom of many.* Doethineb cenedlaethau wedi'i wasgu i un dywediad bachog, cofiadwy. Myn un Sgotyn y gellwch chi rannu'r ddynoliaeth yn dri dosbarth, *hen fois iawn, rhai mor ddwl â'r pared, a moch.* Ond roedd y gŵr doeth yn Llyfr y Diarhebion yn ein gosod i gyd mewn un dosbarth mawr—*ffyliaid*—dim ond bod gwahanol fathau o ffyliaid. Y mwya cyffredin, a'r lleia peryglus, yw'r un a alwn ni yn ddiniweityn—yn agored i gael ei fachu gan bob dylanwad. Y llall yw'r un difeddwl, di-feind, dienaid. Mae'r nesa yn waeth—dyma'r un pengaled, haerllug, anifeilaidd. Yna mae'r gwawdiwr, sy'n gwneud sbort o bawb a phopeth—un dirmygus a chellweirus. Ac yna'n ola, ffŵl wrth natur a ffŵl wrth enw. Mae'n siŵr ein bod ni'n ffitio i un o'r dosbarthiadau yna, a diben y diarhebion oedd troi'r ffôl yn ddoeth, rhoi 'chydig o synnwyr ym mhen y rhai disynnwyr, rhoi gweld ym mhen rhai di-weld, dofi tipyn ar ddyn. Dyma pam y mae Llyfr y Diarhebion mor bwysig i rai fel ni; fe dalai inni i gyd ei ddarllen er mwyn bod yn ddoethach. Mae'n well i'r hen fyd 'ma ga'l doethion na cha'l ffyliaid, greda i.

2

'Newch chi droi i Lyfr y Diarhebion, Pennod 30, a llygadu ar adnod 24?

'Y mae pedwar peth bychain ar y ddaear, ac eto y maent yn ddoeth iawn.'

A dyma'r cynta:

'Nid yw y morgrug bobl nerthol, eto y maent yn darparu eu lluniaeth yr haf.'

Un cyfeiriad arall sy at forgrug yn y Beibl ac mae hwnnw hefyd yn Llyfr y Diarhebion:

'Cerdda at y morgrugyn, tydi ddiogyn; edrych ar ei ffyrdd ef, a bydd ddoeth: nid oes ganddo neb i'w arwain, i'w lywodraethu, nac i'w feistroli; er hynny y mae efe yn paratoi ei fwyd yr haf, ac yn casglu ei luniaeth y cynhaeaf.'

Cymeradwyo diwydrwydd y morgrug a wneir, a'r ffaith eu bod yn rhagddarparu cyn dyfod y gaea', y dydd blin, ar eu gwarthaf. Y peth diddorol ynglŷn â'r morgrug yw hyn: dydyn nhw ddim yn hau nac yn medi, felly nid ydynt yn cynaeafu. Yr hyn a wnânt yw byw ar gynhaea' rhywun arall: helpu'u hunain o storws ac ydlan arall. Mewn gwirionedd, dyna a wna'r rhan fwya ohonom: byw ar gynhaeaf eraill. Ond y mae'r morgrug yn ofalus i osod yn eu storws fwyd a fydd yn gynhaliaeth dros y gaea'. Wn i ddim be amdanoch chi; mi fydda i yn cydio yn fy Llyfr Emynau gyda'r parch mwya. Does gen i'r un emyn na thôn ynddo. Cynhaeaf o feysydd eraill yw, ac y mae'n gynhaea' toreithiog iawn. Ma trysori'r emynau ar y co' yn gyfoeth, yn gynhaliaeth mewn gaea', ac ma dangos i eraill ble ma ca'l a chasglu deunydd erbyn gaea' bywyd, henaint, profedigaeth, unigrwydd, y dyddiau blin, yn un o'n tasgau pwysig.

Dysgwch, medd y gŵr doeth, oddi wrth y morgrug: ewch i'r stordai cyfoethog sy o'ch cwmpas, paratowch erbyn y gaea'. Ma'n siŵr o ddod.

3

Un arall o'r rhai bach a gymeradwyir yw'r cwningod:

> 'Y cwningod nid ydynt bobl rymus, eto hwy a wnânt eu tai yn y graig.'

Mor bell ag y gwela i, camgyfieithiad sy yma; yn y Saesneg, nid cwningod a geir, eithr mochyn daear. Hyd y cofiaf, weles i 'rioed fochyn daear byw. Fe weles un marw ddegau o weithiau. Dyna lle'r oedd yn ei gaets gwydr ar silff uchel yn y llythyrdy yn Llanfihangel-y-Creuddyn. Swatiai'n ofnus o'r tu ôl i 'chydig o frwyn gwneud, a'i lygaid gwydr yn seso'n sefydlog ar bob un a ddelai i brynu stampiau. Honnid iddo ga'l ei ladd gan y postmon, a hynny mewn ffordd hynod. Dywedir ei fod yn greadur peryglus pan gornelid ef, a phe cydiai ynoch, na fyddai'n gollwng ei afael hyd nes torri asgwrn. Ond ma man gwan ar ei gorff, ar ei drwyn, o'r tu ôl i'w swch, a phe trewid e yno, dyna'i ddiwedd. A dyna a wnaeth y postmon, a stwffiwyd y mochyn daear. Bu am flynyddoedd yn siampl o oruchafiaeth Dafydd ar Golïath.

Gallaf dystio'u bod yn gwneud eu nythod mewn lleoedd diogel. Ar waelod y cae dan tŷ, ar ein fferm ni, roedd cwm cul; yno mewn ceulan roedd warin, a phe codai'r nant, ni ddeuai'r dŵr yn agos ati. Mae'n debyg fod yr hwch yn fam dda. Yn wir, fe weles awgrym fod gyda nhw warchodwr o gwmpas ceg y warin i rybuddio pan fo perygl gerllaw. Ma gan rai bach—o ba rywogaeth bynnag—hawl i ddisgwyl gofal a chariad, cartre a fydd yn amddiffynfa iddynt ym mlynyddoedd eu tyfiant. Tybed nad oes angen gwarchodwr y blynyddoedd yma i'n rhybuddio o'r peryglon sy'n anelu am ein cartrefi? Pan ddeuant i'r warin, gwnânt hafog â'r diamddiffyn. Cartre wedi'i naddu yn y 'graig na syfl ym merw'r lli' yw'r cartre diogel. Ac y mae'n rhyfedd os yw moch bach y mochyn daear yn cael cartre diogelach na phlant bach.

4

Dydyn ni ddim yn gyfarwydd â'r peth bach nesa a gymeradwyir:

> 'Y locustiaid nid oes brenin iddynt, eto hwy a ânt allan yn dorfeydd.'

Enw drwg sydd i'r locust yn y Beibl. Un o'r plâu yn yr Aifft oedd pla'r locustiaid y sonnir amdanynt yn disgyn yn gawodydd ar gnydau, ac yn cyflawni dinistr enbyd. Eto, fe'u cymeradwyir gan y gŵr doeth yn Llyfr y Diarhebion am un peth, sef eu bod yn uno'n fyddin ymosodol. Eu hundeb yn eu hamcan yw eu cryfder. Mae'n siŵr gen i fod yna wers fan'na i gapeli ac eglwysi. Os ydyn

ni am wneud unrhyw gyrch llwyddian-
nus ar y gelyn, rhaid uno.

Odw i'n reit pan ddweda i fy mod i'n
ca'l yr argraff ein bod yn byw ym
mlynyddoedd y locust? Gwelaf ei ddif-
rod yn rhy fynych. Rown i mewn
dosbarth o blant adfer y dydd o'r blaen.
Hyfryd. Hawdd gneud â nhw. Trodd y
sgwrs at eu hoff raglenni ar y teledu.
Buan y deëllais fod peiriant *video* gan y
mwyafrif ohonynt, ac yr oedd hanner y
dosbarth yn gwylied yr hyn a elwir *video*
nasties yn wythnosol.

'Smo nhw'n codi ofan arnoch?'
meddwn i.

'Mi fyddwn ni yn gwylied y casét cas i
ddechre, yna'n rhoi un cartŵn ymlaen
fel y gallwn fynd i'r gwely ar ôl gweld
hwnnw,' atebodd un.

'Pwy sy'n benthyg y rhain i chi?'

'O,' meddai un arall, 'Mam sy'n eu
llogi i ni.'

Mam go ryfedd, ddwedwn i. Gadael
i'r locust reibio'r tyfiant ifanc ar ei
haelwyd. Ac na chamddealled neb,

pla'r locust yw'r peth yna, a gorau po gyntaf y daw deddfwriaeth i geisio atal ei raib a'i niwed. Mae'r locust yn ei cha'l hi'n rhy hawdd yng Nghymru. Wyddech chi fod y Gamblers Anonymous wedi gorfod agor adran i ieuenctid gan fod cymaint o alw am eu help, a'r locust difaol, bron bob tro, yw'r peiriannau a elwir yn lladron un llaw—ac mae'r afiechyd gamblo yn ca'l gafael ynddynt. Pla yw e, pla'r locust sy'n rheibio a difetha, a gadael llymdra ar ei ôl.

5

Y peth bach ola a gymeradwyir gan Lyfr y Diarhebion yw:

'Y pryf copyn a ymafaela â'i ddwylo, ac y mae yn llys y brenin.'

Ga i nodi pwynt; yn y cyfieithiadau Saesneg, gan mwya, nid y pry copyn a geir, eithr y fadfall. Ma hyn yn gwneud i rywun edrych ymlaen yn eiddgar at y cyfieithiad newydd o'r Beibl Cymraeg.

Ond rydw i'n dewis y pry copyn, pryfetyn a ffieiddir gan lawer. Ys dywed pobol Rhydaman, 'Mae e'n hala'r 'ath arna i.' Gweld ei waith a wneir gan amla, a dyw ei we ddim yn gymeradwyaeth i lanweithdra yr un wraig tŷ. Eto, fe dalai inni sylwi ar ei greadigaeth gywrain. Ni fu'n prynu patrwm mewn siop, ond o'i ben a'i bastwn ei hun mae'n creu celfyddyd. Nid yw chwaith yn prynu edafedd; daw'r cwbl o bellen ei fola, a gall blethu ei we ym mhalas y brenin a bwthyn y gwerinwr: creu prydferthwch a chywreinwaith yn unrhyw le. Tybed nad oes gwers fan'na? O ble yr ydych chi yn tynnu'r elfennau sy'n creu diddanwch ar eich aelwyd? Odyn ni, dwedwch, yn dibynnu gormod ar y bocs yn y gornel gyda'i arlwy gymysglyd? 'Chydig ohonom sy'n dibynnu ar frethyn cartre dychymyg a dyfais. Mae Kierkegaard, y diwinydd o Ddenmarc, yn sôn fel y byddai ei dad yn mynd ag e am dro i'r wlad. Byddai'r teithiau'n troi'n anturiaeth o ddarganfod, ei dad yn porthi ei ddychymyg ac yntau'n ca'l ei ddal mewn gwe o gyffro. Gwers y pry copyn yw ei fod o'i fol ei hun yn creu prydferthwch a hyfrydwch, ac ma hynna'n bosibl i bawb ohonom. Ma gyda chi a fi fwy i roi i'n plant nag sy gan neb na dim arall. Ac yn siŵr—y pwynt ola—fe gymer y pry copyn ei amser i weu ei we. Dim amser sy gyda ni: wedi blino, yn ddiamynedd, yn rhy fishi—ac yn gollwng y plant i wylied y teledu er mwyn ca'l llonydd. Does dim tebyg i'r hyn a ddaw o'ch dychymyg a'ch dyfais chi eich hun—hwnnw sy'n troi'n fyd o brydferthwch a hyfrydwch, yn we o ddychymyg.

(Hydref, 1981)

GLYWSOCH CHI?

1. Llef yn yr anialwch

Mae'n siŵr i chi sylwi, pan ddathlodd y B.B.C. drigain mlynedd o ddarlledu fe atgyfodwyd hen raglenni a thynnwyd y dwst oddi ar leisiau a fu'n ddistaw ers tro. Rwy'n cofio'n dda y cyffro a'r disgwyl pan ddaeth y weiarles gynta i 'nghartre i. Pob clust wedi'i hoelio ar y bocs, yn hongian wrth bob gair. Roedd un diffyg—y batri'n diffygio—a hynny gan amla pan oedd rhaglenni da yn yr arfaeth. Mae'n briodol diolch am y mwyniant, yr hwyl, y diwylliant, yn wir, y cwmni a gadd llawer un unig a hen drwy gyfrwng y radio. Pwy, dwedwch, a all anghofio gwefr y *Noson Lawen* o Fangor, ac ambell *Wedi'r Oedfa* yn diferu diliau mêl a lleisiau unigryw a chyfraniad gwŷr fel Tegla, Wil Ifan, W. H. Roberts a Chynan yn goron ar ŵyl y Saboth. Be oedd pobol yn ei wneud cyn i'r weiarles ddod? Pan fo

dyfeisiadau gwyddonol yn ca'l eu har-
neisio i gyfoethogi bywyd, mae'n
ardderchog a does amheuaeth na fu aml
i raglen yn nerth i'r diffygiol, yn galon-
did i'r digalon, ac yn well na photel o
ffisig i'r ysig ei ysbryd a'i feddwl.
Cyflawnwyd gweinidogaeth drwy
gyfrwng y cyfrwng.

Adroddir am Archesgob Norwy,
Berggrav: ar ddechrau'r rhyfel gores-
gynnwyd ei wlad gan yr Almaen ac fe
gyfyngwyd yr esgob i'w gartref, am ei
fod yn fachan rhy beryglus i'w adael yn
rhydd. Yr unig un a gâi fynd yn agos ato
oedd y dyn lla'th. Ryw fore gadawodd
nodyn o dan y botel: 'Glywsoch chi
William Temple yn gweddïo trosoch
neithiwr?'

Rai nosweithiau'n ddiweddarach bu'n
ffidlan â botwm ei weiarles fregus yn
ceisio dod o hyd i wasanaeth tramor y
B.B.C. Roedd synau aflafar a phecial
bras ym mherfeddion y peiriant gwan-
tan, ond wedi dyfal chwilio trawodd ar
lais ei gyfaill. Câi drafferth i'w ddeall;

roedd cymaint o leisiau eraill yn cystad-
lu â'i lais, ond roedd e yno ac fe'i
clywodd e'n gweddïo trosto yn ei gaeth-
iwed gorfodol.

Ma rhywun wedi awgrymu fod y
Beibl yn hynod o debyg i'r set gracedig,
ddiffygiol 'na. Lot o synau cefndirol
ynddo, brawd yn lladd brawd, twyll
brenhinoedd, eilunaddoliaeth yr Iddew-
on, cawdel o synau ansoniarus. Eto,
dim ond i chi wrando, fe glywch lais yr
Arglwydd, fe godwch awdurdodol
eiriau'r ne. Weithiau'n llef ddistaw fain,
dro arall yn genlli digamsyniol. Trowch
eich clust i'w gyfeiriad heddi; mae'n
trio'ch cyrraedd chi.

2. A most dangerous woman?

Pan own i'n cynllunio'r myfyrdodau
hyn ac wedi penderfynu, fwy neu lai, ar
rywbeth at bob dydd, yn annisgwyl
daeth llyfr Saesneg swmpus drwy'r post,
llyfr i'w adolygu. Hunangofiant Mary

Whitehouse. Cwestiwn yw ei deitl, *A most dangerous woman?* Falle 'mod i'n ei mentro hi braidd wrth sôn amdani ar y B.B.C. oherwydd dyw hi a nhw ddim yn gweld lygad yn llygad bob amser. Fe'i clywais rai blynyddoedd yn ôl a'i cha'l yn siaradreg effeithiol iawn. Y syndod yr adeg honno — ac fe gadarnheir y syndod hwnnw gan y gyfrol hon — oedd ei bod yn wraig hynaws, garedig. Mae'r cyfryngau wedi'i phortreadu fel pishin feiddgar, ddigwilydd. Nid dyna'r gwir o gwbl. Mae'n Gristion ymroddedig, a'i hargyhoeddiad Cristnogol a'i harweiniodd i brotestio. Pe bawn i'n enwi Amos, Moses a Meica nawr, tri o broffwydi yr wythfed ganrif cyn Crist, a thri beiddgar iawn, fydde'r un blewyn yn crynu ar gorun neb ohonoch. Tybiaf ei bod yn wahanol pan oen nhw wrthi—gwahanol iawn. Pan ddaw'r proffwydi yna atom ym mherson gwraig fel Mary Whitehouse, rydym yn dilorni a diawlo, yn ei phardduo a'i difrïo. Mae'r proffwydi pell wedi colli'u colyn, y proffwydi yn ein plith sy'n brathu a tharfu, a rhyfedd y galluoedd sy'n ceisio'u tawelu. Nid yw'n hawdd tawelu hon, diolch i'r drefen. Cafodd ei siâr—fwy na'i siâr, ddwedwn i—o'i herlid a'i melltithio. Llogwyd doniau disglair i'w gwawdio mewn erthygl ac ar lwyfan. Sut mae'n llwyddo i ymgynnal? Ma hi'i hun yn adrodd profiad, yn wir, profiad a all fod o help i rywrai sy'n gwrando, oherwydd 'chydig ohonom sydd heb rywbeth yn gwasgu a phwyso arnom. Newydd ddod trwy achos llys hir a phoenus oedd hi, yn cerdded ar hyd Stryd y Fflyd yn Llundain, pan ddigwyddodd rhywbeth annisgwyl iddi.

'Ces ryw fflach anghyffredin o weld sy'n para ond ychydig, eto'n aros gyda chi weddill eich dyddiau.' Dyma'i ffordd hi o wisgo'r profiad. Gwelodd pe bai hi'n dal i gario'r baich a oedd ar ei hysgwydd a'i hysbryd na allai ond diffygio. 'Gan fy mod,' meddai, 'yn eitha aneffeithiol wrth geisio gwneud yr hyn a fynnai fy Arglwydd, pan ddeuai'r ymosodiadau cas a chiaidd, cyfeiriwn hwynt uchod fel y gallai fy Arglwydd eu dwyn. Ac fe gymerai E'r baich. Onid oedd y Crist yn ei gorff ei hun ar y pren wedi dwyn baich ein dioddefaint?' Dywed i'r profiad yma'i thrawsnewid yn llwyr. 'Golygai fy mod yn edrych mas ac nid i mewn i lyfu fy nghlwyfau. Dyna wraidd yr hyn a roddodd i mi'r nerth i ddal ati, egni sy'n peri i rai synnu'i fod gen i, wraig sy'n tynnu 'mlân.' 'Deuwch ataf fi bawb a'r y sydd yn flinderog ac yn llwythog, a mi a esmwythâf arnoch.' 'Bwrw dy faich ar yr Arglwydd, ac efe a'th gynnal di.'

3. Eirwyn Morgan

Fues i ddim yn lecsiwna yng Ngŵyr. Lecsiwnwr sâl a llugoer fûm i, ond rhaid cyfadde i mi fentro i'r frwydr, ar dro. Pan weles y newydd trist am farw'r cyfaill a'r cyn-Brifathro D. Eirwyn Morgan, fel llawer ohonoch chi, ro'n i'n

40

ymwybodol iawn o'r golled a gafwyd. Ma ise rhai fel Eirwyn arnom. Mynnodd un atgo godi'i ben. Roedd e wedi'i ddewis i ymladd sedd Llanelli ar ran Plaid Cymru, ac i wrthwynebu'r cadarn hwnnw, Jim Griffiths. Digwyddwn i fod yn weinidog ifanc ym mhentre genedig-ol Jim Griffiths, y Betws, a pheryglus oedd anelu un awgrym o feirniadaeth at fab yr Efail. Roedd Jim ni yn dduw bach yn eu golwg, ac nid heb reswm, fel y deuthum i wybod. Pe gwyddent fod y newydd-ddyfodiad Cardïaidd yn cefn-ogi'r sawl a fynnai'i ddiorseddu, wel, fe ollyngid bytheiaid Annwn yn rhydd i'm sodlo o'r fro.

Ryw noson roedd cwrdd lansio ymgyrch Eirwyn ym Mancffosfelen, ar gyrion Pontyberem, lle dieithr iawn i mi ar y pryd. Dyma lond car ohonom, fel Nicodemus gynt, yn sleifio'n llech-wraidd wedi nos a throi trwyn y car am Gwm Gwendraeth. Os gwir yr atgo, mewn ysgol y cynhelid y cwrdd, un foel, ddiaddurn gyda ffwrwme celyd, y lle yn llawn dop. Credais ar y funud fod sedd y gwron ar syrthio. Ymhen tipyn daeth Eirwyn, wedi'i wisgo'n bregethwrol braidd, a'r het ddu gantel-lydan honno ar dro ar ei ben cymharol foel. Chofiaf i ddim pwy a lywyddai; un peth yn unig a gofiaf, Eirwyn yn dweud: 'Rydw i wedi dod o'r cwrdd gweddi i'r cwrdd gwleidyddol. O Pisga y deuthum. (Eglwys y Bedyddwyr ar Fancffosfelen yw honno.) O Pisga i'r cwrdd hwn. Fe gyrhaeddodd Moses Pisga a gweld Gwlad yr Addewid yn gwahodd. Rydw innau'n ei gweld, y Gymru newydd, ac o'r cwrdd gweddi y'i gwelaf, a bydd gorsedd i'r Crist yn y Gymru honno. Ise ca'l rhan yn eich arwain i'r Gymru newydd ydw i. Ni sydd i'w chreu a'i cherdded.' Cododd y gwres. Clywyd porthi, amenio, curo dwylo, yn wir, cwrdd diwygiad. Ond ma lle i ofni na thorrodd pob llaw a gymeradwyai Eirwyn groes gyferbyn â'i enw. Rydw i, yn gywir iawn, ise diolch am Eirwyn a'i gyfraniad gloyw, Cymreig. Diolch i

Mair am fod yn Seimon o Gyrene iddo a rhoi'i hysgwydd o dan ei groes. A gofyn, hefyd, am i'r Duw mawr faddau i Gymru am fod mor siabi'i chefnogaeth i weledigaeth gwŷr fel Eirwyn Morgan. Fel Moses, bu farw cyn i Gymru gyrraedd Gwlad yr Addewid. Cenedl wrthnysig, frwnt wrth ein proffwydi ydym ni.

4. Sgorio

Ŵyr i J. W. Jones, Conwy, y pregethwr grymus hwnnw, yw John Hardy, un o'r tîm sy'n adrodd hynt y gêmau criced ar y radio. Does gen i mo'r awydd na'r ddawn i gipio'r meic o'i ddwrn. Cystal cyfadde, byddaf yn hoffi gwylied ambell gêm o griced ar y teledu. Ces fel llawer ohonoch fwynhad mawr wrth wylied y tîm o Bacistan a fu yma ym 1982, a'r gêm ola'n wefreiddiol. Rown i'n sobor o falch ar ddiwedd y gyfres pan ddyfarnwyd y wobr am gricedwr gorau'r gyfres i Imran Khan, capten Pacistan—chwaraewr cynhyrfus, a dweud y lleia. Un diwrnod roedd dau o fatwyr Pacistan i mewn, ond doedd pethe ddim yn mynd yn dda—un ohonyn nhw'n stablan yn ddrwg, ac yn methu amal i ergyd. Daeth y ddau ynghyd ar y llain am sgwrs—i drafod tactegau, mae'n siŵr—ond, y bêl nesa, roedd y stablwr mas, ei wiced wedi'i chwalu ac yntau'n troi am y pafiliwn, ac meddai'r sylwebydd, Jim Laker rwy'n meddwl: "Na fe, fedrwch chi ddim sgorio yn y pafiliwn, ta beth.' Tra oedd e ar y llain, er ei fod yn stablan, roedd gobaith y gallai roi clatsien i'r bêl. Ni ddaw'r cyfle hwnnw yn y pafiliwn, mewn unrhyw gylch. 'Na i chi ddarlith radio enwog Saunders Lewis, *Tynged yr Iaith*. Mynnu a wnâi fod ise gweithredu dros yr iaith. Ganwyd Cymdeithas yr Iaith, a charfanau o ieuenctid yn cym-ryd Saunders Lewis ar ei air ac yn mynnu cyfiawnder gweladwy i'r iaith. Gwn i lawer ohonynt ddiodde—ond bu gwelliant. Na, nid yn y pafiliwn ond mas ar y llain ma ennill brwydr yr iaith. A dyna i chi'r enwog Albert Schweitzer. Gŵr cyfforddus ei fyd. Yn brifathro Coleg Diwinyddol yn ddeg ar hugain oed. Darllenodd ddameg y gŵr goludog a Lasarus ryw fore, y cardotyn cornwydlyd hwnnw na châi ond y briwsion oddi ar fwrdd y cyfoethog. Brathwyd Schweitzer; sylweddolodd mai fe oedd y cyfoethog, ac os oedd e am wneud rhywbeth gwerth chweil tros ei Grist, wel, i'r byd mawr amdani. Aeth i'w drwytho'i hun fel meddyg a throi am yr Affrig, a gwneud diwrnod clodwiw o waith. Does neb yn sgorio yn y pafiliwn neu, a'i osod mewn ffordd arall, 'does neb yn gadael ôl ei draed ar dywod amser wrth eistedd ar ei ben-ôl'.

5. Aegrotatwyr

Mae'n baratoi gwyllt mewn llawer cartre, rhai o'r plant yn mynd tros y nyth i goleg, a rhyfedd y terfysg, onid e?

Tybed a ddaw rhai ohonynt yn aelodau o gymdeithas yr 'aegrotatwyr'? Be ar y ddaear yw honno, meddech chi. Wel, 'chydig sy'n aelodau ohoni a does neb yn gofyn am ga'l ymaelodi. Rydw i'n digwydd bod yn aelod a gwn am un arall; mae'n siŵr fod yna ragor. Mi ddweda i shwt y des i'n aelod. Rown i ar flwyddyn gynta'r B.D. yn Aberystwyth ac wedi sefyll y papur Hebraeg ryw fore; roedd saith o bapurau i gyd, a'r Hebraeg oedd y trydydd. Pan geisiais godi o'm desg yn 'stafell yr arholiadau yn y coleg ger y lli, fedrwn i ddim ymsythu. Roedd coblyn o boen dirdynnol yn fy ymysgaroedd. Ffyrlincan yn ddau ddwbl a phlet yn ôl i'r Coleg Diwinyddol, a chyn pen fawr o dro rown i yn yr ysbyty, a cha'l mai fy nghymydog oedd neb llai na'r Athro T. Gwynn Jones, yntau fel finne yn chwilio am ryw Ynys Afallon ddi-boen. Cyn nos roen nhw wedi symud fy mhendics. Ond be am yr arholiadau? Ni allwn gymryd y pedwar papur oedd ar ôl yn yr ysbyty, am fy mod yn rhy sâl. Roedd perygl y byddai raid i mi ailadrodd y flwyddyn. Yn wir, hynny a ddisgwyliwn. Yn ystod yr haf ces lythyr caredig yn fy hysbysu fy mod yn cael mynd ymlaen i ail flwyddyn y B.D. Ces drugaredd *aegrotat,* gair dieithr iawn i mi ar y pryd, rhaid adde. Ei ystyr, yn ôl geiriadur Lladin-Cymraeg Huw Thomas, yw salwch, tostrwydd, aflwydd; felly oherwydd tostrwydd, ac wedi ystyried gwaith y flwyddyn, gallent blygu'r rheolau ac estyn y flwyddyn i mi fel pe bawn wedi pasio'r arholiad yn llwyddiannus. Ac ma gen i syniad mai fel 'na y bydd pethe yn ein hanes ni i gyd pan ddaw'r cyfri terfynol; nid ein pasio ar sail un arholiad, ond fe gymerir cyfraniad cyson a gwaith bywyd i ystyriaeth. A diolch, os methu a wnawn—ac y mae methu yn rhan o'n stori—a ninnau wedi gwneud ein gore, cawn drugaredd yr *aegrotat.* Fe'n cymeradwyir i dderbyn y wobr. Pob hwyl i bob myfyriwr. Gobeithio y cânt iechyd, ond os digwydd afiechyd, gobeithio y bydd eu hathrawon yn medru cymeradwyo'u gwaith a'u hystyried yn deilwng i'w pasio. A chroeso i bob aelod newydd i gymdeithas y rhai a gadd drugaredd—yr 'aegrotatwyr'.

(1982)

CYFRES O LYTHYRAU

1

*Ma'r llythyr hwn yn mynd i nith i mi,
baban sy'n dathlu ei 'Dolig cynta.*

Annwyl Eleri,
    Dyma dy 'Ddolig cynta. Fyddi di'n
cofio dim amdano. Chlywodd y mab
bach mo'r angylion. Ni chofia chwaith y
brenhinoedd crand yn estyn eu
hanrhegion dethol. O bosibl mai'r goll-
ed fwya a gafodd oedd colli'r bugeiliaid.
Mi fydde wedi ca'l hwyl yn plannu'i
fysedd bach yng ngenau'r ŵyn a gweld y
rheini yn ysgwyd eu cynffonnau'n
orffwyll mewn diolch. Na, cysgu wnaeth
e drwy'r cwbl, a chysgu wnei dithau. O
leia, dyna obaith dy rieni. Cofia, ma 'na
fantais o fod yn y cyflwr yna. Os collodd
y mab bach gyffro'r digwyddiadau, ni
wybu ddim chwaith am Herod a'i gyn-
lluniau enbyd. A bydd helyntion Gog-
ledd Iwerddon a thrasiedi gelyniaeth

49

Iddew at ei frawd, yr Arab, a pherygl y bomiau llythyr sy'n glawio'u bygythion ar ddesgiau gwŷr amlwg, yn mynd heibio i ti. Gwyn dy fyd! Fe gei Nadolig tawel yng nghanol yr holl helynt. Un fel 'na yw'r 'Dolig cynta. Fe gadd y mab bach un fendith na allai mo'i gwerthfawrogi ar y pryd. Cadd rieni i'w warchod yn awr ei wendid a'i berygl. Mae'r rheini gen ti. Gobeithio y cei di dyfu i ddeall a gwerthfawrogi hynny. Os na chofia'r mab bach a thithau mo'ch 'Dolig cynta, ma un peth yn siŵr, dyma un 'Dolig a gofir gan y rhieni. Myn yr eglwys fod geni'r mab bach yn enedigaeth wyrthiol. Awn i ddim mor bell â hynny gyda dy eni di, na chwaith gyda'r un enedigaeth arall. Eto, ma 'na elfen o wyrth ym mhob creu a geni. Un peth a wn, ma 'na elfen o ddirgelwch a syndod ynglŷn â'th ddyfod. Buwyd yn pryderu na chaent deulu. Diflannodd yr amheuaeth. Cyrhaeddaist ti yn fwndel bywiog, iach, a bellach rwyt yn cogran dy ffordd i galon a phoced dy deulu.

Croeso i ti, Eleri, a dyma ddymuno
Nadolig Llawen i'r drindod newydd.
Heb os, fe gân yr angylion eleni a daw
cawodydd o anrhegion i'th hosan.
Byddi di yn dy gyntefigrwydd ddiymad-
ferth yn atgofio pawb ohonom mai
'chydig o bethau sydd arnom eu gwir
angen, a thrwy drugaredd ma'r rheini
gen ti: cartre, cynhaliaeth a chariad, y
tri hyn yn gwrlid cynnes amdanat, a
photelaid o la'th i ga'l plwc arall o
gysgu. Bendith arnat i bob yfory.

2

*Ma'r llythyr hwn yn mynd i hen gyfaill a
gŵr y mae Cymru benbaladr yn ei
ddyled: Alun R. Edwards, cyn-Lyfrgell-
ydd Dyfed. Blwyddyn y taflu 'o don i
don' fu hon yn ei hanes.*

Annwyl Alun,
    Yn dy gyfrol hunangofiannol rwyt ti'n
sôn amdanat ti a Cassie Davies yn

cyd-deithio i gwrdd yn Nolgellau. Yno defnyddiaist stori a apeliodd yn fawr at Cassie. Cyfeirio a wnest at y cwestiwn a ofynnid gan wŷr y wâc la'th pan ddeuent i ffair Dalis, Llambed, i brynu ceffyle i gerdded strydoedd Llunden, a'r cwestiwn oedd hwn: *'Can he stand oats?'* A'r rheswm am y cwestiwn oedd fod amryw o'r ceffyle wedi'u codi ar wellt y bwla, a thipyn o dreth ar eu stumogau fydde treulio ceirch. Rywfodd teimlaf fel an-elu'r cwestiwn atat ar ddiwedd 1982. Ymladdwr fuost, un dygn hefyd, ac ma Cymru i gyd ise diolch i fab y mashwn o 'Sgoldy Llanio am ei ddewrder yn nannedd gwrthwynebiad. Un peth a edmygem, ac mae'r rheswm am hwnnw yn dy gyfrol, *Yr Hedyn Mwstard.* Ni chwerwaist. Cest dy ddolurio a'th gleis-io'n gas. Phwdest ti ddim, a fan 'na y gwelir cysgod dy arwr George M. Ll. Davies arnat. Eto, er dy drechu'n fflwcs, ar dro, nôl y daethost—o gyfeiriad arall, mae'n wir! Bachan peryglus oet ti yn dy ddydd. Llwyddaist i ddwyn dy amcanion i ben cyn i lawer cynghorwr ddihuno a sylweddoli be oedd yn digwydd. Ond ma 'leni wedi bod yn flwyddyn yr ymladd ... ymladd ag afiechyd. Nid brwydr newydd i ti. A dyna ystyr gofyn y cwestiwn, *'Can he stand oats?'* Shwt wyt ti'n dal clatsio afiechyd? Un peth yw gwenu ar gynghorwyr styfnig, di-weld; peth arall yw gwenu ar storom gre' corff yn eiddilo, yntefe? Rwy'n gwbl ffyddiog fod yr ateb yn y cadarnhaol. A dyna'r stori arall honno am y diweddar Barchedig John Roberts, Llanfwrog, yn taro i weld dy fam orweiddiog ac yn dweud ei fod yn falch fod y 'Steddfod Genedlaethol wedi dy anrhydeddu drwy dy wahodd i fod yn un o Lywyddion y Dydd yn Llandudno ym 1963, a hithau'n ateb, 'Rown i yn llawer mwy hapus o glywed iddo ddechrau'r gwasanaeth yn y capel yr wythnos ddiwetha.'

Fan 'na ma dy gyfrinach a'r gyfrinach honno yn ddigon i godi'r eiddil yn goncwerwr mawr. Does fawr o amheuaeth na ddoi trwyddi'n gwenu, ac ma digon o ymysgaroedd ysbrydol gen ti i dreulio ceirch y cystudd mawr a'i droi'n elw a nerth i ti.

Brysia i'r frwydr eto. Rydym yn gweld colli un o'r cadfridogion.

Caned yr angylion uwch dy lety y 'Dolig hwn.

(Bu farw, 28 Gorffennaf 1986)

3

Prin fis sydd er pan ffarwelion ni â'r Parchedig Dan Thomas, cyn-weinidog Rehoboth a Berea, ger Tyddewi. Gŵr a oedd, fel Williams Pantycelyn, yn ffermwr a phregethwr. Mae'r llythyr yn mynd i'w weddw.

Annwyl Megan,

Rhaid anfon gair y 'Dolig hwn pe ond i'ch sicrhau ein bod yn meddwl a chofio amdanoch. Nadolig y prysurdeb bywiog fu eich Nadoligau chi. 'Leni tawelwch hyll sy'n rhythu arnoch o bob cyfeiriad. Rhoi yw rhan o neges y 'Dolig, onid e? Y nefoedd yn rhoi'r unig-anedig i ni, a'r rhoi hwnnw wedi meithrin a chymell rhoi byth oddi ar hynny. Efallai i'r rhoi fynd yn rhemp a diystyr. 'Leni ma nodyn newydd dieithr ac ansoniarus yn eich 'Dolig chi, a bydd yn ymyrryd ar gynghanedd yr ŵyl ... *colli.* Colli priod, colli partnyr oes, colli tad a thad-cu. Colli mawr. Peidiwch â gadael i'r nodyn yna foddi pob nodyn arall. 'Na wych fydde clywed i'r alargan droi'n fawlgan. Dyna ddyle ddigwydd. Pan ddowch i oedi uwchben ac ystyried yr hyn a gawsoch, fe welwch yn glou iawn i chi ga'l lot fawr. Da chi, meddyliwch nid am yr hyn a gollsoch ond am yr hyn a gawsoch. Ma cawodydd o hwyl a chwerthin yn torri arnaf y funud hon wrth alw i go' amal i seiat. Odych chi'n cofio'r haf hwnnw pryd y cawsom ni wyliau ar eich fferm? Ryw noson pwy dda'th i garafán a oedd ganddynt ar y ffald ond Emrys Jones a Ray, Heol Awst, Caerfyrddin, a lle bynnag y bydde Emrys, bydde hwyl. A Dan yn dweud fod y prifathro lleol wedi gofyn i'r plant 'sgrifennu am waith eu tadau ac i Merfyn chi ateb mewn un frawddeg lachar, brawddeg yr oedd Dan yn mwynhau'i hadrodd, *'My father is a preacher who breeds chicks.'* Cawodydd o wherthin. Ond o enau plant bychain y ceir amal i berl. Ma mwy yn y frawddeg yna nag a dybiasom ni yn ein chwerthin. Mae'r Iesu yn sôn 'megis y casgl iâr ei chywion dan ei hadenydd'. Un fel 'na oedd eich gweinidogaeth chi'ch dau: taenu'ch adenydd cysgodol dros y cywion. Cysgodi'r rhai diamddiffyn. Gwarchod y rhai a allai fynd i drafferth a helynt a chadw'r curyllod rheibus draw. Ma colli pâr o adenydd fel 'na o unrhyw ardal yn golled. Ma bro Ddewi yn oerach a pheryclach lle heb y cysgod tawel a gynigiai. Er hynny rydym yn ffyddiog y bydd i chi ddal i daenu'ch adenydd dros yr ardal. Ma Dan yn disgwyl hynny. Rwy'n ffyddiog y clywch yr angylion eleni, ie, yn canu yn y nos, ac os craffwch chi'n ofalus siawns na welwch angel gwarcheidiol newydd â gwallt coch yn y côr nefol, ac mi fyddwch chi'n 'nabod hwnnw, a bydd yn bwrw'i gysgod trosoch chi, a'r teulu, a'r ardal.

Gawn ni ddymuno y cewch nerth i ddiolch am a gawsoch, a hwyl i ganu cân o fawl i Dduw ac i'r Oen am fywyd llawn a llawen.

Bendith arnoch.

4

Ma'r llythyr heddi yn mynd i Ddinbych-y-pysgod, i'r Parchedig D. O. Calvin Thomas, gweinidog da i Iesu Grist, os bu un erioed. Erbyn hyn mae'r blynyddoedd wedi'i lyffetheirio.

Annwyl Calvin,

Shwt ma'r hwyl? Gobeithio i chi ga'l blwyddyn garedig. Buoch yn dad yn y ffydd i laweroedd ohonom. Llwyddasoch yn rhyfeddol i briodi dau bwyslais sy benben â'i gilydd yng Nghymru. Ynoch chi roedd y pwyslais efengylaidd a'r un cymdeithasol wedi priodi yn un dystiolaeth gyfan, gryno. Felly y dylai fod, bid siŵr. A'ch pregethu bob amser yn gyfoes, berthnasol—peth na ellir ei ddweud am lot o'n pregethu. Anghofia i, nac eraill chwaith, fyth am eich dosbarthiadau Beiblaidd yn y gwersyll-oedd a gynhaliem yn Llanmadog, ar Benrhyn Gŵyr, yn y pumdegau. Cyff-rous yw'r unig air. Er cystal y traethu, un peth sydd wedi aros gen i. Fel y cofiwch, roedd rhyw gant yno, a pharti o'r Almaen yn eu plith. Y cwbl lot yn ddieithr ichi. Ond y rhyfeddod i mi oedd hyn: erbyn nos Lun mi fyddech chi yn gwybod enw cyntaf pob un, hyd yn oed yr enwau Almaenig anodd. Bu enwau a rhoi'r enw iawn i'r wyneb iawn yn gryn brofedigaeth i mi lawer gwaith. Rhyfeddais at eich dawn. A phan ddeuai'n amser bwyd, er bod lle wedi'i baratoi i chi gyda'r detholedigion, nid yno y'ch ceid, ond yn symud o un bwrdd i'r llall, a byddech wedi eistedd gyda phob byrdded cyn diwedd yr wythnos. Roeddech yn llwyddo i doddi i fywyd y gwersyll a bywyd yr ieuenctid mewn ffordd ryfeddol o lwyddiannus. Y cynarchesgob William Temple ddwedodd, *'The Incarnation means involvement.'* Teimlaf i'r egwyddor yna gael ei hanrhydeddu yn eich gweinidogaeth chi. Dyna a welwyd yn y gwersyll a dyna a deimlai'r gwersyllwyr. Mae'n biti fod y blynyddoedd yn cloffi rhai fel chi. Ma gwir angen gŵr fel chi arnom yn y Gymru hon. Diolch am oes o weinidogaeth rymus. Ac fe licwn i ddiolch yn fawr am un profiad. Bu'n nerth a goleuni i mi. Rown i wedi ymuno â grŵp ohonoch mewn ymgyrch yn Aberafan o dan aden yr Ymgyrch Newydd yng Nghymru. Chi a'r enaid dethol arall hwnnw, Erastus Jones, oedd yn arwain.

Ryw fore dyma gyhoeddi'n tasgau am y dydd a chlywed fy mod i fynd, gyda'r nos, i ryw glwb ieuenctid ac enw drwg

59

iddo. Fy unig gysur oedd ma mynd gyda neb llai na'r diweddar Barchedig Glyn Thomas, Wrecsam, yr own i. Mentrais sibrwd yn eich clust i chi 'neud camgymeriad a dewis y person anghywir, a dyma chi'n mynd â fi o'r neilltu a sibrwd neges yn fy nghlust. 'T. J.,' meddech yn eich acen arbennig, 'rŷch chi'n mynd. Gwrandwch, pan ewch chi, fe gewch fod yr Ysbryd wedi bod yno yn paratoi ar eich cyfer. Es i ddim i unman—ac yr ydw i wedi mynd i leoedd na fynnwn fynd iddynt—heb iddynt fod yn fy nisgwyl.' Ac ma'ch geirie wedi canu yn fy mhrofiad: 'T. J., os ŷch chi ar genhadaeth, credwch chi fi, dyw'r cenhadwr ddim yn eich gollwng yn ddiamddiffyn. Ei genhadaeth e yw hi, wedi'r cwbl.' Pwysais lawer y blynyddoedd hyn ar a ddwetsoch, a'i ga'l yn wir; oni bai ei fod yn wir fyddwn i ddim yn ymladd â theigrod a llewod ysglyfaethus y Gymru hon.

Calvin a Gwyneth, gobeithio y bydd y cysgod a gadd llaweroedd yn eich gweinidogaeth yn gysgod i chi dros yr Wyl.

Gras ein Harglwydd Iesu Grist a fyddo gyda chi hyd byth.

(Bu farw ddiwedd 1983)

5

Ma'r llythyr ola yr wythnos hon yn mynd i Drimsaran, at wraig sy'n wyn-ebu'i chant, ac un y mae fy mywyd i a'm teulu yn annatod glwm wrthi.

Annwyl Mam-gu,

Rŷch chi wedi cwyno fwy nag unwaith eich bod yn ca'l trafferth i ddeall fy 'sgrifen traed brain i. Dyma gynnig ar eich cyfarch ar y radio. Gobeithio y bydd i'r teclyn helpu'r-clyw weithio a byhafio. Wrth gwrs, chadd neb drafferth i ddeall eich 'sgrifen chi. Mae'n ddihareb, a'r cwafars cain yn unigryw. Er pan ydw i yn eich 'nabod, caeth fuoch, fwy neu lai, i'ch 'stafell. Eto ni chaethiwyd mohonoch. Creasoch fyd i chi'ch hun sy'n llydan a chyfoethog. Cerddodd cawodydd o lythyre o'ch 'stafell at bob math o bobol, amryw byd ohonynt yn ddieithr i chi, ond am iddynt eich cyffwrdd mewn rhyw ffordd, fe deimloch fel anfon gair o ddiolch, neu air o gydymdeimlad neu longyfarchiadau. Gweinidogaeth y llythyr fu'ch gweinidogaeth chi. Rydych mewn olyniaeth dda. Onid yw llythyre Paul wedi cyfoethogi llaweroedd ac wedi bod yn foddion i adeiladu'r eglwys? Nid llai fu cyfraniad eich llythyre chi i lawer bywyd, ac ma cwmwl mawr o dystion sy'n ymuno â mi yn awr i ddiolch i chi am gofleidio'r curedig rai yn nydd eu henbydrwydd. A gwn y 'Dolig hwn, fel pob 'Dolig arall, er eich bod yn wraig ar eich pensiwn a heb lawer i'w sbario yn y dyddiau drudfawr hyn, y bydd achosion teilwng yn derbyn o'ch ewyllys da. Buoch yn glawio consýrn a chariad arnynt ar hyd y maith flynyddoedd. Mae gennych un cysur. Gwireddwyd y gair yn eich profiad: 'Bwrw dy fara ar wyneb y dyfroedd; canys ti a'i cei ar ôl llawer o ddyddiau.' Fe'i cawsoch yn y caredigrwydd gan Dan a Gwen, a thonnau o gardiau a chofion yn torri ar draethell eich bywyd. Yn wir, maent yn lapio amdanoch, ac yn dystiolaeth weladwy i werth eich gweinidogaeth.

Ac ma sôn am donnau yn fy arwain at y lle y bydda i yn ei gysylltu â chi a'ch teulu, Erwau Glas, y Borth. Y byngalo hwnnw ar lan y don yn y Borth. Ar amal i noson stormus, ac yr oedd digonedd ohonynt yn y Borth, mi fyddai'r tonnau cynddeiriog yn peswch y cerrig ar y ffordd ac yn eu hyrddio at y tŷ. Sut y llwyddodd y bwthyn i sefyll ar ei draed sy ddirgelwch i mi hyd heddiw. Er rhuo'r storom gre' tu fas, tonnau eraill o'r tu mewn: yn llifo o'r 'stafell gefn byddai'r radio wedi'i thiwnio i ryw orsaf dramor lle y ceid cyngerdd gan gerddorfa. Symffonïau yn golchi drwy'r 'stafelloedd. Yn y 'stafell ffrynt mi fyddech chi, ac aelodau eraill y teulu, a rhai o'r capel bach yn ymarfer. Llond lle o sain cerdd a chân a'r gerddoriaeth o'r tu mewn yn peri inni anghofio y storom gre' a gerddai tros Fae Ceredigion. Ysywaeth, mynnodd y storom enbyd wthio i mewn a chyflawni ei hafoc trist. Ni ddiffoddwyd mo'r gân yn eich calon ac ni pheidiodd y llaw â 'sgrifennu at y rhai a deflir o 'don i don nes ofni bron ca'l byw'. Mewn byd fel hwn gwerthfawr yw eich gweinidogaeth dawel chi. Tawelodd y storom i amryw.

Ise dymuno Nadolig Llawen i chi a Dan a Gwen a gobeithio y tyr y symffonïau yn gerrynt arnoch ac y'ch cipir chi, pe ond am ennyd awr, i fyd lle nad oes na discord na thristwch. Rydych chi yn teilyngu pob llawenydd y gall yr Ŵyl ei gynnig.

Boed bendith arnoch.

(Bu farw, Mai 1984)

(Nadolig, 1982)

WEDI'R 'DOLIG

1

Gawsoch chi Nadolig da? Heddi mae e mor bell ag erioed, onid yw? Mae'r goeden yn dechre bwrw'i phlu, rhai o'r goleuadau wedi chwythu'u plwc, y cracyrs wedi'u diberfeddu ac ambell degan wedi diffygio'n barod. Esgyrn y twrci yn dechre rhythu arnoch a'i gig wedi troi'n ddiflastod. A chithe'n teimlo'n llesg, a rhai yn waeth na hynny. Bydde eu penne nhw'n cnoco. Ond mae'n Ŵyl San Steffan heddi, er inni gladdu pob atgo am y merthyr cyntaf hwnnw o dan gawodydd o gotiau cochion y gwŷr hela-cadno a 'nabod y dydd fel *Boxing Day*.

Cystal inni atgofio'n gilydd ma Gŵyl San Steffan yw hi, ac iddo ga'l ei labyddio o dan y gawod gerrig. Dyma ran o'r hanes:

'A hwy a labyddiasant Steffan, ac efe yn galw ar Dduw, ac yn dywedyd,

65

Arglwydd Iesu, derbyn fy ysbryd. Ac efe a ostyngodd ar ei liniau, ac a lefodd â llef uchel, Arglwydd, na ddod y pechod hwn yn eu herbyn.'

Ac wrth ddisgrifio'r olygfa fe gewch gymal fel hyn:

'a'r tystion a ddodasant eu dillad wrth draed dyn ieuanc a elwid Saul.'

Paul yr apostol yn ddiweddarach, ond yn dechre'n ddrwg drwy ddal dillad y bois a labyddiai Steffan. Falle nad yw'r gawod gerrig yn llythrennol ddisgyn ar neb heddi, ond ma sawl ffordd o belto rhai a'u niweidio. Rydw i'n meddwl am Nelson Mandela mewn carchar ers ugain mlynedd yn Ne'r Affrig, ac ma erlid dygn ar yr Esgob Tutu. Cawodydd o eiriau difrïol, geiriau sarhaus o gondemniad sy'n disgyn arnynt o gyfeiriad y rhai sy'n cefnogi apartheid. A phwy sy'n dal dillad y giwed ddieflig yma? Wel, Undeb Rygbi Cymru. Onid oes yna dîm o ieuenctid o Dde'r Affrig yma'n chwarae ar hyn o bryd? Rhag cywilydd iddyn nhw eu bod yn fodlon benthyca'u hunain i ddal dillad ciwed sy'n arteithio a phoenydio gwŷr fel Mandela a Tutu.

Un arall sy'n gwybod yn rhy dda am y gawod geirie beirniadol yw'r Monsignor Bruce Kent, ysgrifennydd C.N.D. Cawod o geser bras sy'n ca'l eu pelto ato. Gŵr o athrylith. Gŵr o gydwybod. Proffwyd, os bu un erioed, a diolch i Dduw amdano. A phwy sy'n dal dillad y rhai sy'n diawlo a diarhebu Bruce Kent? Wel, pob un a roddodd ei groes yn yr etholiad cyffredinol diwethaf o blaid polisi amddiffyn y Llywodraeth. Steffan oedd y merthyr cyntaf, ac y mae yna linach hir, anrhydeddus ohonynt, hyd ein dyddiau ni. Ar ddydd Gŵyl San Steffan gawn ni funud i feddwl am ein merthyron modern ar bum cyfandir, a holi'n hunain ynglŷn â'n rhan ni yn yr erlid sy arnynt. Da chi, pidwch â dal dillad brwnt neb i'w gynorthwyo i ladd unrhyw Steffan. Ma gwŷr o gydwybod ac o argyhoeddiad yn rhy brin inni eu llabyddio a'u lladd.

2

Ma'n siŵr i chi ga'l mwy na digon o anrhegion y 'Dolig hwn. Ys dywed pobol Shir Aberteifi, 'iro pen-ôl mochyn tew â bloneg' yw rhoi presante i chi a fi. Diau na lwyddoch i agor y cwbl. Ga i awgrymu'n garedig na ddylech agor ambell becyn a gawsoch. Mae'r cynnwys yn ddiniwed cyhyd â'i fod yn gorwedd yn y cistiau clyd. Cyfeirio rydw i at faco, boed hwnnw mewn sigarennau, sigârs, neu faco pib. Fe allech, yn gwbl briodol, ystyried fod y sawl a roddodd anrheg fel 'na i chi â rhywbeth yn eich erbyn a'i fod am eich lladd. Canys dyna mewn gwirionedd a roddodd i chi, pecyn o farwolaeth. O fy mlân yn awr ma adroddiad a gyhoeddwyd 'chydig cyn 'Dolig. Cwestiwn yw ei deitl: *Iechyd, ynte smoco?* Ffrwyth ymchwil yw gan Goleg Brenhinol y Ffisigwyr *(Royal College of Physicians)*. Fedrwch chi ga'l dim mwy awdurdodol na hyn'na. Mae'n cynnwys ffeithiau brawychus. Cymerwyd sampl o fil o rai ifainc sy'n smoco. O'r mil yna fe all un ddisgwyl ca'l ei lofruddio, chwech ddisgwyl ca'l eu lladd ar y ffyrdd a— gwrandwch, da chi—gall 250 ddisgwyl marw'n gynnar oherwydd y niwed a wnaed iddynt gan 'smygu. Amcangyfrifir fod rhwng dau a thri chant y dydd yn marw ym Mhrydain oherwydd drwgeffeithiau smoco—*can mil y flwyddyn*. Mae'n lladdwr mawr, a lladdwr creulon. Heb os, dyma'r peth gore a ddyfeisiwyd erioed i hybu masnach y trefnydd angladdau. Pan wêl rywun yn 'smygu, mae'n chwerthin bob cam i'r fynwent, canys gŵyr eich bod yn cerdded i'r bocs yn ei weithdy. A dydw i ddim yn gweld pwynt mewn cerdded i hwnnw cyn pryd. Ydych chi?

Un o'r pethe brawychus a nodir yn yr adroddiad yw y gall rhywrai nad ydynt yn smoco, ond sy'n anadlu mwg baco, ga'l yr un doluriau â'r rhai sy'n 'smygu. Os oes plant ar yr aelwyd ac un neu ddau o'r rhieni yn 'smygu, maent yn peryglu iechyd eu plant. Ac yn bendi-faddau, os yw'r fam yn smoco'n drwm yn ystod cyfnod cario'i phlentyn, fe all ga'l yr hyn a elwir yn blentyn *nicotin*, a'r siawns yw y bydd nam meddyliol a chorfforol ar hwnnw—y bydd yn blen-tyn o dan anfantais.

Rwy'n dweud hyn am un rheswm. Rhoddodd y Bod Mawr y corff yma i chi a fi i ofalu amdano. Chawn ni'r un arall. Os caf ddamwain yn fy nghar gallaf fynd i'r garej i bwrcasu un newydd a lluchio'r hen un o'r neilltu, i'r domen sbwriel. Ni wn am unman lle y gall neb ohonom fynd â chorff afiach, diffygiol, a'i newid am un arall. Nid oes lle felly. *Gymerwch chi Sigarét?* medde teitl drama Saunders Lewis. Welwn i ddim bai arnoch pe baech yn ateb yn chwyrn mewn geiriau tebyg i eiriau anfarwol William Jones yn nofel T. Rowland Hughes: 'Cadwch eich blydi ffags!'

3

Fe fedrech alw'r myfyrdod hwn yn siom y flwyddyn. Deil y siom i frathu. Cofia rhai ohonoch i mi yn yr hydre anfon llythyr agored at eglwysi Heol y Crwys a Minny Street yng Nghaerdydd. Cyhoeddwyd y llythyr yn *Y Tyst* a'r *Goleuad* am fy mod yn credu fod ei neges yn berthnasol i Gymru i gyd. Ergyd y llythyr oedd gofyn i'r ddwy eglwys ystyried yn weddigar y math o weinidogaeth y dylent ei threfnu ar gyfer y ganrif nesaf. Gobeithio yr own i y ceid trafodaeth ystyrlon ar genhadu i'r Cymry mewn dinas fel Caerdydd. Dyna'r siom. Ni ches air yn cydnabod iddynt dderbyn y llythyr. Ni fu trafodaeth. Rwy'n cofio D. J. Abergwaun yn sôn am gyfaill a oedd yn gweithio gydag e yng ngwaith glo'r Betws, a D. J. yn holi am ryw gariad oedd gydag· ef.

'Weda i wrthoch chi,' meddai, gan daro'i law ar ysgwydd D. J. ac edrych yn seriws i fyw 'i lygaid, 'fe'i gadawes hi fel y bydd buwch yn gadael ei dom.'

Chewch chi ddim gadael mwy terfyn-
ol na hwnnw! A dyna'r union frawddeg i
ddisgrifio'r hyn a ddigwyddodd i'm
llythyr. Fe'i hanwybyddwyd. Clyw-
ais fod rhai yn chwythu bygythion a
chelanedd yn fy nghefn, ac eraill yn
awgrymu mai un o'r syniadau honedig
wyllt sy'n tasgu o 'nghlopa oedd e.
Rown i, ac yr ydw i, yn gwbl o ddifri
gyda'r awgrym o gynllunio gofalaeth
bro. Ni welaf fod undim arall yn addas
ar gyfer y ganrif nesaf. A dweud y gwir,
rydw i'n anobeithio'n llwyr am ein
hyfory. Mae'n gwbl amlwg fod en-
wadaeth a chapelyddiaeth yn bwysicach
na chenhadaeth. Yr hyn sy'n codi ofan
arnaf yw'n ceidwadaeth amhosibl;
mae'n gwneud i'r Prif Weinidog
ymddangos yn radical go iawn!
Ceidwadaeth y fynwent yw.

Diolch fod yna ryw symud ledled
Cymru; bendith ar y bartneriaeth rhwng
yr Annibynwyr a'r Bedyddwyr yn y
Pwll, Llanelli, a da deall fod yr Hen

Gorff a'r Hen Gapel wedi creu gweini-
dogaeth bro yn Llanuwchllyn, a 'na
wych yw deall fod yr Eglwys yng
Nghymru a'r Presbyteriaid yn cyd-
weithio mor glòs ym Meddgelert. Af
mor bell â dweud na ddylai'r un ardal
ystyried galw gweinidog heb archwilio'n
fanwl y posibilrwydd o greu gofalaeth
bro. Nid diogelu creiriau o adeiladau yw
ein tasg, eithr creu cyfrwng effeithiol i
genhadu yng Nghymru'r ganrif nesaf.
Yn hynny o beth fe ddylai'r pencadlys-
oedd enwadol roi arweiniad cryfach o
lawer. Rwy'n ofni'u bod yn llusgo'u
traed. Does gan neb ohonom hawl i
fynd â chyfundrefnau a chapeli'r bed-
waredd ganrif ar bymtheg i'r ugeinfed i
feichio a thagu cenhadaeth yn y Gymru
newydd. Dim ond un lle sy i'r cyfryw
bethe, a Sain Ffagan yw hwnnw. Ma
ysbryd Iesu yn gofyn am feiddgarwch,
am weledigaeth, am barodrwydd i dorri
mas o hen rigolau o feddwl. Mae'n
amlwg na chaf fod yn rhan o'r cyfryw
anturiaeth yng Nghaerdydd, a does gen

73

i ddim awydd o gwbl i fod yn rhan o undim arall. Rhaid i mi fyw gyda'm siom a cheisio dygymod â'm rhwystredigaeth. Fe licwn i gyflwyno i'r ganrif a ddêl gyfrwng addas i genhadu enw ac Efengyl Iesu.

4

Dau wahanol iawn. A'r naill yn gwybod dim am y llall. Fi sy'n digwydd eu cydgysylltu yn y myfyrdod yma oherwydd iddynt wneud rhywbeth a'm llonnodd yn fawr.

Fe glywsoch am brawf y ffrwydron yng Nghaerdydd. Cafodd un ohonyn nhw naw mlynedd o garchar. Dafydd Ladd oedd hwnnw. Sbel yn ôl ceisiodd swyddog addysg y carchar gennyf i fynd ato i ddysgu Cymraeg iddo. A dweud y gwir, amharod iawn own i. Ces ar ddeall os gwrthodwn na châi neb arall fynd, a'm cymhwyster i wneud y cyfryw waith yw fod y Swyddfa Gartre wedi fy nhrwyddedu i ddysgu yn y carchar, ac y mae tocyn arnaf i brofi hynny. Wel, mynd wnes i a cha'l oriau difyr iawn yn ei gwmni deallus. Ca'l fod yna elfen gre o drasiedi teuluol a phersonol yn ei fywyd, a'r drasiedi honno wedi lliwio'i agwedd, i fesur helaeth. Ond mae'n Gymro brwd, egnïol. Y bore ola yr own i gydag e dyma fe'n clandro am rywbeth ac yn estyn sgrôl i mi.

'Presant i chi,' meddai. Agorais y sgrôl a sylwi fod llun cywrain arno. Gwyddwn ei fod yn ymddiddori mewn llythrennu Celtaidd, ac yng nghanol y llun roedd e wedi gosod *BYW* mewn llythrennau Celtaidd bras. Rhaid ei fod wedi treulio oriau lawer yn gweithio arno. Fe'i trysoraf ef. Fe'i fframiaf. Ffordd Dafydd Ladd o weud diolch yn fawr.

Digwyddodd y tro arall ymhell o Gaerdydd, ym Mhwllheli. Am flynyddoedd lawer rhoddwn un Sul yn Awst i Benmount, Pwllheli. Ces groeso a chynhesrwydd mawr. Mae yno ddeintydd yn aelod. Wansyr (un oedfäwr) yw

75

e, medde fe. Un peth a wn yw ei fod yn wrandawr da: ei lygaid yn cymeradwyo, ac ma pregethwr yn sylwi ar y rheini— yn wir, mae'n sylwi ar y llygaid sgadan hefyd. Fe ddwedais yn oedfa'r bore fy mod yn ei gweld hi'n bell i deithio o Gaerdydd ac mai hwn fyddai'r Sul ola i mi yno. Amser cinio yng nghartre Ellis Williams, dyna'r deintydd yn taro draw. Roedd yn ddiolchgar iawn i mi, meddai, '...ac yr ydw i ise i chi dderbyn hwn fel arwydd o'm diolch.' Llyfr oedd e, hen lyfr gyda theitl Lladin *Archaeologia Lleynensis*, sef hynafiaethau pennaf Llŷn. Mae'n llyfr diddorol ond y peth gwerthfawroca ynddo yw llofnod Owen Cowell, a gair o ddiolch yn ei lawys-grifen e.

Dau wedi mynegi'u diolch, ac ma pawb ohonom yn ddynol. Ma gair o ddiolch yn adfywiol iawn ei rin. Mae'n 'codi'r eiddil yn goncwerwr mawr'. Pidwch â bod yn brin â'ch diolch yn ystod 1984—mae'n foddion arbennig o ras, ac ma gweld llun Dafydd Ladd a

76

thrafod llyfr Owen Cowell yn rhoi golau'n fy llygaid a sbonc yn fy ngherdd-ediad. O'r gell yn y carchar daw ton-feddi i'm cynhesu a'm tristáu wrth feddwl am Dafydd Ladd, ac ma'n siŵr fod y deintydd dawnus wedi llenwi sawl dant i drigolion Lleynensis, ys dywed y llyfr, ond gwnaeth fwy na hynny: llan-wodd fy nghalon—a deil yn llawn.

5

Rydw i'n ymweld â'r carchar ar ddydd Gwener. Rown i yno ryw bythef-nos yn ôl gyda grŵp o naw a oedd ar fin gadael. Wedi siarad am hyn ac arall, fe ges ar ddeall y byddai pump ohonynt, fore Gwener cyn 'Dolig, yn cael eu troi i'r byd mawr, a heb unlle i fynd. Gwn iddynt fod yn ffôl, ond ma gollwng rhai fel 'na i ganol cymhelri'r Nadolig, heb unman i'w derbyn, yn risêt am drwbwl go iawn, ddwedwn i, a go brin y gallant osgoi dychwelyd i'r carchar yn fuan. Pan own i'n dod o'r carchar a'r wybodaeth am y pump yn gynnwrf a chonsýrn yn f'enaid, trois y radio ymlaen. Fedrwn i ddim credu fy nghlustiau. Fe'm trawyd â mudandod. Torrodd ton o dristwch trosof. Protest fawr ym Mhen-y-groes, Llanelli, am fod y Coleg Beiblaidd yn cael ei droi yn lloches i helpu rhai a fu ar gyffuriau. Fy ymateb oedd dweud, 'Gobeithio nad aiff yr un o'r pump yna ar gyfyl Pen-y-groes.' Fel mae'n digwydd, rwy'n 'nabod Pen-y-groes yn eitha da; ma yno lot o bobol ardderchog, neu felly y tybiais, ac ni allaf ddychmygu'r rheini yn llofnodi'r ddeiseb o fil o enwau a gafwyd i wrthwynebu dyfodiad yr anffodusion hyn. Mi faswn wedi rhoi unrhyw beth am glywed llais un o'r rheini. Pen-y-groes yw pencadlys byd-eang yr Eglwys Apostolaidd, a daw miloedd ar filoedd yno i'r Confensiwn blynyddol ddechre Awst. Dyw neges yr achub ddim yn ca'l ei seinio'n gliriach na chadarnach yn unman nag a wneir yno, ac fe'i cyhoeddir mewn llawer iaith drwy'r cyfarpar cyfieithu ar y pryd sy

yno. Ond 'pe llefarwn â thafodau dyn-
ion ac angylion, ac heb fod gennyf
gariad yr wyf fel efydd yn seinio, neu
symbal yn tincian'. Er mwyn bod yn deg
â Phen-y-groes, yr un yw'r ymateb
mewn ardaloedd eraill. Onid ydym wedi
clywed am wrthwynebu presenoldeb
plant o dan anfantais mewn rhai
lleoedd?

Pan own i'n weinidog yn y Betws,
Rhydaman, clywais y brodorion yn
dweud, fwy nag unwaith, ei bod hi
drwch cot fawr yn oerach ar Ben-y-
groes, oherwydd y mae'n lle noeth,
agored. Mae'r dywediad yma wedi ca'l
ystyr newydd wedi i mi glywed oernad-
au protestgar y pentrefwyr. Yn ôl a
ddeallaf, parhau gwaith y Coleg Beib-
laidd yw bwriad *Teen Challenge,* helpu
rhai sydd wedi torri caethiwed cyffuriau
i dyfu'n ysbrydol a moesol, a'u caru yn
ôl i fywyd. Roen nhw wedi disgwyl y
byddai gwŷr yr achub yn eu croesawu;
wedi'r cwbl, onid oedd eu ceidwad yn
gyfaill publicanod a phechaduriaid? Ma

79

lle i ofni fod diwinyddiaeth rhai ohonom yn well na'n dynoliaeth, ac yr ydw i'n weddol siŵr ble mae'r Crist yn gweithio. Collodd Iesu ddagrau uwch Caersalem. Mae'i ruddiau'n wlyb uwch Pen-y-groes, greda i. Fe liciwn i gloi gyda'r gair hwn i brotestwyr Pen-y-groes a phob man arall:

'Yna fe ddywed wrth y rhai ar y chwith, "Ewch oddi wrthyf, chwi sydd dan felltith ... Bûm yn newynog ac ni roesoch fwyd imi; bûm yn sychedig ac ni roesoch fwyd imi; bûm yn sychedig ac ni chymerasoch fi i'ch cartref, yn noeth ac ni roesoch ddillad amdanaf, yn glaf ac yng ngharchar ac nid ymwelsoch â mi. ... Yn wir, 'rwy'n dweud wrthych, yn gymaint ag i chwi beidio â'i wneud i un o'r rhai lleiaf hyn, nis gwnaethoch i minnau chwaith." '

(Ionawr, 1983)

GWYLIAU AWST

1. Gwacter

O bryd i'w gilydd daw llond bws o
blant o ryw ysgol gyfun yng nghefn
gwlad Cymru atom i Gaerdydd am
ddiwrnod. Byddwn yn gwahodd
grwpiau bach ac yn trefnu rhaglen a
fydd yn help i'w goleuo a'u rhybuddio,
gobeithio. Byddwn yn mynd â nhw i
gartre ar gyfer alcoholiaid fel y gallant
ga'l sgwrs â'r dioddefwyr. Yn ystod
trafodaeth gydag un criw trodd y sgwrs
at wyliau Awst. Nid oedd yr un ohonynt
yn edrych ymlaen at y gwyliau, a'r
dystiolaeth gyffredinol oedd nad oedd
dim i'w 'neud. Y gair cyson a ddiferai
dros eu gwefusau oedd *bored*. Diflastod
oedd gwyliau Awst iddynt, ac meddai
un ohonynt, *'Six weeks of glorious
sniffing'*. Chwech wythnos o sniffian
gogoneddus.

Yn naturiol rhaid oedd dilyn y sylw
yna a cha'l fod amryw ohonynt yn

arbrofi gyda gliw neu ryw sylweddau eraill. Yn wir, y mae dewis helaeth o'r pethe yma. Fe fynnir fod yna nifer, fach ym mhob ysgol sy'n chwarae o gwmpas gyda'r defnyddiau hyn. A'r cwestiwn a ofynnir yw, pam? Yr ateb syml yw, chwilio am ddihangfa a wnânt. Y plant yma yn ca'l gwyliau Awst yn hir a gwag ac yn ceisio rhyw gyffro gneud. Eraill, oherwydd anhapusrwydd ar yr aelwyd neu anfodlonrwydd ar eu hysgol, ise dianc o realiti poenus eu byw beunyddiol a chânt ffordd mas i fyd 'lle mae'r awel fyth yn dyner, lle mae'r wybren fyth yn glir'. Cemegau meddwol sydd yn y defnyddiau hyn. Ni ellir pwysleisio yn rhy amal fod hon yn arfer beryglus iawn. Ma nifer y rhai sy'n marw, rhai yn eu harddegau cynnar, yn rhy uchel o lawer, a chofier mai'r rhai sy'n arbrofi am y tro cynta yw amryw o'r rhai sy'n lladd eu hunain. Hefyd o dan ddylanwad y cemegyn, cânt yr hyn a elwir yn *rhith-weledigaethau,* ac un o'r profiadau cyffredin yn y cyflwr hwnnw yw credu mai adar ydynt a'u bod yn gallu hedfan. Gan na osododd y Creawdwr adenydd wrth eu hysgwyddau, disgynnant yn sypyn diymadferth a cha'l niwed ac weithiau farw. Gellid rhestru nifer o drasiedïau a'r rhieni mewn gofid a galar mawr.

Does amheuaeth nad yw gwyliau Awst, ys dywed y crwt, yn gyfle i griwiau ymgasglu a chwarae o gwmpas gyda chwdyn plastig â'i lond o lud. Rhaid i bawb ohonom fod yn llygadog, sylwi ar ein plant a gweld a oes 'na rywbeth yn od yn eu hymarweddiad, rhywbeth yn amheus yn eu symudiadau, a holi rhai cwestiynau dwys am y cwmni a gadwant. Ond dyma fi yn ôl yn y man lle y dechreuais i: ma'r diafol o hyd yn chwilio gwaith i ddwylo segur ac y mae e'n rhyfedd o lwyddiannus yn perswadio plant, rhai diniwed yn rhy amal, i drio gwyrth y cwdyn plastig. Does amheuaeth nad oes galw i feddwl o ddifri am wyliau Awst, nid yn unig yn y trefydd a'r dinasoedd, ond ar gefen gwlad hefyd. Mae'r gwacter yn beryglus mewn gwlad a thref, ac ma rhywrai herfeiddiol sy'n rhwydo'r rhai nad ydynt yn ddigon cry' i ddweud 'NA'. Does neb ohonom am fod yn wahanol, yn arbennig rhai ifainc. Mae'r enw *Anghydffurf-wyr* yn un parchus ac anrhydeddus iawn yng Nghymru, ond 'chydig sy'n ddigon cry' i fod yn anghydffurfwyr, a'u helpu nhw i fod yn hynny yw un o'n tasgau pwysig.

2. Gwyliau

Ma 'na gwmwl sy'n hofran uwchben gwyliau Awst i lawer o blant, a chânt hi'n anodd i'w mwynhau'u hunain. Disgwyl y maent am ganlyniadau'r arholiadau ac, wrth gwrs, y mae eu dyfodol yn dibynnu i raddau pell iawn ar y canlyniadau rheini. Yn hanes y mwyafrif fe ddiflanna'r cwmwl a daw'r haul i wenu. Nid felly i bob un, ysywaeth. Byddwn yn llongyfarch y rhai sy'n gwneud yn dda, y rhai llwyddiannus, a gwneir hyn yn gyson yn ein heglwysi. Odi e'n beth iawn i'w wneud? Rhoi bri ar frêns a wnawn, ac ma llongyfarch y llwyddiannus yn bradychu'n gwerthoedd ansicr. Onid y peth iawn i'w wneud yw llongyfarch pob un am drio? Yn amal ma'r sawl a fethodd wedi trio'n galetach na'r lleill, ac wedi'r cwbl ma 'na bethe pwysicach o lawer mewn bywyd na phasio arholiadau, pethe fel cymeriad, cenhadaeth, a chyfeiriad. Ma 'na lawer sy â digon yn eu pennau a rhy 'chydig yn eu calonnau.

Ond dydw i ddim yn poeni'n ormodol y bore 'ma am y rheini sy'n disgwyl canlyniadau arholiadau; ma siawns gyda nhw i 'neud rhywbeth â'u bywyd. Meddwl rydw i am y miloedd o blant sy wedi gadael yr ysgol yr haf a dim gobaith o gwbl am waith. Gwir fod y Llywodraeth yn darparu cyrsiau blwyddyn o hyfforddiant a llawer yn manteisio arnynt. Ond wedi'r cyrsiau, i ble'r ânt? Rown i'n digwydd bod gydag un o'r grwpiau hyn yn lled ddiweddar, ac meddai un ohonynt, 'Ma'n nhw'n ein hyfforddi ar gyfer swydd nad yw i ga'l.' A dyna'r gwir trist. Does dim amheuaeth o gwbl nad un o'r problemau cymdeithasol mwya sy'n ein hwynebu yw'r diweithdra cynyddol ymhlith rhai ifainc. A dweud y gwir, wela i ddim gobaith ar y gorwel, chwaith, am dro ar fyd. Rwy'n ofni'i bod yn ffaith ein bod mewn cymdeithas lle na fydd gwaith i lawer. Bydd gofyn iddynt dreulio'u hoes gyda'r llyfr dôl. Gobeithio y profir nad ydw i'n dweud y gwir; byddai'n dda gan f'enaid i weld gwaith yn cyrraedd ar gyfer y cawodydd o ieuenctid di-waith. Sut ma taclo'r broblem hon sy'n gwestiwn dyrys iawn. Un peth a wn, os esgeuluswn hon bydd gyda ni uffern o drafferthion ar ein dwylo. Eisoes mae'n carcharau'n orlawn a'r llysoedd yn methu â dyfalu beth i'w wneud â'r mynych droseddwyr ifainc a ddaw iddynt. Ma pob math o fudiadau sy'n crefu am help, cymdeithasau sy'n gweithio gyda phlant o dan anfantais, gweithio gyda'r henoed, gweithio gydag alcoholiaid, gweithio gyda chyn-garcharorion ... ma'n nhw i gyd yn brin o arian ac ise help i addasu adeiladau ac ati. Odi e'n ormod i ddisgwyl i ysgolion, eglwysi, y gymdeithas gyfan harneisio'u holl adnoddau i hyfforddi ieuenctid i ddefnyddio'u horiau i bwrpas ac i fod yn aelodau defnyddiol o gymdeithas? Wedi'r cwbl rŷn ni i gyd yn lico teimlo'n bod yn cyfri a bod rhywun yn gwerthfawrogi'n cyfraniad. Dyma'r genhadaeth bwysica sy'n wynebu byd ac eglwys wrth i ni ddynesu at ddiwedd y ganrif hon ac yr ydw i'n siomedig iawn nad oes argoel fod fawr o neb yn mynd i'r afael â hi o ddifri. Ma ca'l eich gosod fel sbwriel gwrthodedig ar domen y dre yn eich arddegau yn brofiad ysgytwol, ac yn brofiad fydd yn rhwym o arwain i derfysg a phrotest cwbl ddealladwy. Wedi'r cyfan, ma helyntion Brixton a Lerpwl yn codi, i fesur, o ddiweithdra. Dwedaf eto, dyma'n maes cenhadol pwysica—o'i esgeuluso bydd raid talu pris go fawr.

3. Cenhadu

Go brin fod galw ar i rywun fel fi eich atgoffa fod y plant ar eu gwyliau. Ma'n nhw yn eich gwalltiau, o dan eich tra'd, a'u bysedd bach bishi yn medlan yn hyn ac arall. Hawdd dychmygu corws o orchmynion bygythiol: 'Ewch o dan 'y nhra'd i', 'Cliriwch mas i whare'.

Rhowch funud o feddwl i'r plant nawr. Ma'n nhw yn yr ysgol bob dydd. Rhaglen lawn o weithgaredd wedi'i threfnu ar eu cyfer—gwersi, chwaraeon, ymarfer corff, cinio, a llond lle o ffrindiau eiddgar i whare. Yn ddisymwth collant y cwbl, ac y maent yn llythrennol ar goll. Clamp o dwll mawr gwag, ac fel pawb arall, fe'i cânt hi'n anodd, os nad yn amhosibl, i ddygymod â'r gwacter.

Heb os, ma cyfnod gwyliau'r haf yn sialens fawr i rieni, i gymdogion, i bob math o gymdeithasau gan gynnwys yr eglwys. Gwn am ambell gylch o eglwysi sy'n trefnu gweithgaredd haf ar gyfer plant y fro. Yn wir, ma hwn yn gyfle i genhadaeth a werthfawrogir gan rieni ar ben eu tennyn, gan gymdogion digon piwis yn aml, ond yn bwysica, gan y plant eu hunain. Rwy'n cofio ar draeth y Borth edmygu'r gwaith a wnâi mudiad y CSSM. Cawodydd o blant gyda nhw, a dyna lle y byddent yn naddu storïau o'r Beibl ar y tywod, yn codi'r tŷ ar y graig a thŷ ar y tywod, a'r môr gyda'i lanw didrugaredd yn dod i brofi neges y ddameg. Yna canu canigau bach bywiog, cofiadwy, a barbeciw gyda'r nos, ac i'r oedfa yn un o'r capeli lleol ar fore Sul. Nid plant capel ac eglwys mo'u hanner nhw, eithr plant a oedd yn falch o ga'l rhywbeth i'w wneud i lenwi'r oriau gwag. Ma dyn yn ddiolchgar am wersylloedd fel Llangrannog a Glan-llyn, am Dre-saith a'r Bala gyda'r Pres-byteriaid. Ond y breintiedig sy'n mynd i'r lleoedd yna, y rhai sydd â'u rhieni yn medru fforddio wythnos gymharol gostus. Meddwl am y difreintiedig rydw i, y rhai na fedrant fforddio, a heb lawer o awydd i fynd i wythnosau fel 'na. O blith y rheina y daw'r rhai a fydd mewn trafferth gyda'r gyfraith, yn fuan, mi dybiaf. Ma ise i ddychymyg cenhadol yr eglwysi ga'l ei danio fel y bydd iddynt fentro gneud rhywbeth creadigol, mentro tros Grist yn eu broydd difywyd. Nid digon da yw sôn yn feirniadol am y drwg sydd yn ein cymdeithas, na chondemnio plant am eu hanwareiddiwch; llawer rhagorach yw bod yn gadarnhaol a mentro. Yn sicr, ma trefnu 'chydig o weithgaredd haf ar gyfer plant—lot ohonyn nhw, cofiwch, heb neb i'w gwarchod yn ystod y dydd—yn ffordd dra rhagorol o achub eneidiau. A'r gwir calonogol fan hyn yw nad oes raid wrth lot o gyfarpar drud ac adeiladau; cawod o haul a phersonau cenhadol, caredig eu hysbryd—nhw yw'r gyfrinach, a does yr un ardal, gobeithio, heb y cyfryw enaid dethol, gweledigaethus.

4. Madarch

Un o'r pethe a gofiaf y bydden ni'n ei wneud yn ystod gwyliau Awst oedd codi'n fore i hel myshyrwms. Felly y galwem ni nhw. Yn ddiweddarach y des i wybod mai *madarch* neu *rawn unnos* y'u gelwid mewn rhai mannau. Gwyddem i'r dim ym mhle i'w cael, a'r drafferth oedd fod eraill yn gwybod hefyd. Er eu bod yn tyfu ar gaeau fferm fy nhad, mae'n ymddangos nad oedd hynny yn poeni neb. Am bump o'r gloch y bore roeddynt yn eiddo i'r cyntaf i'w bachu. Lawer tro rwy'n cofio rhyfeddu at gywreinwaith y patrymau dychmygus a cheisio dyfalu pa ryw ddewin a fu wrthi'n nyddu'r cwilt pert. Byddai ambell whelpen o fyshyrwm, a thueddem i neidio at y rheini am eu bod yn help i lenwi'r fasged, ond gra'n henaint oedd arnynt, wedi duo'n ddrwg. Y rhai bach crwn, caeëdig oedd y goreuon. Roedd ise lot i 'neud pownd ond anamal y bydden ni'n dychwelyd heb gasglu cwpwl o bowndi piwr. Roedd tasg arall i'w chyflawni hefyd, eu digroeni, er mwyn i Mam fedru'u troi'n fwyd blasus, a rhaid dweud fy mod i'n dwlu ar bryd o fyshyrwms hyd y dydd heddi.

Wyddwn i ddim yr adeg honno, yn sicr, am y madarch hud. Yn wir, newydd ddod i wybod ydw i. Wrth gwrs, rown i'n 'nabod bwyd y broga ac yn gwybod eu bod yn wenwynig, a fyddwn i byth yn eu casglu a'u gosod yn y fasged gyda'r madarch bwytadwy. Erbyn hyn cynhelir gwyliau pop o Stonehenge i 'Stiniog i gyd-fynd ag adeg cynaeafu'r madarch hyn. Fe'u llyncant, gan amla, yn amrwd, ac oherwydd y cemegyn sydd ynddynt cânt benysgafnder neu feddwdod. Ânt am yr hyn a alwant yn 'drip', trip i wlad hud a lledrith, yn llythrennol, a gweld a chlywed pethe nad adnabu'r byd. Y mae i'r arfer ei beryglon amlwg.

Hawdd casglu'r madarch anghywir a llyncu rhai gwenwynig. Digwyddodd hynny, a bu angladd trist. Hefyd drwy gymryd y rhain dechreuant flasu cemegyn sy'n rhoi cyffro a chic iddynt a chemegyn sy'n abl i'w dal yn gaeth iddo yn reit gyflym. Wedi peidio o'r madarch, bydd y rhai sy'n gwancu amdano yn symud i fyd tabledi costus. Mae'r llwybr o'r madarch hud i fyd y cyffuriau celyd yn un nad yw'r borfa'n ca'l cyfle i dyfu arno gan y mynych dramwyo ar hyd-ddo. Mi fydde'n drueni, oni fydde, pe bai'r llwybr i gaethiwed cyffuriau, a'r byd enbyd hwnnw, yn dechre yn eich cae-dan-tŷ chi. Bugeiliwch eich myshyrwms yn ofalus, da chi, a chadwch lygad barcud ar y rhai sy'n eu casglu; ac os oes gŵyl bop yn eich bro, da chi gwarchodwch eich plant yn ofalus. Cymwynas fawr â'ch plant yw gweld nad yw'r pethe hyn yn dod ar eu cyfyl. Nid eich tir yn unig a anrheithir. Cofiwch y cymal o weddi'r Arglwydd: 'Ac nac arwain ni i brofedigaeth; eithr gwared ni rhag drwg.'

Onid yw'n drist fod yr hud a'r hyfrydwch a brofem wrth gasglu madarch wedi troi'n hunllef a chaethiwed i lawer?

5. Mwyar Duon

Roedd gwyliau Awst yn adeg i gynhaea' arall. Roedd y meri duon, neu felly y galwem ni'r mwyar duon, yn aeddfedu. Fe gymhellai Mam ni i fynd i'w casglu, a doedd dim ise lot o gymell oherwydd roedd y wobr am eu casglu mor atyniadol—jam cartre neu jeli hyfryd a tharten. Byddai ca'l tafell o honno gyda'r sudd piws yn fôr o'i chwmpas, a diferyn o hufen cartre arni, yn wobr ddigonol am bob trafferth. Roedd y meri duon gore yn dueddol o dyfu mewn mannau anhygyrch a pheryglus, a chryn anturiaeth oedd eu ca'l i'r fasged. Hefyd gan na fu cryman yn agos atynt, roeddynt yn fras a chwrs a'r pigau arnynt yn hirion a chelyd. Pe caech eich brathu—a sut oedd osgoi hynny a bataliwn ymosodol ohonynt yn gwarchae arnoch?—tynnent genlli o waed o'ch cnawd tyner. Caem ein siarso cyn mynd, bid siŵr, a'n hannog i fod yn ofalus. Ond ma pawb yn lico byw yn beryglus ar dro, a dyma'n cyfle ni, cyfle cyfreithlon. Trwy ddyfais a dewrder fe lwyddem i gyrraedd y rhai pella, a'r rhai mwya, rhai fel penne'ch bys bawd chi. Troi'n ôl adre yn falch a bodlon, os yn glwyfus, a Mam gyda'i nodwydd yn gorfod twrio yn ein cnawd am ddyddiau i dynnu'r pigau poenus oddi yno. Os oedd y fasgedaid yn edrych yn ddeniadol, ddu, buan y daethon ni i wybod mai ymddangos yn iach o braf a wnaent. Roedd ambell gynrhonyn wedi naddu'i ffordd i amal fwyaren. Anodd oedd eu gweld, yn wir amhosibl, gan fynycha. Fe ddysgais yn ddiweddarach, ac weithiau'n rhy hwyr, fod hynna'n wir am lot o bethe heblaw mwyar. Mae'n rhyfedd cymaint o bethe—swyddi bras, arian mawr, statws, dynion o safle ac awdurdod—o edrych yn fanwl arnynt sydd a chynrhon ynddynt. Wrth gasglu'r meri duon ni allem ymwrthod â'r demtasiwn

95

o fyta rhai ac amhosibl oedd celu hynny. Byddai'r staeniau ar ein bochau, a'n dannedd. Byddem yn biws o glust i glust. Ac os da y cofiaf, rhai anodd eu symud oedd staeniau'r meri duon. Bydde'ch bysedd yn lasddu am ddydd-iau. A dyna'r wers arall a ddysgais—os ydych chi am geisio ffrwythau'r mieri mewn bywyd, wel, go brin y medrwch chi ddianc heb ga'l eich brathu a'ch anafu. Ma'n syndod gymaint sy'n ca'l eu dal yn sownd, yn gaethion gan y mieri. Ac ma un peth yn sicr, ma hi'n dipyn o gamp i lanhau'r staeniau. Ma'n nhw'n dueddol o sticio arnoch am sbel go lew. Byddwch yn ofalus o'r meri duon atyn-iadol. Ar ddrysi y tyfant ac ma pigau ar cythrel gyda'r rheini ac fe ellwch gario'r creithiau am eich oes.

(Awst, 1983)

GERDDI'R INSOLE

1

Ym mhle bynnag y bûm i'n byw yn ystod y deng mlynedd ar hugain diwethaf 'ma, fe ges arddwr da drws nesa. Bydde rhai yn ystyried hynny'n anfantais. Ar adegau fe gytunwn: glendid, graen a chynnyrch ei ardd yn gondemniad cyhoeddus ohonof fel garddwr. Weithiau fe ges ei ddannod ac mewn pwl o gynddaredd dechre palu ffwrdd-â-hi. Yn chwys drabŵd a phob cymal o'm corff yn ochain am ddyddiau. Hamddena'r haf yn ei ardd fyddai'r gŵr drws nesa, yn hela mwy o amser yn gwylied pethe'n tyfu nag a wnâi yn eu tendio, neu felly yr ymddangosai i mi. Gwers bwysig fan'na i mi sy'n rhuthro!

Yn yr ardd sy drws nesa i ni nawr ma coeden 'fale fawr. Bramley, rwy'n credu. 'Leni roedd arni glwstwr o flodau. Rhai gwyn ond bod y peintiwr wedi braidd gyffwrdd ag ymylon y petalau â phinc tyner, y pinc ysgafn hwnnw a gewch ar y fflamingo, a'r cyfuniad yna o wyn a phinc gyda gwyrdd yn gefndir yn rhoi i chi'r plethiad hyfrytaf o liwiau. Gwir i'r blodau ddiflannu'n glou. Cwthwm o wynt ryw noson a dyna'r lle yn gwrlid esmwyth a glân. Erbyn hyn ma'r 'fale'n ffurfio, a chan fod ambell gangen yn estyn ei dwylo i'n gardd ni, ma gobaith am darten 'fale, a'r moethyn hwnnw, twmplen. Gwelwn y goeden o'n lolfa a byddwn yn ei gwylied o dymor i dymor, a rhyfeddu at y newidiadau o ddydd i ddydd.

Ac mae'r goeden wedi peri i mi feddwl am lawer hyfrydwch a bendith a ddaw i'n bywyd, a ninnau heb wneud un dim yn eu cylch. Gellid eu galw yn fendithion gardd drws nesa, neu mae'n debyg mai ffordd y Beibl o osod y peth fyddai ddweud: 'Eraill a lafuriasant a ninnau a aethom i mewn i'w llafur hwynt.' Ddewisodd neb ohonom un o'n rhieni; disgyn i'w dwylo a wnaethom, eto mae'n wir am y mwyafrif ohonom i ni gael hyfrydwch cymeriad a chyfeiriad a chip ar gyfrinach byw drwyddynt a chanddynt. A phan ewch i oedfa fe'ch delir mewn canu emynau, darllen y Gair yn Gymraeg—maent yno yn eu cyfoeth, wnaethoch chi a fi undim i'w sicrhau. Y peth pwysig yw cael llygad i weld bendithion gardd drws nesa, beth bynnag ydynt, a bod yn werthfawrogol a diolchgar eu bod yno. Byddai bywyd yn dlotach hebddynt.

2

Enw'r lôn yr ydym ni yn byw arni yw Coedlan y Gorllewin, er nad yw Cymreictod y brifddinas yn ddigon iach i roi inni arwyddion dwyieithog, hyd yma. Fel yr awgryma'r enw, mae yna lawer o goed, a does dim sy'n harddach na choed, oes e? A pha le bynnag y cewch chi glwstwr o goed, fe gewch adar. Dyw hi ddim yn anghyffredin, ar adegau, i weld cawod o adar yr eira yn pigo ffwrdd-â-hi ar y lawnt gefn. A 'leni nythodd y fronfraith yn y shetin wrth ymyl y tŷ. Ar dro, bydd ambell golomen ddisberod yn ffyrlincan ei ffordd hyd y lawnt ac yn rhyw gewco'n slei i bob cyfeiriad. Symbol yw'r golomen yn y Beibl o heddwch a thangnefedd ac o'r Ysbryd yn disgyn. 'Na beth od; yn wir, 'na beth trist, oherwydd profiad a gefais yn ddiweddar, newidiodd y golomen ei chymeriad. Cwrdd wnes i â bachgen ifanc yn y carchar. Roedd wedi bod mewn pob math o helynt, a'r ddiod oedd gwraidd ei drwbwl. Mewn sgwrs bersonol ryw ddiwrnod fe'i holais am ei gefndir. Siaradai gyda'r peth tyneraf am ei fam. Roedd hi'n amlwg ei fod yn dwlu arni ac yn sobor o flin iddo'i dolurio.

'Be ddigwyddodd i ti?' gofynnais iddo.

'Pan own i'n grwt eitha ifanc rown i'n cadw colomennod. Byddwn yn eu magu, dechre raso 'chydig. Roedd gen i tua deugain ar un adeg. Oherwydd fy mod yn bugeilio'r rhain yn y bore, weithiau awn i'r ysgol yn hwyr, dro arall awn i ddim o gwbl, yn enwedig pan oedd yr wyau'n deor. Collais dipyn o ysgol a dechreuodd rhai o'r athrawon gilwgu arnaf, ac oherwydd gwedd y rheini, wel, fyddwn i ddim yn mynd pan allwn fynd.'

'Lle mae'r colomennod nawr?' holais.

'Wedi mynd. Y cwbe'n wag. Rwy'n gobeithio cadw rhai eto. Rwy'n ffoli ar golomennod.'

Dyma i chi achos o'r golomen yn troi'n gigfran; y symbol o heddwch a thangnefedd yn creu helynt a therfysg. Mae'n digwydd yn aml. Beth am y briodas *wen*—ie, *wen*—ond cyn pen 'chydig y golomen wen wedi troi'n gigfran neu'n eryr, y nyth wedi'i chwalu a'r plant wedi'u gwasgaru. Y gamp o hyd, ac y mae'n gamp sy'n gofyn am ras yn genlli, yw cadw'r golomen yn golom-en, peidio â gwneud undim i'w throi'n gigfran. Mae hynny'n drasiedi, yn siom ac yn ddinistr.

3

Un peth sy'n well na chael gardd dda a hynny yw bod yn ymyl gerddi cyhoeddus. Yn hynny o beth rydym ni'n hynod o ffodus. Tafliad carreg sy o'n gerddi ni i erddi'r Insole. Tua 1820, daeth gŵr o Gaerwrangon i Gaerdydd i sefydlu busnes llongau masnach, a llwyddo. Pan ddaeth ei fab, James, i oed, trodd y ddau i fyd y glo a suddasant bwll yn y Cymer. Ymhen 'chydig roeddynt yn prynu cyfranddaliadau gwerth rhagor na chwe mil yn y Deep Dyffryn yn Aberpennar, a'r elw o'r fenter honno a dalodd am Blas yr Insole. Am nad oeddynt yn aelodau o undeb y perchenogion glo, yn ystod streic 1898 talasant ddwbl i'r rheini a oedd yn fodlon gweithio a rhofio'r aur i'w coffrau. Pan ddaeth Capten Scott i Gaerdydd ym 1910 i geisio cefnogaeth i'w anturiaeth i'r Antartig, addawodd yr Insoliaid ddigon o lo iddo i hwylio'r moroedd.

Y peth cynta i'w ddweud am y plasty hwn, sy'n eiddo bellach i Gyngor y Ddinas, ydi ei fod e'n dŷ a chymeriad iddo gyda gerddi a lawntiau haf o'i gwmpas. Fel sy'n wir yn rhy amal, prydferthwch a adeiladwyd ar chwys a gwaed coliyrs a weithiodd oriau meith- ion am gyflogau bach yw. Sawl un bes- ychodd ei ffordd i'w fedd cynnar er mwyn i'r Insoliaid ga'l eu nefoedd orfoleddus yn Llandaf? Nid annheg fyddai dweud yr un peth am y fasnach ddiod. Wrth gwrs bod lleoedd crand gyda nhw. Odi, odi, mae'n wir eu bod yn gwario swm enfawr ar ehangu a moethuso—ond pwy sy'n talu? Llawer o ddioddefwyr ... llawer o deuluoedd. Peth mawr a phwysig, mi dybiaf, yw fod yr hyn a adeiladwch wedi'i godi ar arian glân a gonest.

Yng ngerddi'r Insole ma dewis o blanhigion dethol, rhai o bellafoedd byd. Llwyddwyd i'w ca'l i dyfu yno, ymhell o'u cynefin. Dyna ddywed y Testament Newydd. Planhigion a glud-

103

wyd o bell ac a blannwyd ynom ni yw'r cariad Cristnogol, maddeuant a chymod; smo nhw'n tyfu'n naturiol o ddaear ein dynoliaeth ni. Yng ngardd Iesu y'u cafwyd a chydag ef yn unig y mae eu cael; ma hawlfraint ganddo arnynt, ond trwy ryw ryfedd wyrth gallant gydio, gwreiddio a thyfu ynom ni.

4

Planna'r egwyddorion hynny
Yn fy enaid bob yn un,
Ag sydd megis peraroglau
Yn dy natur Di dy Hun.

Pa dymor bynnag yr ewch i erddi'r Insole, fe gewch gwilt Cymreig o liwiau. Neu ma ffrwydrad o liwiau yno. Un o'r pethe cynta a wnaf pan af i oedfa yw edrych a oes yno flodau, a bron bob Sul ma rhywrai wedi gofalu gosod blodau ar yr allor, a'r lliwiau'n bregeth. Yn fy mhrofiad i, os nad oes pregeth dda'n dod o'r pulpud, gan amla ma 'na un dda

ar y bwrdd o dan y pulpud, a myfyrdod
ar y lliwiau sy gen i heddi:
Diolch Arglwydd am y dwylo a osododd
    y blode
Ar yr allor.
Diolch mwy am y rhai sy'n plannu blode
    ar lwybre bywyd.
Gwared ni rhag i ni blannu drain a
    drysni,
Tyfiant sy'n brifo, brathu a baglu,
Ac yn troi'n ddeunydd coron o ddrain.
Diolch am y plethiad o liwiau,
Ai bwriadol ynte rhagluniaethol, ni wn.
Ond mae'n gyfuniad sy'n cyhoeddi.

Mae'r coch yma—
Lliw brenin o hyd, taenwn y carped coch
    iddo,
Ac yn ddi-os, mae'r coch yn ein hatgofio
Ein bod gerbron
'Brenin y Brenhinoedd ac Arglwydd yr
    Arglwyddi'.
Moesymgrymu'n isel a weddai i ni.
Diolch—a hyn sy'n rhyfeddod—ein bod
    yn cael ein cyfri
Yn ddeiliaid o dy deyrnas,
Rhai sâl, yn siŵr, heb eto ddysgu iaith
    nac ymadrodd

Dy deyrnas.
Mae'r coch yn ein hatgofio hefyd o'r
    aberth drud.
Coch y gwaed.
Ofnaf mai 'chydig o goch a gei yn ein
    bywyd ni,
Eto gwyddom y dylai fod yno.

Mae'r gwyn yma—
Y gwyn anghyffwrdd, tyner hwnnw a
    geir ar betal blodyn,
A'r gwyn sy'n dweud ein bod yng
    nghwmni'r un gwyn—
'Gwyn a gwridog, hawddgar iawn, yw
    f'Anwylyd'—
A'n hymateb cynta ni, Arglwydd, yw,
Ddylem ni ddim bod yma
Oherwydd 'chydig o wyn sy ynom ni.
Ac yma yr ydym ni am dy fod wedi
    gwahodd
Rhai fel ni.
Pan oeddit yma fe ddwedaist i ti ddod i
    drin y rhai afiach,
Nid y rhai iach.
Y du nid y gwyn.
Dyro fod peth o'r gwyn sy yn Iesu yn
    gwisgo arnom ni
'Oll yn eu gynau gwynion

Ac ar eu newydd wedd,
Yn debyg idd' eu Harglwydd'.

Ac y mae yma wyrdd—
Arwydd o dyfiant, o fywyd, o wanwyn, o
obaith, o ieuenctid
Yw'r gwyrdd o hyd.
Ac y mae'n dda ei gael.
Piti … piti mawr, Arglwydd, ma yn y
potie blode yn unig y'i ceir
Yn ein heglwysi.
Mae'r gynulleidfa, a'r adeilad, yn rhy
amal
A lliw hydre a gaea' arnynt,
Lliw marwolaeth a dihoeni, a diwedd
byd.
'Rho i Seion eto wanwyn siriol iawn'.
Licen ni gael llond capel o wyrdd;
Yn wir, rho i ni'r cyfuniad o liwiau a geir
yn y tusw
Coch, gwyn a gwyrdd.

5

Wrth baratoi'r myfyrdodau hyn, a
chystal cydnabod mai yng ngerddi In-
sole y'u lluniais, digwyddodd un peth

hynod iawn. Rown i'n craffu ar yr ardd garegog lle ma detholiad o wahanol fathau o rug. Ceisiwn godi enwau rhai, sylwi ar eu blodau, a gweld ambell wenynen ar ddiwetydd fel pe'n dych-welyd i gasglu'r hyn a adawodd. Tra o'n i'n sylwi ar yr ardd rug, drwy gornel fy llygaid gwelwn ddau grwt yn tindroi, a dyma un ohonynt ataf a gofyn be oedd hi o'r gloch. Cyn imi orffen ateb, medde fe ar fy nhraws, 'Smo ni'n mynd adre heno.'

'Pam?'

'Rŷn ni'n mynd i gysgu mas.'

'Nid dyma'r noson ore i gysgu mas. Oes sach gysgu gyda chi?'

'Nac oes.'

'Dau frawd ŷch chi?'

'Ie, fi yw'r hyna.'

'Faint yw dy oed di?'

'Un ar ddeg a 'mrawd yn ddeg.'

'Lle ŷch chi'n byw?'

Enwasant yr heol, nid nepell o'r Insole, ardal barchus, soffistigedig, ac yr oedd hi'n amlwg oddi wrth wisg y bechgyn eu bod yn ca'l dillad da.

'Well i chi fynd nôl. Ma'n nhw'n siŵr o fod yn bryderus amdanoch.'

'Na, dydw i ddim yn mynd nôl,' medde'r hyna yn bendant.

'Wel, pam 'te?'

'Yr hen foi 'co, mae fe'n pigo a brathu o hyd. Rydw i wedi ca'l llond bol ...'

Ac erbyn hyn roedd y crwt yn dechre codi stêm a ffyrnigo.

Ma'n nhw wedi bod ar fy meddwl oddi ar hynny. Be wnaethon nhw, tybed? Rydw i wedi dod yn syth o'r carchar i recordio'r sgyrsiau yma, a'r un stori oedd hi heddiw eto:

'Ches i ddim cartre. 'Nhad a Mam wedi gwahanu.' Un arall: 'Dydw i ddim yn gwybod beth yw bywyd normal; o bilar i bost y bûm i.' Rhai ifainc ar ddisberod am na chawsant gariad, consýrn a chyfeillgarwch. Dyna lle'r own i yng ngerddi'r Insole, a'r planhigion i gyd yn cael tendans gofalus a'r gwrtaith gorau. A rywfodd fe'm ces fy hunan yn gofyn, 'Odi'r planhigion yn ca'l gwell gofal na'r plant? Odi'r llysiau yn ca'l amgenach gwrtaith na'r llanciau?' Ma hawl ganddynt i ddisgwyl cariad ac anwyldeb; hebddo bydd gwrthryfel a phrotest a rebelian. Mae'n ddydd trist pan fo'r gerddi mewn gwell cyflwr na llawer o'n cartrefi ni. Deuthum o'r ardd a baich tristwch ar fy nghalon.

Pam y caiff bwystfilod rheibus
Dorri'r egin mân i lawr?

(Gwanwyn, 1984)

AR DROTHWY'R PASG

1. Sul y Blodau

Mae'r gerdd 'Sul y Blodau' gan Eifion Wyn hwyrach braidd yn sentimental, eto ma hi wedi tynnu tannau calon llawer ohonom:

> Tan y garreg las a'r blodau,
> Cysga, berl dy fam;
> Gwybod mae dy dad a minnau
> Na dderbynni gam:
> Gwn nad oes un beddrod bychan
> Heb ei angel gwyn;
> Cwsg, fy mhlentyn, yma'th hunan—
> Cwsg, Goronwy Wyn.

Gwn i laweroedd ohonoch fod yn y fynwent cyn Sul y Blodau. Mae'n hen arfer i fynd i lanhau'r beddau a gosod tusw o flodau i gofio anwyliaid. Bydd yn wledd o ryfeddod i sylwi ar fynwentydd yr adeg yma. Lleoedd llwyd, diraen, anniben ydynt, yn rhy amal. Ar Sul y Blodau bydd gweddnewidiad; lle'r oedd llwydni daeth lliw, lle'r oedd hagrwch gwelir harddwch, a cheir bywyd ymhlith y beddau. Eto, er y blodau i gyd—a rhai drudfawr yn fynych sy'n datgan cariad a hiraeth dwfn—y mae yna dristwch, ac fe nodir y tristwch yng ngherdd Eifion Wyn:

> Cwsg, fy mhlentyn, heb dy fami—
> Cwsg yn erw Duw;
> Casglu blodau buom iti—
> Sul y Blodau yw:
> Chwe briallen fach a ddywed
> Mai yr haf yw hi;
> Cwsg o danynt heb eu gweled,
> Cwsg, fy rhosyn i.

Dyna'r tristwch: 'Cwsg o danynt *heb eu gweled*'. Dyw'r marw ddim yn gweld, ddim yn arogleuo. Ni allant werthfawrogi. Golygant dipyn i ni, y rhai byw, ond ni allant olygu dim i'r rhai sydd yn y gro. Dyw'r blodau, er hyfryted ydynt, ddim yn newid cymeriad y fynwent. Casglwch flodau dewisol ac ecsotig gerddi Kew a'u gosod yno — ni wnânt

ronyn o wahaniaeth. Mynwent yw myn-
went er ei llenwi â blodau. Er hynny y
mae neges ac fe dyr honno fore Sul y
Pasg. Yn wir, i'r sawl sydd â chlustiau
ganddo i wrando, mae'n torri bob Sul:

> Ni allodd angau du
> Ddal Iesu'n gaeth
> Ddim hwy na'r trydydd dydd—
> Yn rhydd y daeth:
> Ni ddelir un o'i blant
> Er mynd i bant y bedd;
> Fe'u gwelir ger ei fron
> Yn llon eu gwedd.

A dyna neges y Pasg. Yr Iesu a
gyfododd, yn wir. Iesu yw'r unig un sy'n
newid cymeriad y fynwent. Ma mynd i'r
fynwent heb Iesu a'i neges yn dristwch,
yn ddiflastod, yn anobaith llwyr. Mae'r
un peth â mynd i'r 'sbyty a dim gan-
ddynt i'w wneud. Rydw i bob amser yn
anhapus gydag un peth; yn rhy fynych fe
gewch yr eglwys a'r capel yng nghanol y
fynwent a rhaid cerdded heibio i resi hir
o feddau cyn cyrraedd y llan. Nid felly y
dylai fod; cerdded drwy'r eglwys i'r

fynwent, cerdded gyda goleuni
goruchafiaeth Crist yn eich llygaid a
grym yr atgyfodiad yn gryfder yn eich
cred a'ch cerdded. Ma Iesu wedi newid
cymeriad y fynwent. Haleliwia!

2. Orthin

Rown i gyda dyrned o gyfeillion a
theulu rai dyddiau'n ôl ym mynwent
Sant Barrwg, Bedwas, ger Caerffili, yn
hebrwng Orthin Thomas. Un a safai
wrth f'ymyl oedd y Parchedig Elwyn
Rowlands, yntau, ysywaeth, wedi'i
gipio erbyn hyn. Ac y mae hiraeth mawr
ar ôl yr Hebrewr diymhongar hwn.
Roedd yn un o gyfieithwyr yr Hen
Destament ar gyfer y Beibl Cymraeg
Newydd. Erys ei etifeddiaeth dda yn
llusern i'n traed ac yn llewyrch i'n
llwybrau.

Fel y dwedes, crynhoi a wnaethom i
ysgwyd llaw mewn ffarwél ola ag Orthin
Thomas. Mae'n siŵr gen i na fuoch chi
ym mynwent Sant Barrwg, Bedwas.
Buoch mewn rhai tebyg. Wedi'i

hesgeuluso'n ddrwg. Drain, mieri, cerrig wedi cwympo a goleddu. Wrth i mi geisio llwybro fy ffordd at fedd Orthin, daliwyd fy nhroed rhwng dwy garreg a guddid gan ffrwcs, a bu raid imi ga'l help i ddod yn rhydd. Allwn i ddim llai na meddwl. Hebrwng yr oeddem un arbennig, heddychwr a thrysorydd Cymdeithas y Cymod yng Nghymru am flynydde. Fe ddarllenodd lawer ar lenyddiaeth y Crynwyr ac fe ofalai fy mod yn ca'l copi o'u cylchgrawn misol, *The Friend*. Gŵr a gredai mewn symud o fywyd yr elfennau rheini, y drain a'r mieri, sy'n rhwygo pobloedd ar wahân, ac yn darnio cymod a chytgord. Cenhadu hedd fu hwn. Gwneuthur heddwch oedd ei fywyd. Teimlais fod yna ryw ragluniaeth angharedig yn chwarae tric brwnt ddydd ei angladd ac wedi cynllwynio i'w roi i orwedd mewn mynwent sy'n 'ddrych o dristwch i edrych drosti'. Fel pe bai am ddweud: 'Faint bynnag a wnewch, pa mor ymroddedig bynnag yr ydych, y drain

115

a'r drysni, y mieri a'r ysgall sy'n ca'l y trecha. Yr anialwch sy'n ennill yn y diwedd.' Ond o 'nabod Orthin, tybio yr ydw i mai fe a drefnodd i ni ei roi i orffwys mewn lle anial. Ac o'i fedd, yng nghanol yr anialwch i gyd, mae'n cyhoeddi wrthym ni: 'Gwrandwch, ma 'na lot o anialwch, lot o ffrwcs mewn bywyd, a'r tyfiant yn amharu ac yn ymyrryd ar berthynas dyn a dyn ac ar genedl a chenedl, ac yn ennyn drwgdybiaeth, casineb a rhyfel. Cydiwch yn eich rhofiau a'ch crymanau, trowch eich cleddyfau'n sychau i aredig grwndir anial ein byd, a throwch hefyd eich gwaywffyn yn bladuriau i naddu o randir dyn y pethau sy'n creu anialwch. Gweithiwch gymod a chariad, trugaredd a maddeuant.'

Ar drothwy'r Pasg, alla i ddim meddwl am neges well a neges sy'n fwy perthnasol i ddyfodol ein byd na'r neges y mynnai'r heddychwr Cristnogol o Dretomas i ni'i chredu a'i chyhoeddi i fyd lloerig.

3. Ifan

Fyddech chi ddim yn 'nabod Ifan. Does dim disgwyl i chi, oherwydd os bu dyn ei filltir sgwâr erioed, Ifan oedd hwnnw. Rydw i'n rhoi gormod o libart iddo; fydde hanner milltir yn gywirach. Bu'n was gyda'm teulu i am ragor na hanner cant o flynyddoedd. Ni bu ei well. Ni ellid ei well. Roedd ei rieni yn byw ar dyddyn bach, Llwyn-du, a ffiniai â 'nghartre i, a'r cysylltiad rhwng y ddau deulu yn gymdogol a chynnes. Byddai tasg wythnosol yn wynebu dau ohonom ni'r plant—mynd â golchad Ifan i'w fam i Lwyn-du. Byddai'n pacio'r cwbl yn ofalus mewn macyn a wisgai yn arferol fel mwfflyr am ei wddf. Un coch, smotiog oedd e, ac o'i agor mas roedd gyda chi sgwaryn sylweddol. Gosodai Ifan ei ddillad yn hwn, clymu'r pedwar cornel, ac yr oedd gyda chi barselyn cryno. Doedd e ddim yn drwm, a'i siâp fel pêl yn ein cymell i chwarae gydag e. Wydden ni ddim am rygbi, ond lluchiem hwn fel pêl hirgron o un i'r llall, ac weithiau'i osod ar ein pennau a'i gario fel y cariai gwragedd y Beibl eu piseri. Ni chofiaf i ni fethu mynd ag e i ben ei daith, a cha'l ein gwobrwyo gan Mrs Daniel: loshin, cacen neu weithiau ddarn o siocled. Dillad brwnt, cagal wythnos, oedd yn y pecyn, rhai ohonynt yn bur frwnt oherwydd gall gwaith fferm eich lardio'n enbyd, ar brydiau. Cario at y glanhawr oedd ein tasg ni. Ail ran y dasg oedd mynd â phecyn glân yn ôl, rhai wedi bod trwy ddwylo gofalus Mrs Daniel, ac ni wisgwyd pâr gwell o ddwylo gan neb. A phan welech Ifan ar fore Sul byddai ar ei newydd wedd; yr hen bethau a aethant i'r olchfa, wele, gwnaethpwyd y cwbl yn lân gan ei fam fedrus.

Ac yr ydw i'n sbecto mai rhywbeth fel 'na a ddywed y Testament Newydd am Iesu Grist. Fe ddaeth i gydio yn ein dillad brwnt, ac ma cryn faw ar lawer ohonom. Cydiodd yn ein parsel a'i ddwyn gydag e a'i olchi.

Golchwyd Magdalen yn ddisglair
A Manasse ddu yn wyn...
Ac yr oedd dillad go frwnt gyda'r ddau yna! Dyna hyfryd yw gweld rhai mewn dillad glân ac, fel Mrs Daniel, ma Iesu yn fedrus am lanhau. Rydw i'n dal i gofio cynulleidfa eglwys y First Presbyterian on the Heights yn Wilkes-Barre, Pennsylvania, eglwys y ces y fraint o'i gwasanaethu am gyfnod; licwn i pe baech yn ei gweld ar fore Sul y Pasg, y merched yn eu boneti blodeuog, lliwgar, y dynion a blodyn yn eu cotiau, a'r cyfan yn ddarlun ac yn ddameg o'r adnewyddiad a'r glanhau a'r trwsio a ddaw trwy Iesu:

Oll yn eu gynau gwynion
Ac ar eu newydd wedd.

4. Carchar

Rydw i eisoes wedi cyfeirio at fy ymweliadau â'r carchar. Maddeuwch i mi am fynd yno heddi 'to. Fel y basech chi'n disgwyl ma yno lot o bethe sy'n fy nghythruddo, ac yn anffodus alla i wneud fawr o ddim i newid y drefen. Ond ma un peth sy'n brofiad enbyd. Ysgytwol yw'r gair. Fe'i caf unwaith y mis, ac er imi ei ga'l ers blynyddoedd bellach, dyw ei frath un gronyn yn llai. Treuliaf ddiwrnod cyfan yno bob mis. Rhan ydwyf o gwrs wythnos i'r rhai sy ar fin gadael. Trio cynnig help a chyfar-wyddyd a fydd yn gadernid iddynt wedi iddynt gerdded i'r byd mawr yn ôl. Ma pob sesiwn yn para yn agos i deirawr ac, wrth gwrs, rhaid ca'l toriad i ga'l paned o de a hamdden. Daw un o'r swyddog-ion â bwcedaid o de i mewn a'i blannu ar lawr y 'stafell. Bob tro y gwelaf y stên mae'n f'atgoffa o'r bwced godro hwnnw y bûm ar un adeg yn trio godro iddo. Rhuthra'r bechgyn ato gyda'u mygiau, rhai glas, melyn a brown, rhai sy'n dal rhyw beint, ddwedwn i, a chânt lond y mŵg o'r stên. Os oes rhywbeth sy'n diraddio a dibrisio, y weithred hon ydyw: disgwyl i'r rhain yfed fel lloi o'r bwced. Sawl tro ma'n nhw wedi troi ataf a dweud, 'Gyf, smo chi ise diod?' A chyn imi ga'l amser i ateb bydd un ohonynt wedi codi mygied o de a'i osod o fy mlân. Maddeued yr Hollalluog i mi; dydw i ddim yn barticilar iawn, ond mae'n ymdrech i feddwl yfed dafan. Ma fy stumog yn troi fel top sgwl. Eto fe wn fod y weithred o yfed mas o'r un bwced â hwy, yfed yr un te, yn bwysig iddyn nhw ac yn bwysig i mi. Os gwrthodaf, byddaf yn fy ngosod fy hun ar wahân iddynt. Rhaid yfed gyda hwy:

Y Gŵr a fu gynt o dan hoelion ...
A yfodd y cwpan i'r gwaelod,
Ei Hunan ar ben Calfari,

medd yr emynydd. Iesu Grist yn plannu ei gwpan glân yn ein stên nid mor lân ni, a drachtio'n slops, a thrwy hynny yn ei uniaethu'i hun â ni yn llwyr. Ma 'na gwpwl yng Nghaerdydd, Fred a Jane Josef. Gofalu a wnânt am gartre i'r digartre. Ma dau o blant mân iawn gyda nhw. Nid yw'r cartre yn westy crand, dwy, na chwaith un seren. Yn wir, rhaid ei ffiwmigetio bob dydd i ladd pla o lau a ddaw o hofelau'r ddinas ar gyrff y rhai a dderbynnir. Yng nghanol y rhain ma Fred a Jane a'r plant yn byw. Fyddwn i ddim yn lico codi 'mhlant yn y fath le. Gwn ma Fred a Jane sy'n iawn. Uniaethu â'r anffodusion. Yfed o'r un bwced â hwy. Brawddeg y bydda i'n ei dyfynnu yn amal yw un William Temple: *'The Incarnation means involvement.'* Uniaethu, hwnnw ydi e, a dyna'r dasg genhadol, Gristnogol o hyd, a'r dasg sy'n costio fwya o bob tasg.

Daeth brenin yr hollfyd i oedfa ein hadfyd ...

5. Mbwa Kali

Dau air Swahili a wn i, MBWA KALI. Fe'u gwelwch, yn eu ffurf Saesneg, yn rhybudd ar glwyd y fynedfa i amal i dŷ: *Beware of the dog.* Ma 'na dre glan môr yn Nwyrain Affrica a'i henw yw Bagamoyo, dau air Swahili eto. I esbonio'r enw rhaid mynd yn ôl i'r cyfnod pryd y byddai Arabiaid a Gorllewinwyr trahaus yn dal caethion. Wedi ca'l criw go lew fe'u cerddid ar saffari hir o dan y gwres mawr i'r porthladd agosa, i Bagamoyo'n fynych. Byddai'r un a lediai'r fintai weithiau'n galw *'Bwaga Mizigo'*, ac ar ei archiad rhoddai pob un ei bwys i lawr, yn falch o'r cyfle i orffwyso'i gorffyn blinedig. Ystyr *mogo* yw calon, a dyna yw Bagamoyo—lle y byddai'r caethwas druan yn rhoi'i galon i lawr. Wedi danto'n lân, nid oherwydd y siwrnai, ond oherwydd ei fod ar gefnu ar ei wlad a'i bobl, a bod enbydrwydd caethwasanaeth o'i flaen. Ac y mae gyda ni i gyd ein Bagamoyo— wedi cyrraedd pen ein tennyn, wedi diffygio'n lân a gwangalonni yn hollol. Wedi taro'r gwaelod yn wir, *Bagamoyo* yw ein cyflwr ni. Cyflwr o enbydrwydd dirdynnol. Cyflwr o ga'l ein cipio gan bwerau sy'n drech na ni.

Roedd 'na gyfieithydd yn chwilio am air cywir am *waredwr*. Ni allai daro ar yr un iawn. Holai hwn ac arall, ac un diwrnod dwedodd rhywun wrtho,

'Does gen i ddim gair, ond ma gen i frawddeg.'

'Beth yw hi?'

'*Yr un sy'n rhyddhau'n gyddfau o'r goler.*'

'Eglurwch hi,' medde'r cyfieithydd.

'Flynydde'n ôl pan oedd y gwŷr-dal-caethion wrth eu gwaith yma, wedi gwneud cyrch i'r berfeddwlad a dal dyrned, byddent yn rhoi coleri am eu gyddfau, cloi pob coler a rhoi cadwyn i glymu'r naill wrth y llall. Yna eu gyrru i'r llong agosa. Wrth fynd trwy ambell bentre byddai'r trigolion yn dod mas i sbecian. Ar dro, byddai un o'r edrych-wyr yn adnabod un o'r fintai gaeth a châi ddigon o blwc i fentro at y gŵr gwyn a'i gyrrai. "Ŷch chi'n gweld hwnna, rwy'n ei 'nabod. Faint ŷch chi ise amdano?" Yna âi'n fargeinio dygn. Wedi setlo'r pris âi'r dyn at y caethwas, datgloi'r goler a'i estyn i'r sawl a'i prynodd. Hwnnw yn ei ddwyn gydag e.

Llawenhau a dathlu. Cafodd hwn ei waredu o farwolaeth, a'r gŵr a'i prynodd oedd ei waredwr. A dyma'r ymadrodd a ddefnyddir hyd heddiw i gyfieithu gwaredwr yn y cornel yna o'r Affrig.'

(Ebrill, 1984)

GWERSI BYWYD

1. Gweddw

Faint ohonoch sy'n gwybod ble ma Ystradmynach ar fap Cymru? Wel, yr ateb yw, rhwng Caerffili a'r Bargoed. Cofiaf ga'l gwahoddiad i fwrw Sul yno. Bellach ma Seilo Ystradmynach wedi cau. Yn wir, rhyfedd gymaint o'r capeli y bûm ynddynt sy wedi diflannu. Gobeithio na chyfrennais at eu dadfeiliad. Lletya yn y tŷ capel. Licwn i fan hyn ddweud diolch yn fawr wrth bawb a letyodd bregethwyr ar hyd y blynyddoedd. Os cawsoch chi gymaint ag a gawsom ni, yna cyfoethogion ydych yn wir. Gwraig weddw a gadwai'r tŷ capel. Rydw i wedi meddwl pŵer be dda'th ohoni. Collodd ei gŵr yn y Rhyfel Byd Cyntaf, a'i hunig fab yn yr Ail Ryfel Byd, ac os nad ydw i'n camgymryd, roedd y mab yng Ngholeg y Brifysgol yn Aberystwyth yr un pryd â fi, ac yr ydw i'n meddwl fy mod yn ei gofio. Felly dyma wraig a gafodd ddwy glatsien enbyd na allent lai na gadael eu marc arni. Mae'n debyg inni, ar ôl swper nos Sul, droi ati i seiadu. Gwrando rown i gan ebychu ac amenio ambell sylw a wnâi, ond er mwyn torri ar y distaw-rwydd, dyma fi'n gafael mewn ymad-rodd cyfarwydd—ma'n siŵr gen i'ch bod chi wedi'i ddefnyddio fwy nag unwaith: 'Ma amser yn feddyg da, medden nhw.'

(Berlioz a ddwedodd, 'Ma amser yn athro da, ond y drafferth yw ei fod yn lladd ei ddisgyblion.')

Gyda fy mod wedi torri'r geiriau gafaelodd y wraig yn dynn yn fy ngarddwrn. Fe'i clywaf hi'n gafael y funud hon. Edrychodd i fyw fy nau lygad, ac meddai, ''Machgen annw'l i, pidwch â dweud hynna byth 'to.

Rown i'n fud, meddwl imi ddweud y peth reit, ond yn amlwg fy mod wedi dweud y peth cwbl anghywir. Yn rhyw hanner edifeiriol gofynnais iddi, 'Be ddylwn i ei ddweud 'te?'

'Ddweda i wrthoch chi. Yn fy mhrofiad i, dysgu byw gydag e ydych chi.'

Glynodd y geiriau. Fe'u cofiais. Fe'u cofiaf, ac yn wir fe ddes innau i weld mai hi oedd yn iawn. Sylwch ar a ddwedodd *... dysgu byw gydag e ydych chi*. Tipyn o gamp yw dysgu byw gyda cholledion fel 'na heb chwerwi a suro, heb bwdu a digio, a phan fyddwch yng nghwmni person a ddysgodd fyw fel 'na rydych yn synhwyro'ch bod ym mhresenoldeb un sy â chyfrinach byw gorfoleddus, buddugoliaethus. Nhw yw'r rhai mawr. Nhw yw'r eiddil a godwyd yn goncwerwyr mawr. *Ac y mae athro'r rheina yn werth ei 'nabod.* Ma fe wedi trio fy nysgu innau, a bydd wrthi heddi 'to yn gweithio arnoch chi a fi—ond araf iawn wyf fi i ddysgu. Diolch am 'nabod rhai a ddysgodd gyfrinach byw a marw, bid siŵr.

128

2. Cyngor

Mab fferm o ogledd Aberteifi ydw i. Myn rhai o'm ffrindie gore mai yno y dylwn i fod o hyd! Bid a fo am hynny, bûm yn ddigon ffodus i ga'l addysg dda a ches eistedd wrth draed sawl Gamaliel; diolchgar ydwyf am y fraint a'r fendith. Eto, rwy'n siŵr mai'r coleg gore ges i oedd blynyddoedd fy mhrentisiaeth ar y fferm, a hynny am sawl rheswm. Roedd yno gymdeithas glòs bron yn uniaith Gymraeg, a ches, heb amheuaeth, yfed y Gymraeg yn ei phurdeb cynhenid. Fe'n codwyd i fynd i'r capel. Roedd gweithgarwch y capel yn cynnwys eisteddfodau, cyrdde diwylliadol, dramâu, sefyll arholiadau'r ysgol Sul, ac amryw o weithgareddau eraill. Roedd amryw o'r cyfarfodydd yma ar ôl saith. Ni omeddwyd i ni fynd er eu bod yn hwyr. Ac o edrych yn ôl ni bu siarsio a bygythio. Pan oeddem ar adael, yr unig sylw a gofiaf oedd un gan Mam, a hynny bob tro yr aem dros y trothwy,

'Cofiwch beidio â gneud dim y bydd hi'n gas gyda chi glywed amdano eto.'

Ni wn faint o glust a roesom i'w chyngor ar y pryd, ond gallaf dystio iddo weithio. Gair o gyngor oedd e, ac y mae'n cynnwys popeth y dyle gair felly fod.

Yn gynta, *mae'n fyr.*

Yn ail, *mae'n gofiadwy.*

Ac yn drydydd, *mae'n berthnasol.*

Clywais am weinidog tua Maesteg yn cael ei alw o flaen y blaenoriaid i'w gystwyo. Roedd tri chymal i'r cyhudd-iad yn ei erbyn: yn gyntaf ei fod yn *darllen* ei bregeth; yn ail, ei fod yn ei *darllen yn sâl,* ac yn ola *nad oedd yn werth ei darllen.* A thybiaf y byddai raid i lawer ohonom bledio'n euog i'r tri chyhuddiad yna. 'Na dda fyddai i ni sy'n trafod geiriau yn ein gwaith pe baem yn cofio y dylem eu trin fel y bydd rhywun yn trin arian, yn ofalus, yn gynnil a chyda'r gofal mwya.

Roedd cyngor Mam yn werth ei roi ac yn bodloni amodau cyngor da:

Gair byr sy'n cydio.
Gair cofiadwy sy'n glynu.
A gair yn ei le sy'n cyrraedd.

Ac i weinidogion y Gair, da fyddai cofio nad gweinidogion geiriau mohonom, eithr gweinidogion *Y Gair.* Y Lladinwr ddwedodd, onid e, *multum in parvo,* llawer mewn 'chydig. Rydw i'n ddiolchgar am y llawer mewn 'chydig a gefais yng nghyngor Mam. Bu'n ddigon a digonol. *Pidwch â gneud dim y bydd hi'n gas gyda chi glywed amdano eto.*

3. I'r gell

Chwap wedi traddodi'r gair yma mi fydda i'n ymlwybro tua'r carchar, fel yr ydw i wedi'i wneud ers rhai blynyddoedd bellach. A gwn wedi cerdded drwy'r drysau bygythiol a'm ca'l fy hun yn y cyntedd nesa i mewn, mai'r un fydd fy ymateb heddi â phob tro arall y bûm yno. Ar y cyntedd ma gerddi, gerddi blodau, a'r rheini'n ca'l eu trin a'u trafod gan y carcharorion, o dan lygaid barcud rhai o'r swyddogion. A rhaid dweud fod y gerddi'n ddigon o ryfeddod. Ffrwydrad o liwiau cyfoethog yno a graen dda arnynt. Mae'n amlwg eu bod wedi ca'l tendans gyda'r gore, a byddaf yn gyson yn edrych ac yn myfyrio uwchben y gerddi hyn a'r ddameg yn mynnu siarad â mi. Mae'r rhai sy'n trin y gerddi heb fawr o flodau yn eu bywyd.

Drain ac ysgall mall a'i medd,
Mieri lle bu mawredd

yw hi yn hanes amryw ohonynt. Byddaf yn ymson â mi fy hun ac yn dweud, pe bai'r rhain yn medru tyfu blodau yn eu bywyd fel y rhai a dyfant yn y gerddi, 'na siâp gwahanol fyddai arnynt. Ac af ymhellach na hynny, hyd yn oed: pe bai'r carchar, pob carchar, yn medru helpu'r rhai sydd yno i dyfu blodau yn eu bywyd, fel y mae'n amlwg eu bod yn llwyddo i'w hyfforddi i dyfu blodau yn y gerddi, yna byddai'r carchar yn cyflawni cenhadaeth bwysig yn y gymdeithas.

Ond ma 'na le i ofni nad dyna'r stori. Ar ei waetha—o leia, dyna ddywed rhai wrthyf—ysgol i greim yw'r sefydliad. Helpu anialwch a ffrwcs i dyfu. Ma hynny yn drueni.

Beth bynnag, ise sôn am seiat own i, un a ges ryw wythnos yn ôl. Tri oedd yno, ond cafwyd pnawn diddorol a does ond gobeithio i mi lwyddo i blannu ambell hedyn a dyf yn flodyn yn eu bywyd maes o law. Dyna fy ngobaith a'm gweddi. Yn y seiat hon rown i'n sôn am eu cynlluniau ar gyfer y dyfodol. Be oen nhw am 'neud? I ble'r oen nhw'n mynd? Fydda i byth yn trafod eu ddoe gyda nhw; eu hyfory yw fy nghonsýrn i, eu helpu i adeiladu'r 'fory newydd. Ac wrth drin a thrafod yr yfory hwnnw dyma un yn troi ataf a dweud gair sy wedi glynu: 'Gyf,' meddai, 'fydda i byth yn meddwl y tu hwnt i'm *Giro. I never think beyond my Giro.*' Ar y funud rown i'n fud. Wedi ca'l fy ngwynt ataf fe ddwedais wrtho fod yna air sy'n sôn y dylai rhywun sy'n mynd i ryfel iste i lawr a bwrw'r draul i ga'l gweld a yw'r adnoddau gydag e ar gyfer y dasg. A rhyfel yw bywyd pob un ohonom. Ma ambell un yn gorfod ymladd brwydrau enbytach â gelynion cryfach, ac ma gofyn i hwnnw feddwl am ei arfogaeth. Ni allai weld fod gen i bwynt. Dal llygoden a'i byta hi, ac yn wir y llygoden yn ei fyta fe—dyna'r ffordd. Ac yn amlwg doedd hi ddim yn llwyddiannus iawn yn ei achos e. Pwy gwrdda i'r bore 'ma tybed?

4. Gwyrth

Rown i'n 'sbecto y byddai yno. Ni welwyd mohono ers iddo ymadael. Go brin fod undim a allai ei berswadio i bicio'n ôl. Ar bnawn o haf ym Mehefin, tybiaf na allai angylion nac archangylion ei gadw rhag mentro i barthau isaf y ddaear a dychwelyd i'w gynefin. Yr oedd iddo groeso, er rhaid adde ma cenhedlaeth nad adnabu mo Joseff a'i derbyniodd. Cyfeiriwyd ato a'i gydnabod am ei gyfraniad unigryw, mentrus. Dewiswyd ei gysegr fel teyrnged iddo am ei ymroddiad i'w weledigaeth mewn dyddiau dreng. Rown i wedi gobeithio ca'l gair gydag e. Arian byw fuodd e erioed, ac yn ystod yr emyn ola, ciliodd. Gwn iddo fwynhau. Ni allai gelu ei falchder. Gwên lydan ar ei wyneb cadarn ac amenau yn tasgu tros ei wefusau. 'Be,' meddech chi, 'oedd yn digwydd? Cymanfa Ganu?' Nage ... nage, nid yr edlych dirywiedig sy'n atgo sâl o'r dyddiau gynt. Fydde peth fel 'ny ddim yn ei ddenu. Trefnydd yr iaith Gymraeg ym Morgannwg Ganol wedi gwadd cynrychiolaeth o'r wyth ysgol gynradd Gymraeg sy'n bwydo Ysgol Gyfun Rhydfelen i gadw gŵyl.

Oll yn eu gwisgoedd ysgol
Ac ar eu newydd wedd ...

Cystal enwi'r ysgolion: Ynys-wen, Ynys-lwyd, Bodringallt, Llwyncelyn, Heol y Cyw, Pont Siôn Norton a Gwaelod-y-garth. Ma barddoniaeth yn yr enwau, a does neb wedi ca'l yr enwau 'na i ganu fel un o feibion y Cwm, Rhydwen, yn ei bryddest, 'Ffynhon-nau'. Da o waith a wnaeth parti cyd-adrodd Ysgol Gyfun Rhydfelen yn de-wis detholiad o'r bryddest a'i hadrodd nes cyffroi dychymyg ac ail-greu hen gyfaredd a deffro balchder mewn etifeddiaeth deg.

Doedd y corau ar y galeri, o leia, ddim wedi cusanu cnawd, yn enwedig cnawd ifanc, ers tro byd. Bu'r ffyddlon-iaid wrthi'n dwsto a sgleinio rhag i'r llwch staenio gwisgoedd lliwgar y plant. Ac am yr organ reiol, un o'r goreuon, Norman a Beard, ni ellir gwell.Bu'n asmatig ganu i ddyrnaid hynafol ar bnawn Sul. Pe gollyngai ei rhyferthwy arnynt byddai'r canu wedi ei foddi. Ond y pnawn hwnnw trethwyd ei hadnoddau cerddgar, pob gewyn yn ei 'sgyfaint ar ei eitha, y stopiau mas i gyd a'i chwmpas cerddorol eang yn ymateb i fysedd synhwyrus yr organydd. A'r côr, o dan fatwn tyner yr athro ifanc, medrus, a'r organ yn creu cyfanwaith o ganu na allai ond eich cipio o dristwch dirdynnol Cwm Rhondda i nefoedd newydd a daear newydd. Does ryfedd iddo ddod yn ôl. Ac yr ydw i'n deall iddo alw ym mynwent y Llethr Ddu ar ei ffordd yn ôl i sôn am a welodd ac a glywodd a gweiddi, 'Codwch, ddyle neb gysgu ar bnawn fel hwn!'

Ar lawr y capel crynhodd cynulleidfa. Tylwyth edmygus. Rhai cefnogol i addysg Gymraeg, bid siŵr. Onid oedd eu plant a'u hwyrion yn y côr? Ces yr argraff nad oedd rhai ohonyn nhw wedi bod mewn oedfa ers tro, os o gwbl. Fe ddylen fod yn ei 'nabod e. Doen nhw ddim. Gallech weld hynny ar eu hwynebau. Y clwb yw eu cynefin a'r bingo eu byd, mi dybiaf. Eto daethant i'r oedfa am eu bod yn cefnogi. Ai dyma'r genhedlaeth goll? Ai dod a wnaethant am eu bod ise rhoi i'w plant yr hyn a gollasant hwy? Rhoi gwreidd-iau. Rhoi diwylliant. Rhoi'r fardd-oniaeth a'r ynganiad cywir yn ôl yn yr enwau telynegol fel Brithweunydd, Glyn Rhedyn, Ynys-hir, Trealaw, Tonypandy ... Ond 'na beth anodd yw diwyllio mewn anialwch. Nid yw'n amhosibl. Mae'n digwydd. Heddi. Y gamp, y wyrth fydd cadw'r rhain rhag diflannu i'r anialwch mawr yn ôl. Soniodd un a weithiodd yn y Cwm lawer am 'ynysoedd gobaith' a chreodd un ohonynt yn Nhrealaw: George M. Ll. Davies. Yn ddi-os mae'r Ysgolion Cymraeg yn ynysoedd felly. Ysywaeth, ni ellir eu cadw ar eu hynysoedd yn barhaol. Oriau cyfyngedig sydd i waith ysgol. Wedi'r ysgol, dychwelant i'w cynefin. Pa fath o gynefin yw hwnnw, tybed?

Does ryfedd iddo dorri ar draws y gymanfa a dweud ei fod am godi testun. Wedi'r cwbl, be arall a ddisgwyliech gan bregethwr? Cyhoeddodd ei fod am draethu ar y wyrth yng Nghana Galilea. Iesu'n troi'r dŵr yn win. Diolchodd fod yr ynysoedd gobaith yn y 'cwm cul fel cam ceiliog' yn troi'r dŵr yn win Cymreig. A gwaeddodd—roedd angerdd yn ei ddweud a hen frwydrau yn ei gorddi, ma'n amlwg. 'Fe gas yr Iesu ddŵr glân i weithio arno. Dŵr brwnt gadd y rhain. Dŵr a lygrwyd gan wleidyddiaeth afiach, gan ddiwydiant trahaus, gan addysg Seisnig a difrawder affwysol. Faint bynnag o wyrth a gyflawnodd Iesu yng Nghana Galilea, ma gwyrth y rhain yn fwy, odi. Fe yfais i o'r dyfroedd chwerw. Gyda'u dawn a'u dychymyg, gyda'u dycnwch a'u dyfalbarhad, trowyd dŵr brwnt yn win Cymreig pefriog, gwin meddwol. Diolch i chi am lased ohono. Rydw i am fynd â photelaid nôl i Kitch, Gwyn Daniel a D. O. Roberts, Aberdâr.' Does ryfedd i mi ddod o'r oedfa yn feddw chwil. Dydw i ddim wedi sobri eto.

Holodd un cwestiwn anesmwyth. 'Pam oedd raid glanhau'r galeri a'r core ar gyfer y Gymanfa hon? Ma ise costrel-au ar y rhain i dywallt y gwin newydd iddynt. Ar yr union adeg pan ffrydia'r ynysoedd gobaith eu dyfroedd glân,

Cymreig i'r Cwm, ma'r capeli'n cau o un i un. Cynheiliaid y bywyd Cymraeg, ddoe ac echdoe, ddim yno heddi i helpu, i hybu. A feddiannwyd hwy gan yr anialwch, hefyd?'

Roedd hi'n werth cynnal yr oedfa petai ond i roi gwên ar wyneb y Parchedig Alban Davies, ac erbyn hyn ma'r wên yn haint ar wynebau'r cwmwl tystion. 'Eraill a lafuriasant ...'

Gwelodd y Cwm bethau rhyfedd ac ofnadwy. Dim rhyfeddach na'r ysgolion Cymraeg. I bawb sy'n troi'r dŵr yn win, diolch am wyrth a allai ei berswadio i ddychwelyd ac i weled o'i fryniau Caersalem fod troeon yr yrfa yn gallu bod yn felys, a bod dyfroedd chwerw Mara yn ca'l eu pureiddio yn y Rhondda, a mwy na'r tipiau hagr yn ca'l eu symud.

5. Diolch

Bydd Mam a 'Nhad yn mynnu ein bod
   yn diolch
Am bob dim.

Chawn ni ddim codi oddi wrth y bwrdd
Heb ddiolch.
Pan ddigwydd i ni anghofio,
Ac y mae hynny'n digwydd, ar dro,
Daw gair o gerydd.
'Be wyt ti'n ei ddweud?'
A cheir pwt o bregeth,
Wedi ei chlywed mor aml nes fy mod yn
ei chofio!
'Gwrandewch, ma rhywun wedi
paratoi'r pryd 'ma i chi,
Wedi ei arlwyo'n ddeniadol ar eich
cyfer.
Pan oeddech chi'n chwarae a cha'l hwyl,
Rhywun yn y gegin yn cynllunio,
Yn gweithio.
Does yr un pryd yn disgyn fel manna o'r
nefoedd.
Ac ma cawod o ddwylo yn estyn eu
bysedd daionus
I'r bwrdd.
Bysedd anweledig, dieithr.
Bysedd o sawl cyfandir.
Bysedd y "dwylo dros y môr".
Oni bai am eu llafur a'u chwys

Yn cynaeafu, yn prosesu,
A'i ddwyn tros fôr a thir
A'i osod ar ein silffoedd,
Byddem heb fwyd i'n digoni.
Mae eich bywyd chi a finnau yn dibynnu
    ar eraill.
Yr eraill pell, dieithr.
A'r rhai agos, adnabyddus.
Ac y mae arnom ddyled iddynt.
A'r peth lleia allwn ni ei wneud yw
    dweud
Diolch
A chanmil diolch.'
Heddiw yn ein cwrdd diolch ym
    Methlehem
Rydym yn cofio am y digartre.
Daethom i'r oedfa o gartre cysurus
Lle ma gofal a chariad,
Lle ma cysgod a chyngor,
Lle ma hyfrydwch a hwyl.
Ac y mae arnom eisiau diolch am y
    fendith fawr yna.
Maddau nad ydym yn ei gwerthfawrogi
    o hyd
Ac y gallwn fod yn ddigon grwgnachlyd

A drwg ein hwyl.
Helpa ni i werthfawrogi'r daioni sy'n ein
    dwylo.
Gweddïwn dros gartrefi plant
    amddifaid.
Diolch am gonsýrn a chariad rhai fel
    Dr. Barnardo:
Gwnaethant oes o wasanaeth gwiw,
Daethant â llafn o oleuni i'r rhai a oedd
    mewn tywyllwch anobaith.
Gweddïwn dros y cartrefi sy'n cynnig
    lloches i'r digartre,
Rhai yng Nghaerdydd.
Rhai'n ddigartre oherwydd eu ffolineb,
Rhai'n ddigartre oherwydd atyniad
    goleuadau'r ddinas,
Rhai'n ddigartre oherwydd diweithdra,
Rhai'n ddigartre am fod eu cartre wedi
    torri.
Beth bynnag yw'r rheswm,
Maent heb yr hyn sy gennym ni,
A'u bywyd yn dlotach ac mewn perygl
    oblegid hynny
A'r peryglon rheini yn llarpio llawer
    ohonynt.

Mae ein gweddi ar ran y rheina,
    Dros y sefydliadau sy'n helpu,
    Dros y cymdeithasau sy'n codi
        arian,
    Dros bawb sy'n ymaflyd mewn dyn
        ar y llawr,
A'i godi.
A chynnig cysgod a chegaid iddynt.
Gwna ni'n Samariaid trugarog,
Yn gweld angen,
Yn ymateb iddo.
Rhanna dy bethau gorau,
Rhanna, a thi yn dlawd.
Rhyw nefoedd fach fo eiddo'r dyn
Fynn gadw'i nefoedd iddo'i hun.
Am bob hunanoldeb, maddau i ni,
Er mwyn Iesu Grist,
Amen.

'O BEN DINAS'
Byd arall

Rown i wedi mynd o'r tu arall heibio lawer tro, ond nid pasio yn ddifâl wnawn i, chwaith. Pigodd yr arwydd fy chwilfrydedd fwy nag unwaith. Gallwn weld yr adeilad o'r ffordd dyrpeg a gwelais ar dro ambell ffigwr yn cerdded o gwmpas mewn gwisg laes. Fe holais hwn ac arall am drigolion y lle ond 'chydig a ŵyr yr ardal amdanynt. Ac mae rheswm da am hynny, oherwydd nid ydynt yn plethu i fywyd yr ardal mewn un dim. Ond fe ddaeth cyfle i ymweld â'r lle, ac wrth gwrs, deued a ddelo, rhaid oedd mynd. Yn awr at yr arwydd, un Saesneg ydyw: Carmelite Monastery, Bridell. Tebyg i chithe weld yr arwydd a dyfalu am y bywyd o'r tu mewn i'r muriau.

Stori hir yw stori'r gwahoddiad a ges i. Fe ddechreuodd yn Cenia, a dweud y gwir. Ryw noson fe euthum gyda chyfaill i weld ysgol enwog, un a elwir yn

Alliance School. Fe'i gelwir felly am fod yr Anglicaniaid, y Presbyteriaid, y Methodistiaid a'r Africa Inland Mission wedi uno i agor yr ysgol uwchradd hon. Addysgwyd ynddi arweinwyr presennol y wlad. Gwnaeth gyfraniad gwerthfawr iawn. Yr ysgolfeistr am gyfnod go lew fu gŵr o'r enw Carey Francis, Llundeiniwr a wnaeth enw iddo'i hun fel mathemategydd yng Nghaer-grawnt. Bu'n un o'r athrawon yno am gyfnod. Penderfynodd ei fod am fynd i'r Affrig. Syndod a siom oedd hyn i lawer o'i gyfeillion. Fe'i gwelent ef yn lluchio o'r neilltu yrfa a allai yn hawdd fod yn un nodedig. Beth bynnag, teimlai'r gŵr hwn ei fod wedi'i alw i wasanaethu'r rhai llai ffodus ac aeth i Cenia. Am gyfnod bu'n brifathro yn Maseno; cododd yr ysgol honno ar ei thraed ac yna fe'i hapwyntiwyd yn brifathro'r ysgol enwog hon nid nepell o Nairobi. Pan fu farw, rai blynyddoedd yn ôl, gohiriwyd eisteddiad o'r Senedd yn Nairobi fel y gallai ei hen ddisgyblion fynd i'r angladd. Dyna'r peth agosaf a gafodd Cenia erioed i angladd brenhinol. Roedd chwech o weinidogion y goron yn cario'i arch, pob un yn hen ddisgybl iddo ac yn cydnabod ei ddyled iddo. Clywais lawer o sôn am y cymwynaswr hynod hwn; ni all neb fynd i Cenia heb ddod ar draws ei enw. Gwyddwn fod llyfr wedi'i 'sgrifennu arno ond methais gael hyd iddo.

Yna un noson, yn ddamweiniol hollol, rown i'n digwydd bod gyda grŵp o bobol yn yr Eglwys Gatholig yn Aberteifi. Sôn a siarad am Cenia ro'n i, a dyma'r tad Pabyddol yn dweud fod yna wraig yn y fynachlog ym Mridell, gwraig oedrannus a oedd yn chwaer i Carey Francis, yr enwog Carey Francis. Trefnwyd yn y fan a'r lle imi fynd i'w gweld a chael cwrdd â'r chwiorydd eraill yno. Rown i'n edrych ymlaen yn rhyfedd at yr ymweliad. Fûm i, hyd yma, ddim ar gyfyl lle fel 'na ac, yn wir, tybiais na châi dyn fel fi fynd. Ond nid gwir y dybiaeth honno o gwbl.

Roedd hi'n brynhawn hyfryd o Fawrth pan es i Fridell, pob man yng ngwisgoedd ei ogoniant a'r gwanwyn yn ymdrechu'n gryf i feddiannu bro a bryniau. Ac yno'n fy nisgwyl roedd y chwaer Therese—dyna'i henw yn awr— chwaer yr enwog Carey Francis. Diau y gŵyr rhai ohonoch mai mynachlog Gar- melaidd yw hon; urdd y Carmeliaid sydd yno. Teulu bach o chwiorydd sy'n byw yn y tŷ mawr a welir ar y llaw chwith wrth eich bod yn mynd o Aber- teifi i Grymych; un ar bymtheg ohonynt sydd yno nawr. Ma lle i gwpwl rhagor. Urdd gaeëdig yw hon: unwaith yr ydych i mewn, wel, rydych i mewn am byth. Ceir urddau sy'n dysgu a rhai sy'n gwasanaethu angen cymdeithas, a gwnânt waith gwerthfawr ar draws y byd. Urdd fyfyrdodol yw hon; gweddïo, myfyrio, 'studio'r Beibl—dyna'i phrif waith.

Bydd eu diwrnod yn dechrau am bump neu'n union wedi hynny, ac yn gorffen gyda gwasanaeth ola'r dydd am

148

hanner awr wedi naw. Fel y gwelwch mae'n ddiwrnod hir a threulir llawer o'r oriau yn meddwl a myfyrio.

Ma partneriaeth rhyngddynt a'r mynachod ar Ynys Bŷr (Caldy Island), y rheini'n enwog am y persawr a wneir yno. Cludir peth o'r deunydd i Fridell a bydd y chwiorydd yn ei baratoi. Y mae i bob un gell arbennig i weithio. Ma hawl ganddynt i siarad pan fo galw am hynny. (Ma 'na urddau lle nad oes caniatâd i siarad a dim ond tawelwch a geir.) Ond cred y chwiorydd mewn tawelwch a dyna'r rheswm am y gell unigol i weithio ynddi; drwy fod ar eich pen eich hun cewch gyfle i feddwl a gweddïo wrth weithio. Ma gwaith yn troi'n weddi.

Cefais brynhawn i'w gofio yn eu plith. Roeddynt yn llawer mwy siaradus nag y byddwn i wedi tybio, ac wrth gwrs, ces gwmni'r chwaer Therese am dipyn—hi erbyn hyn yn tynnu 'mlân, wedi bod ym Mridell oddi ar 1942 a heb fod oddi yno o gwbl. Deuai ei brawd enwog i'w gweld ar dro. Nid teulu o Gatholigion oedd ei

149

theulu hi, eithr Methodistiaid Wesleaidd, ac ma un brawd yn awr yn Weinidog gyda'r enwad hwnnw yng Ngwlad yr Haf. Aelod o'r Eglwys Anglicanaidd oedd Carey Francis, felly maent yn dipyn o bopeth! Rhyw wraig y daeth hi i gysylltiad â hi a ddylanwadodd ar hon i ddewis y bywyd mynachaidd, ac nid yw wedi bod yn edifar o gwbl iddi ddewis y llwybr anarferol hwn. Siaradai lawer am ei brawd. Roedd y llyfr y bûm yn chwilio amdano ganddi a rhoddodd ei fenthyg i mi, chwarae teg iddi. Hefyd roedd ganddi erthyglau o bapurau newyddion, rhai a 'sgrifennwyd fel teyrnged iddo, ac y mae eu darllen yn brofiad gwefreiddiol. Doedd hi erioed wedi gweld Cenia a ches yr hyfrydwch o ddangos lluniau lliw o'r wlad i'r chwiorydd i gyd, a rhyfedd y diddordeb a gymerent, a brwd fu'r cwestiynu. Dyma un o'r grwpiau mwyaf deallus y bûm i gydag e ers tro.

Diflannodd yr oriau yn rhy fuan o

lawer, rhwng siarad, trafod, dangos lluniau, cael te, ymuno yn y gwasanaeth—na, dyw hynny ddim yn hollol wir. Ces fynd i'r capel ac o'r capel fe allwn glywed y chwiorydd yn adrodd y paderau ac yn canu. Tebyg na chawn i fynd i'r cysegr sancteiddiolaf hwnnw. Heb os, roedd rhyw dangnefedd amheuthun yn y lle, ac yn y chwiorydd. Peth prin iawn yn ein byd carlamus ni, onid e?

Does dim ise dweud fy mod yn falch o'r cyfle i fynd yno. Ma chwilfrydedd dyn wedi'i fodloni o'r diwedd! Ond 'na falch own i o gwrdd â chwaer Carey Francis a chael hanes y teulu, rhywbeth na chewch mohono mewn llyfr.

Go brin fod y ceir gwibiog sy'n teithio heibio drwy'r haf yn deall y bywyd sydd oddi mewn i'r fynachlog hon. Mae'n wahanol ac yn ddieithr. Mae'r bywyd a ddewisodd y chwiorydd yn fywyd arbennig iawn, bywyd o eiriol, bywyd o gymundeb â Duw a'i ysbryd, bywyd lle nad yw gwerthoedd cymysg, materol ein

151

byd modern ni yn cyfri dim. Ac ma'ch cael eich hunan am brynhawn ar ynys fel 'na yn foddion gras; heb os mae'r bywyd defosiynol yn dod trwodd yn eu siarad, yn eu ffordd o edrych ar bethau. Rown i'n teimlo, ar dro, fel dyn o blaned arall, a nhw oedd ar y blaned reit, does dim dwywaith.

Af yno eto. Rydw i wedi addo mynd cyn diwedd yr haf i seiadu a thrafod ac i rannu profiadau gyda'r rhain. Maent yn genhadol iawn eu hysbryd; cofiant yn feunyddiol mewn gair a gweddi am y rheini sydd yn lledu'r gair ledled y ddaear.

Diolch i'r chwiorydd am agor y drws am dro, ac yn wir, agor mwy na drws yr adeilad, agor y drws i ddieithryn i ddeall i fesur ran o gyfrinach yr urdd Garmelaidd hon sydd wedi cartrefu ym Mridell oddi ar 1930. Maent yn rhan o'r ardal ers tro, eto dydyn nhw ddim yn rhan o'r ardal am eu bod mor wahanol i bopeth a berthyn i'r Gymru Ymneilltuol a adwaenwn ni, ond synnwn i ddim nad yw'r rhain wedi deall natur y deyrnas yn well. Rown i'n teimlo'n rhyfedd o anghysurus yn eu cwmni cysegredig ac efallai mai dyna'r fendith fwya a ges, wedi'r cwbl. Os oes gyda nhw ran ym mharatoi'r persawr a werthir ar Ynys Bŷr, tybiaf fod yna bersawr gwerthfawrocach ym Mridell, persawr hyfryd a ymgyflwynodd rhai i fywyd o fyfyrdod a chymundeb, ac ma ca'l whiff o hwnnw yn beth iachusol iawn i bawb ohonom.

(16 Mawrth, 1973)

Newydd

Pan dorrwyd y newydd yn ein papur cenedlaethol fy mod yn mynd gyda theulu David Livingstone i Affrica, ces nifer o lythyrau diddorol, anghyffredin o ddiddorol, a dweud y gwir. Cyfeiriais at y ffaith i gorff Livingstone gael ei gario gan ei gyfeillion ar draws gwlad a'i ddwyn i Zanzibar i'w roi ar long fel y gellid ei gario i Lundain. Codi'r pwynt hwn wnaeth un llythyr, a nos Fawrth

153

diwethaf ces gyfle yn Llandeilo i gwrdd â'r gŵr a'i hanfonodd ataf. A thybiaf mai'r peth gore y gallaf ei wneud yw rhoi cyfieithiad Cymraeg o'r hyn a dderbyniais o'i law:

Darn yw hwn mas o 'stori bywyd fy nhad', Mr Charles Humphreys. Roedd yn aelod o griw yr H.M.S. *Vulture* 1872-5, ac yr oedd honno yn y Persian Gulf yn cymryd rhan yn yr ymgyrch i atal y traffig mewn caethweision. Mae'r canlynol yn ddyfyniad mas o lyfr a gadwodd dros hanner can mlynedd yn ôl: 'Cyraeddasom Zanzibar yn 1874 ar yr adeg y daeth y llong-lythyrau o Loegr. Roedd Mr H. M. Stanley a dau Sais arall ar fwrdd y llong. Roeddynt hwy ar fynd ar hyd y Zambesi i chwilio am David Livingstone, canys nid oedd neb wedi clywed dim amdano ers tro. Buont ar fwrdd ein llong ni am ddeuddydd ac yna fe'u hebryngasom hwy yn frwd a dymuno'n dda iddynt. Aethom ni i gyfeiriad Pembi a dilyn yr arfordir am sbel. Ni ddigwyddodd dim o bwys ar y fordaith hon. Felly dychwelasom i Zanzibar.

154

'Pan oeddem yn y porthladd daeth y newydd fod corff David Livingstone wedi cyrraedd Bagamoyo, felly aethom ar ein hunion i gyrchu'i gorff i Zanzibar. Wedi cyrraedd, clywsom nad oedd y corff wedi cyrraedd ond yn ôl pob tebyg y byddai yno ymhen deuddydd. Wedi aros am ddau ddiwrnod aeth parti o ddeuddeg ohonom oddi ar y llong gydag arch a wnaed gan saer y llong. Cerddasom am ddeuddeng milltir a gofynasom i'r offeiriad ymhle'r oedd y corff. Fe'n cyfeiriwyd ni at ddwy gadair lle'r oedd polyn o un i'r llall a chorff mewn sach yn hongian rhyngddynt. Dywedwyd wrthym gan Syr Moffatt mai fel 'na y cariwyd y corff bob cam, dros fil o filltiroedd i gyd, ac iddynt gymryd naw mis o amser. Daethant drwy leoedd enbyd, geirwon iawn ac erbyn hyn roedd eu dillad a'u heiddo mewn cyflwr go ddrwg.

'Gosodasom y corff ynghyd â'r polyn yn yr arch. Bu raid llifio ryw 'chydig ar ddau ben y polyn er mwyn ei gael i ffitio'r arch, a thorrwyd y darn a lifiwyd yn ddeuddeg darn a rhoi darn i bob un ohonom fel morwyr i gofio'r amgylchiad. Fe gariwyd y coffin am ddeuddeng milltir, gwaith anodd ar lawer ystyr, a'r haul yn felltigedig o boeth. Roedd cyfaill du David Livingstone gyda'i feistr o hyd a chymerwyd y corff a'r parti ar fwrdd ein llong a'u dwyn i Zanzibar. Wedi cyrraedd, rhoddwyd y corff i'r Consul Prydeinig a bu'n gorffwys yng nghartre hwnnw hyd nes trefnu llong i'w ddwyn i ben ei daith yn Lloegr lle yr oedd i'w gladdu gyda thywysogion y ddaear yn Abaty Westminster.'

Dyna gnewyllyn y stori fel y'i cefais gan fab hynaf un o'r morwyr a fu'n cario corff David Livingstone ar y darn ola o'r daith yn Affrica. A'r noson o'r blaen roedd y cyfaill hwn mewn cyfarfod o Gymdeithas y Beiblau yn Llandeilo a rhoddwyd iddo groeso brwd. Roedd fel petai David Livingstone yn y cwrdd drwy gyfrwng hwn.

Nid Cymro mohono, eithr brodor o Uxbridge, yn Lloegr, (a'i dad hefyd yn Sais) a briododd ferch o Gapel Seion, sef un o ferched Ty'n-coed. Roedd y ddau ohonynt mewn gwth o oedran erbyn hyn ond wedi dychwelyd i Gymru i fyw am fod eu merch wedi priodi a setlo i lawr yn Shir Gaerfyrddin.

Nid dyna ddiwedd y saga. Rhyfedd fel ma stori Livingstone ac H. M. Stanley yn gafael, ond yn wir digwyddodd yr anhygoel: llythyr yn dod i ddweud fod H. M. Stanley wedi ei eni yn Shir Aberteifi! Popeth a welais yn tystio iddo gael ei eni yn Ninbych a'i godi yn y wyrcws yn Llanelwy. 'Na,' meddai'r person yma ac mae'n enwi llyfr, *The birth, boyhood, and younger days of Henry M. Stanley, the celebrated explorer, a South Wales hero,* by Thomas George (an old playmate) published by Roxburgh Press, 3 Victoria Street, Westminster, 1895. Yn ôl y sawl a anfonodd ataf, ysgrifennwyd y llyfr hwn er mwyn gwrthbrofi hawl John Rowlands, a anwyd yn Ninbych, i'r enw H. M. Stanley. Stori ydi hi am ryw Howell H. Jones, mab i rwymwr llyfrau o Genarth a aeth i'r America yn ddwy

157

ar bymtheg oed a chymryd arno yn ddiweddarach yr enw H. M. Stanley, ac efe a ddarganfu Livingstone! Ma traddodiad cryf yng ngwaelod y sir; yn wir, ma un wraig yn mynnu iddi glywed iddo gael ei eni mewn bwthyn o'r enw Esgair-graig ac iddi hi pan oedd yn groten ifanc fod yn pigo tatw yn y lle a dyna oedd siarad y bobol, 'dyma fan geni yr enwog H. M. Stanley'. Pwy fedr dorri'r ddadl? Os odi'r llyfr a enwir uchod gan rywun, fe garwn ei weld, canys ma hawlio H. M. Stanley i Shir Aberteifi yn dipyn o dasg. Ond pwy a ŵyr? Falle mai Cardi oedd e, wedi'r cwbl. Rhaid dod o hyd i'r gwir. Wnewch chi fy helpu, a hynny'n fuan? Diolch— digon o waith i'r heddlu cudd yn ein plith.

(13 Ebrill, 1973)

H. M. Stanley

Soniais yn yr ysgrif ddiwethaf am eni H. M. Stanley yn Shir Aberteifi, a bod llyfr wedi ei gyhoeddi i brofi'r pwynt sef, *The birth, boyhood, and younger days of Henry M. Stanley, the celebrated explorer, a South Wales hero* by Thomas George (an old playmate) a throi 'chydig at y llyfr hwn yw fy mwriad heddi. Ces amser i'w ddarllen, a rhaid dweud ei fod yn darllen yn dda, ond go brin ei fod yn cyflwyno achos cryf! Ma un peth yn sicr, roedd yr awdur yn gwbl siŵr o'i achos neu ni fyddai wedi mynd i'r drafferth i 'sgrifennu llyfr mor swmpus. Yn ei ragair dywed beth fel hyn: *'For a number of years entirely erroneous or absolutely unfounded statements have been made and published concerning the birth and nationality of this great traveller. I do not wish to enter into a controversy with my fellow countrymen of North Wales, who claim the hero as theirs and maintain that H. M. Stanley first saw the light on their soil. I simply place my arguments on the well justified rock of Truth, supported by unimpeachable evidence.'* Mae'n addo'n dda, onid yw? Ond beth am y ffeithiau di-droi'n-ôl y cyfeiria atynt?

Josiah Jones oedd enw tad yr H. M. Stanley o Shir Aberteifi, ac ar ôl i Stanley ddarganfod Livingstone rywle ar y cyfandir tywyll, teimlodd yr hen frawd fod y clod wedi ei roi i'r person anghywir, yn wir, mai ei fab e oedd y gwron y dylid ei ddyrchafu hyd y nefoedd oherwydd y gamp fawr hon. Ceisiodd gan Thomas George i unioni'r cam ac anfonodd George lythyr at y Royal Geographical Society yn Llundain, gydag enw mab Josiah Jones ar yr amlen. A dyma'r llythyr: '*He requested me a few weeks before he died to let the world know you are his son Howell. He was perplexed and indignant that the Press had so reflected upon the birth of his son. He was dismayed when newspapers asserted that you had been reared in a workhouse in North Wales.*' Cyrhaeddodd y llythyr hwn yr H. M. Stanley o Shir Aberteifi yn Oban, yr Alban, ac oddi yno y mae'n ateb a rhoi ei ganiatâd i'r cyfaill hwn fynd rhagddo gyda'i fwriad. Dyfynna ddarn o farddoniaeth Gymraeg—ei waith ei hun, debyg iawn. Ma yn y llythyr benillion Saesneg hefyd.

Fe red hen atgofion drwy enaid mawr
    Stanley
Pan ydoedd yn dawnsio ar lannau'r hen
    Gych
A'r dolydd gwyrddleision addurnant
    Pont Selly
A'r adar a bynciant gerddoriaeth mor
    wych.
Llesmeiria wrth gofio hen aelwyd
    Bwlchmelyn
Lle gwelodd gyntaf oleuni y byd
Tra'i dad yn telori bron cystal â thelyn
Wrth suo ei Howell i gysgu mewn crud.

Wedi i H. M. Stanley, Llanelwy, ddarganfod Livingstone cyhoeddwyd llyfr ganddo, *How I found Livingstone*, a cheir llun o'r awdur yn y llyfr hwn. Pan welodd Thomas George y llun, ei ymateb oedd, *'I instantly recognised my old friend, Howell.'*

Ganwyd H. M. Stanley Shir Aberteifi yn yr Ysgar, plwyf Betws, ger Castell-newydd Emlyn, ar 16 Tachwedd, 1845, ac fe'i bedyddiwyd yn eglwys Cenarth gan y Parchedig Augustus Brigstocke. Ma llun o'r eglwys yn y gyfrol. Fe'i magwyd gan ei fam-gu, Mrs Mary Jones, yn Ysgar Fawr, ac efe oedd unig fab Josiah Jones, Bwlchmelyn. Ni chyfeirir o gwbl at y fam yn y llyfr hwn, er bod cyfeiriad tua'r diwedd at *'my parents'*. Be ddigwyddodd i'r fam, tybed? Fe gofiwn mai plentyn anghyf-reithlon oedd H. M. Stanley, Llanelwy, a diau fod yr ansicrwydd hwn ynglŷn â ffeithiau cynnar bywyd H. M. Stanley Shir Aberteifi yn un o driciau'r awdur! Ydw i'n reit yn honni hynny? Argraff-ydd a rhwymwr llyfrau oedd Josiah Jones ac fe'i cydnabyddid e'n gerddor da; dyna paham y cyfeirid ato yn y darn barddoniaeth, 'tra'i dad yn telori bron cystal â thelyn'. Fe'i gelwid yn Frenin Dafydd Cymru, ac efe oedd arweinydd y gân yn y capel lleol.

Cafodd y mab ysgol tua Aberteifi hyd nes ei fod yn bymtheg oed; yn hynny roedd yn ffodus ac yn dipyn o eithriad yn y cyfnod hwnnw. Rhaid fod ei dad yn medru fforddio talu. Yn naturiol roedd ei dad am iddo afael ym musnes y teulu, ond doedd dim awydd ar y mab i wneud hynny ac yn ddiarwybod i'w dad, dihangodd i'r môr. Ai addysg forwrol a gafodd yn Aberteifi, tybed? Beth bynnag, ar 3 Mai, 1862, daeth llythyr oddi wrtho yn arwyddo ei enw yn Howell alias H. Stanley. Er iddo ddianc i'r môr, daliai i 'sgrifennu'n gyson at ei dad. Ond bu cyfnod go hir o dawelwch a'r tad, yn naturiol, yn credu fod ei fab wedi'i golli, mewn cryn bryder. Rhyw ddiwrnod dyma ŵr gosgeiddig mewn gwisg filwrol Americanaidd yn dod at y tŷ, a'r tad yn adrodd wrtho y stori drist am ei fab a gollwyd; ond ysywaeth doedd yr hen ŵr ddim wedi 'nabod ei fab ei hun. Ie, Howell oedd e. Ma Thomas George yn cynnig esboniad ar yr enw newydd mabwysiedig: *'the re-*

spect he had for an aunt of that name, who was a worthy and respected resident in Cardigan, South Wales.' Dwn i ddim be i'w ddweud am yr esboniad. Be newch chi ohono? Mae'n llwyddo i esbonio'r rheswm am newid y cyfenw, wrth gwrs; ei enw cynta e oedd Howell, felly gellid dal ar yr H ond hyd y gwelaf nid oes unrhyw reswm yn cael ei roi dros yr M. Tybiaf ei fod yn cloffi braidd wrth geisio esbonio'r newid; go brin fod y *Rock of Truth* dan ei draed mor gadarn ag yr honnai. Ond efallai ei fod yn reit, hefyd.

Ymhlith nifer o lythyrau a ddyfynnir yn y gyfrol fe geir hwn: *'When I discovered Dr. Livingstone I found his diary in rather a shattered state, but I soon put it in repair, in which trade I had some experience.'*

Wedi dysgu peth o'r grefft rhwymo, a honno'n dod yn ddefnyddiol iddo yn Affrica! Rhaid adde fod darllen y llyfr yn brofiad cyffrous. Ma cymaint o bethau ynddo sy'n ymylu ar argyhoeddi rhywun. Ma'r Cardi yn enaid rhywun yn ei gymell i gredu'r stori. Yn wir, fe licwn ei chredu!

Eto ma llawer o gwestiynau canys, heb os, fe gymer dipyn i ddifreinio'r Stanley o'r Gogledd. Un o'r cwestiynau yw hwn: pam ma Shir Aberteifi wedi bod mor dawel ynglŷn â'r dewr hwn? Oedd pobol gwaelod y shir yn gwbod mai twyll oedd y cwbl? Hefyd, pwy yw'r Thomas George, *'an old playmate',* fel y'i disgrifia ei hun? Ai dyna'i enw priod neu ai enw benthyg ydyw? Beth am fam Howell Jones; pwy oedd hi? A phaham y'i codwyd gyda'i fam-gu? Oes, ma llawer o waith twrio i *'graig y gwirionedd'* yr honna Thomas George iddo adeiladu ei gofiant arni cyn cael ein llwyr argyhoeddi. Os mai twyll yw'r cwbl pam aeth e i'r drafferth hon? Beth oedd y rheswm o'r tu ôl i'r llyfr? Os oes gan rywun oleuni ar y materion hyn a rhai perthynol i'r stori ryfedd hon, carwn pe baech yn anfon ataf. Licwn i fynd at wraidd hon. Ma stori ddiddorol o'r tu ôl i'r cwbl, greda i, ond rhaid cael yr 'heddlu cudd' i'n helpu!

(20 Ebrill, 1973)

Llanfihangel-y-Creuddyn

Ma Llanfihangel-y-Creuddyn yn nythu'n dawel ar lan afonig Ceunant ac yn cael ei gysgodi gan fryniau uchel Banc-y-môr ar y naill ochor, a banc Llwyn-du, os dyna'r enw iawn arno, yr ochor arall. Rhaid dringo o Gnwch Coch cyn dechrau disgyn ar eich pen i'r lle. Drwy ddilyn trywydd yr afon sy'n naddu ei ffordd mas tuag afon Ystwyth, llwyddwyd i gynllunio ffordd sy'n dolennu fel neidr ac yn pasio heibio i'r capel, sef capel Cynon.

Pentre bach yw Llaningiel—felly y'i gelwir ar lafar—yr eglwys yn y canol, eglwys hynafol gyda thŵr anferth a'r ceiliog gwynt ar ei frig yn amgenach proffwyd tywydd na'r un gŵr ar y bocs. Wrth draed yr eglwys rhoddwyd trigolion y fro i orwedd. Yno y maent ers cenedlaethau gydag amal i ywen ddu ganghennog yn torri llid y tywydd drwg. Gyda thalcen isa'r eglwys fe red y Ceunant; dim lot o ddŵr ynddi, ond ar brydiau gall ddangos ei dannedd a llifo dros ei glannau a 'sgubo ambell i bompren o'i blaen yn ddiseremoni. Ond tawelwch cyson yw ei nodwedd a rhaid bod rhyw gynyrfiadau anarferol ar y bryniau cyn y bydd hi'n hwdu ei chynnwys ar ddaear pentre Llaningiel. Wrth yr afon mae'r ysgol; y byw a'r marw ynghyd yw hi, oherwydd cymydog y maes chwarae yw'r fynwent ac y mae'n siŵr fod olaf hun brodorion y fro yn esmwythach wrth iddynt glywed chwarae bywiog cenhedlaeth arall o blant.

Wrth ddod yn ôl o'r ysgol i'r pentre byddwch yn pasio heibio i weithdy'r saer; go brin fod neb yn pwnio yno nawr. Bu pwnio cyson a dygn. Lluniwyd amal i ddodrefnyn sy'n ddarnau heirdd yn nhai'r fro ac o'r gweithdy y daeth y pedwar plancin ola i gysgodi'r ymadawedig rai. 'Chydig i'r dde ma efail y go'. Yna rhes o dai—dim llawer—ac yn y pen ucha y llythyrdy, er na welais i mo'r enw hwnnw arno, eithr yn ôl ffasiwn yr oes honno, *The Post Office.* Dyma'r gwahaniaeth erbyn hyn, enwau Cymraeg ar y lleoedd yna ond Saesneg y tu mewn; ddoe enwau Saesneg arnynt ond Cymraeg cadarn wrth y cownter. Yr un teulu a fu yno ar hyd y blynyddoedd, y Wrightiaid, a choffa da am rai ohonynt yn dod ar gefen poni gyda'r llythyron o gwmpas y wlad. Yna, y pen ucha i'r pentre, y dafarn, Sgubor Hen, er ei bod yn cael ei 'nabod fel Farmers Arms. Yr un teulu yma eto ag yn y llythyrdy—yr un cyfenw, ta p'un; mae'n siŵr gen i eu bod yn perthyn. Yn ogystal â bod yn dafarn roedd Sgubor Hen yn bwt o fferm gyda'r ffald un ochor i'r pentre a'r tŷ yr ochor arall, ac fe welech John Wright yn ffit-ffatan ei ffordd yn gyson o'r stabal i'r tŷ. Pwtyn byr, cadarn oedd e yn cerdded gyda'r un cyflymder yn barhaus. Un gêr oedd gydag e, ond am ei wraig roedd gyda hi

168

dop gêr a rhoddai dri cham am un i'w gŵr. Gweithreg galed, bob amser yn ei ffedog wedi ei gwneud mas o ryw sach. Golwg gwaith a gweithio caled arni. Roedd teulu mawr ganddynt, wedi tyfu lan erbyn i mi gyrraedd yr ysgol. Roedd amal i briodas yn y teulu a da y cofiaf un ohonynt a ni'r plant—amser chwarae, siŵr o fod—wedi mynd at gât yr eglwys ac yn disgwyl y briodferch. Fe ddaeth ymhen tipyn a dyma John Wright yn lluchio dyrnaid o arian i'r awyr a ninnau fel ieir ar ben tŵr ceirch yn stablan a chwilio a cheisio dod o hyd i geiniog. A'r darlun yna o'r gŵr hwnnw sydd wedi mynnu byw yn fy ngho', gŵr yn hau ceiniogau fel y byddai eraill yn hau ceirch!

Soniais fod yr eglwys yng nghanol y pentre. Tebyg fod hynna yn ddarlun o le'r eglwys ym mywyd y gymdeithas, a chododd rhai 'ffeiradon o'r pentre: un o'r Post Offis, er nad wyf yn ei gofio nac yn cofio yn awr ym mha le y gweinidog-aethai. Deuai ar dro yn ôl i'w gynefin.

Ym mha le y'i claddwyd, tybed? Daeth
'ffeirad o'r dafarn hefyd, ac y mae'r gŵr
hwnnw wedi dringo i safle o bwys yn yr
Eglwys yng Nghymru, sef Archddiacon
Bangor yn esgobaeth Bangor. Y gwir
amdani yw fod yr eglwys wedi codi mwy
i'r weinidogaeth na'r capel. Pam hynny,
tybed?

Nawr yr hyn sydd wedi fy ngyrru i
feddwl am 'ffeiradon Llaningiel oedd
derbyn llythyr y dydd o'r blaen o'r
Amerig oddi wrth un o'r 'ffeiradon a
godwyd yn y pentre. Gwelodd yn y
golofn hon gyfeiriad at David James
Evans, gweinidog gyda'r Wesleaid, ac
yn ôl y gair a gefais roedd y parchedig
ŵr sy'n bugeilio'r praidd ymhlith yr Ianc
yn yr ysgol yr un adeg ag e.

'Nabod ei dad a wnâi'r ardal, cymer-
iad ar ei ben ei hun, tawel, gonest, a
fyddai'n teithio o le i le gyda'i injan
ddyrnu fach. Roedd dwy injan ddyrnu;
gelwid y fwya yn injan dân. Deuai
honno yn ddeuddarn; boiler enfawr yn
cael ei lusgo gan ddau neu dri o geff-

ylau, a stêm y boiler hwnnw a fyddai'n gyrru'r injan fawr. I'r ffermydd mwya, lle'r oedd tasau mawrion o wisgonau, yr âi honno. Yna, i gwrdd â'r ffermydd llai, tyddynnod, daeth Bilo Cae-gwyn i'r adwy gyda'i injan fach. Un pishin oedd hon gyda'r peiriant a'i gyrrai ynddi yn rhywle. Mynych y pesychai'r peiriant— y mwnws a'r llwch yn casglu yn ei phibau a'r olew yn gwrthod llifo'n esmwyth—a dyna lle byddai'r perchen yn chwys i gyd yn ceisio doctora'r methedig. Llwyddai weithiau, ond methai'n amal hefyd, er mawr lawenydd i ni, oherwydd caem sbel i fân glebran. Coffa da amdano, fe ymdrechodd ymdrech deg i gadw'i beiriant i ddyrnu. Ffordd galed a ddewisodd i ennill bywoliaeth, a'r syniad sy gen i yw mai fe oedd yn cadw'r injan ddyrnu ac nid y peiriant yn ei gadw e.

Does ryfedd i'w fab ddewis nithio'r saint, oes e? Gan ei fod genhedlaeth neu fwy o'n blaen ni, clywed amdano gan ei dad a wnaem; bu yn ysgol enwog

171

Ystrad Meurig, ac yna yng ngholeg y 'ffeiradon yn Llambed, a ble wedyn? Doedd neb o'r ardal yn siŵr iawn. Gwyddem iddo fynd dros y môr i weinidogaethu. Yn ei lythyr dyma oleuni ar bob dirgelwch, os oedd dirgelwch. Fe'i hordeiniwyd yn ddiacon yn Eglwys Gadeiriol Calgary ar 18 Mehefin, 1935, yna ei ddyrchafu yn offeiriad llawn ar 28 Hydref, 1936. Fe'i dewiswyd, yn ôl geiriad y llythyr, yn *'deacon in charge of the epiphany mission, a rolling prairie mission with headquarters at a small hamlet called Byemoor, Alberta'.* Anferth o blwy a gafodd, cant a phump ar hugain o filltiroedd o hyd a thrigain a phump o led—hanner Cymru a mwy. Bu ei dad yn nithio a dyrnu ar batshin go fach; cafodd y mab erwau llydain o dan ei draed. Yn 1942 symudodd i ofalaeth arall, nid llai o ran maint, ond gyda gwell ffyrdd. Yna yn 1944 fe'i trosglwyddwyd o Ganada i 'Merica, i esgobaeth Minnesota, ac yn yr esgobaeth honno y treuliodd weddill ei weini-dogaeth. Yn 1950 symudodd i ofalu am eglwys Sant Steffan Riverside, New Jersey, ac Eglwys y Drindod, Fairview. Yno yr oedd pan welais ef rai blyn-yddoedd yn ôl. Odi, ma mab Bilo Cae-gwyn wedi rhoi cyfri da ohono'i hun ymhell o Laningiel. Ond os aeth ymhell o dre deil mewn cysylltiad. Bydd yn derbyn y *Cambrian News* yn gyson, ac o dro i dro bydd yn anfon gair am hyn ac arall. Bellach ymddeolodd a chadd gartre, wel, dyma'i air: *'now residing in a retirement section twenty miles from my old "hunting ground" Riverside'.* Pob bendith iddo ef a'i briod sy'n hanu o Gaerloyw i dreulio eu nawnddydd yn eu gwlad fabwysiedig. Yn ei lythyr mae'n gofyn am gopi Cymraeg o'r Beibl; nid oes un gydag e nawr. Tybed a garai rhywun o Laningiel wneud y gymwynas hon ag e? Un Cymraeg yn unig a ddarllenai ei dad, rwy'n siŵr.

Dyna ran o stori'r bechgyn aeth i'r weinidogaeth o'r eglwys yn y pentre. Ar dro yr aem ni iddi, weithiau ar fore Nadolig i'r gwasanaeth am bump, i'r cwrdd diolchgarwch ac angladdau, bid siŵr. Nid pob 'ffeirad a drafferthai ymweld â phobol y capel; byddai ambell un yn gneud hynny, ond os nad oeddem ni bobol Capel Cynon yn perthyn i'r eglwys roeddem yn rhan o'r ardal, a digon o frogarwch yn ein gwythiennau i ymfalchïo fod mab John Wright, Sgubor Hen a mab Bilo Cae-gwyn wedi ennill eu lle yng ngweinidogaeth yr eglwys ac wedi gneud cyfraniad sy'n glod i'r pentre a'u magodd. Dyna braf fyddai cael parti yn yr ysgol; byddai'n de parti diddorol. Mae'r ffordd sy'n dolennu o'r pentre wedi arwain rhai ohonom ymhell, ond nid yn rhy bell i ddod yn ôl na chwaith yn rhy bell i anghofio'r graig y'n naddwyd ni ohoni. Os gadawsom Laningiel, ni adawodd Llaningiel mohonom ni—ac ni wna fyth. Ac os yw llythyr mab Cae-gwyn yn dweud rhywbeth, ategu hynny a wna.

(26 Hydref, 1973)

Cyffro

Pe bai dyn yn cael rhestru'r digwyddiadau y carai ddweud amdanynt, 'rown i yno', wel, ma 'na amryw, siŵr o fod. Peth rhyfedd yw bod yn llygad dyst. Rydw i'n falch iawn o allu dweud am un peth, un digwyddiad diweddar, 'rown i yno'. Ac nid yno ar y dalar ond yno yn rhan o'r peth. Cyfeirio rydw i at yr hyn a alwyd yn 'Ddigwyddiad '73'. Rali oedd hon a gynhaliwyd yng Nghorwen ar Sadwrn, 10 Tachwedd, 1973. Galwad go ddisymwth fu hi a dweud y gwir. Ni bu cynllunio hir a manwl ond teimlai amryw o ieuenctid y carent gwrdd.

Yn ystod haf 1973 bu nifer o gynadleddau ieuenctid, a heb os fe gyffyrddwyd â hwy gan yr Ysbryd. Aeth nifer i 'Chwyldro '73' yn Nhrefeca. Cynhadledd oedd hon a drefnwyd i gofio Howel Harris, y gŵr a ddaeth fel mewn twym ias o Drefeca fach i mas. Daeth y twym ias i Drefeca 1973 a deil y gwres a gyneuwyd yng nghalonnau'r ieuenctid i losgi, a thry yn fflam ar dro. Yna digwyddodd rhywbeth anarferol yn Ysgol Haf yr Ysgol Sul yn Aberystwyth. Roedd nifer mawr o ieuenctid yn bresennol a chafwyd wythnos eneiniedig, un o'r rheini na fedrwch chi mo'i disgrifio na'i dadansoddi, a'r unig beth y medrir ei ddweud yw fod yr Ysbryd wedi gafael a dal ei afael ac i amryw ohonynt ildio eu hunain yn llwyrach i waith y Crist. Yna roedd Cyngor Eglwysi Prydain wedi trefnu cynhadledd fawr yn Lerpwl, a chyrch- odd y miloedd i honno—hon eto yn gynhadledd wahanol, yn wir, yn ôl pob disgrifiad a gefais, yn wahanol iawn. Go brin y gellid ei galw yn gynhadledd yn ystyr draddodiadol y gair. Erbyn hyn ma cynadleddau wedi newid eu patrwm. Dim o'r trefnu manwl gofalus, dim areithiau hir a manwl. Daw arbenigwyr a byddant yn dweud gair, ond yno i gynghori ac arwain y maent a chaiff yr ieuenctid dragwyddol ryddid i drefnu a fynnant yn ystod yr wythnos gan obeithio y gallant, drwy siarad a thrafod gydag eraill, dreiddio i gyfrinach ystyr byw a bod. Yn y peth hwn, sy'n swnio'n dryblith o annibendod i un a'r gwaed wedi oeri yn ei wythiennau, fe ddigwyddodd rhywbeth, a'r peth hwnnw wedi cydio'n sownd yn yr ieuenctid.

Felly o lawer cyfeiriad mae'r ieuenctid wedi eu twtsh, does dim os am hynny, ac achos gorfoledd a diolch mawr yw hynny. A'r rhain a ddymunai ddod ynghyd i Gorwen. Cawsant ŵr parod i'w helpu yn y Parchedig Haines Davies. A mynd â chi i'r Digwyddiad yng Nghorwen licwn i nawr, os gallaf, canys ar fy llw fues i ddim mewn dim byd tebyg o'r blaen, ac ma newydd-deb y profiad yn ei gneud hi'n amhosibl bron i rywun roi disgrifiad o'r peth. Pan oedd rhywbeth mas o'r cyffredin yn digwydd adeg y Pentecost yn Llyfr yr Actau, chi gofiwch mai ymateb rhai oedd, 'Llawn o win melys ydynt'. Synnwn i ddim na chafwyd ymateb fel 'na i Ddigwyddiad Corwen 1973, ac efallai fod dweud hynna yn gystal ymateb â dim. Os nad oedd y rhain wedi meddwi yn dwll, be oedd y rheswm am yr hyn a wnaent?

Bu rhai ohonoch ym mhafiliwn Corwen, siŵr o fod. Hongled o le a chyrchfan 'steddfodau a chyngherddau. Digon o le i gynnwys trigolion Meirion i gyd, dyna'r argraff gynta! Pwy feddyliodd am godi'r fath le mawr mewn ardal denau ei phoblogaeth? Rhaid dweud, er ei fod yn fawr, ei fod mewn cyflwr da. Ma clod yn ddyledus i rywun a rhaid diolch am gael y lle yn gynnes, tasg nid bychan mewn adeilad fel 'na. Roedd popeth yn ddymunol iawn o'r tu mewn, ond y tu fas, peidiwch â sôn. Noson o lifogydd nos Wener, yn dal i fwrw fore Sadwrn ac wrth ymlwybro tua'r Gogledd, y dŵr yn genlli ar hyd y ffyrdd, a rhyw dybio yr oeddwn mai 'chydig a fyddai yng Nghorwen. Onid yw'r glaw yn cadw rhai o oedfaon gan amla? A'r Sadwrn hwnnw roedd mwy na digon o esgus ganddynt. Ond, un o'r saith rhyfeddod, erbyn un ar ddeg roedd rhyw ddau gant a hanner o ieuenctid wedi ymgynnull, a phan ddywedaf ieuenctid, dyna oeddynt. Yna'r diweddar Barchedig Glyn Thomas, Wrecsam, yn arwain mewn astudiaeth Feiblaidd. Gredwch chi pan ddweda i iddo fod wrthi am awr, yn rhoi plated swmpus o ddehongli'r Gair iddynt a hwythau'n gwrando. Pe bai cynulleidfa wedi cael y goflaid yna byddent yn gwingo cyn pen yr awr! Yna neilltuo gweddill y bore i drafod ymgyrchu yn yr ardaloedd o gwmpas. Mynd yr oeddynt â darnau neu ddetholiad o'r 'Sgrythur a'u gosod yn llaw gwahanol deuluoedd. Ac i hyn rhaid wrth arweiniad. Wedi ciniawa, eu rhannu yn grwpiau gydag arweinydd i'w tywys i'r gwahanol ardaloedd. Cyn mynd, cael gwasanaeth byr o ymgysegriad ac ymgyflwyniad. Licwn i pe baech yno i brofi hwnnw. Pob un, ie'r cannoedd, ar y llwyfan. Ar ganol y llwyfan codwyd croes arw, ddiaddurn; o gylch ei thraed roedd cerrig enfawr, talpau o greigiau Meirion. Pwy a'u cariodd yno? A dyna lle'r oedd yr ieuenctid yn gylch o gwmpas y groes hon. Tawelwch oedd nodwedd y cwrdd; darllen darn o'r Beibl, y darn sy'n sôn am fynd mas i efengylu, rhywun yn arwain mewn gair byr o weddi, un arall ar ei draws, cadwyn gyson o weddïau a thorri mas i ganu 'Diolch i Ti, yr Hollall-uog Dduw'. Gwasanaeth i'w gofio a go brin yr af i bafiliwn Corwen eto heb ail-fyw ac ail-weld yr oedfa yna wrth droed y groes ar y llwyfan. Wedyn ffwrdd â nhw a threulio pnawn digon sgaprwth yn mynd o dŷ i dŷ. Nôl erbyn pedwar, sesiwn o rannu profiadau. Fe ddysgodd rhai ohonynt lot mewn dwy awr! Ac i gloi'r dydd cafwyd gwasan-aeth, os gellir ei alw yn wasanaeth, oherwydd rydyn ni yn meddwl am wasanaeth fel peth ffurfiol, set, disymud braidd. Nid dyna oedd hwn ac nid dyna a fynn yr ieuenctid.

Yn naturiol fe ddeuthum o Gorwen ar fy newydd wedd. Ces flas y peth byw fwy nag unwaith yn ystod y misoedd diwethaf yma a chael fod y blas yn flasus. Dyma'r tro cynta imi gael pryd iawn o'r peth, a dal i lyfu fy ngweflau ydw i. Edrychaf ymlaen yn rhyfedd at y pryd nesa. Roedd dyn wrth reswm yn gofyn cwestiynau iddo'i hun ac yn ceisio'u hateb; y cwestiwn a ofynnir o hyd, hyd at syrffed bron, ai tân shafins yw hwn? Pwy a fedr ateb? Fe'i profir yntau fel pob tân arall gan wyntoedd croesion bywyd. Un peth a wn, os oes tân—ac y mae tân—yr unig beth i'w wneud yw ei borthi a cheisio sicrhau nad yw'n diffodd. Rhaid gofalu nad ydym yn gneud un dim i geisio ei ddiffodd, ta p'un.

Ond ma 'na agweddau difrifol i'r tân newydd hwn ymhlith yr ieuenctid. Mae'r egni, y deffro, y tân, galwch chi e be fynnoch chi, yn digwydd gan mwya o'r tu fas i'r eglwysi traddodiadol, set. A'r hyn a fawr ofnaf—gobeithio nad yw'n wir—yw na all yr eglwysi fel y maent gynnwys na chostrelu'r deffro hwn. Ma anhyblygrwydd anystwyth ein gwasanaethau yn rhewi brwdfrydedd y rhain. Maent am gyfle i fynegi eu profiad yn wahanol a'r gwahanol hwnnw yn ormod treth ar ffurfioldeb ein heglwysi. Oherwydd hynny ciliant i gelloedd a grwpiau lle y gallant fynegi'u hunain yn y ffordd sy'n addas iddynt hwy. Mae'r deffro hwn yn sialens ac yn farn, does dim dadl am hynny.

Un peth arall sy'n mynnu aros. Cannoedd o ieuenctid yn cenhadu, a chlywais i ddim sôn am enwad nac enwadaeth; roen nhw yno o bob adran o'r eglwys. Ma enwadaeth mor amherthnasol i'r rhain ag yw ffrij i escimo! Ac ofnaf fod ein holl wario amser i drafod cyfamodi, uno a dod ynghyd, yn ddiflastod llwyr iddynt ac yn wastraff ar amser. Ardderchog o beth yw'r deffro hwn ymhlith yr ieuenctid. Mae'n prysuro dadfeiliad y gyfundrefn farw bresennol, a chyn y daw honno i lawr ni ellir disgwyl uno nac undeb, a rhan o'r drefen, rhan o gynllun rhagluniaeth i ddirwyn enwadaeth Cymru i ben yw'r

bywyd newydd yma ymhlith yr ieuenc-
tid, ac am hynny teimlaf yn falch o'r
cyfle i'w cefnogi.

Wrth gwrs, dyw'r hyn sy'n digwydd
ddim yn wahanol i'r hyn a fu ym mhob
cyffro o eiddo'r Ysbryd hyd yma. Be
oedd hanes y diwygiad Methodistaidd?
Ble fu raid i'r Methodistiaid cynnar fynd
â'r tân? Tu fas.

Roedd bod yng Nghorwen yn wefr,
yn agoriad llygad, yn ysgytwad, yn
aflonyddwch, yn alwad, yn obaith ... yn
fywyd newydd, a da gennyf ddweud,
'rown i yno'.

> Cerdd ymlaen, nefol dân,
> Cymer yma feddiant glân.

(23 Tachwedd, 1973)

Trannoeth

Edrych nôl fyddwn ni ar bob trannoeth,
Adolygu, galw i go', ail-fyw,
Ail-greu yr hyn a ddigwyddodd yn ein
    profiad.
Gall yr edrych yn ôl fod yn drist

183

A diflas,
Gall fod yn artaith a siom;
Y mae felly'n amal, Arglwydd.
Dro arall, diolch i'r drefen, gall fod yn
    wefreiddiol o hapus.
Cymaint o gyffro a gwin yn yr hyn a
    ddigwyddodd.
Ni ellir anghofio.
Ni ddymunwn anghofio.

Fedrwn ni ddim meddwl am y
    disgyblion
Yn edrych yn ôl ond yn siomedig.
Gweld Croes a'i difrod a wnânt.
A'r Gŵr a ddilynasant wedi ei hoelio,
A'r gair terfynol, 'Gorffennwyd', wedi
    llithro dros ei wefus.
Gwir fod llawer atgo hyfryd ganddynt,
Llawer dameg a phregeth;
Llawer gwyrth a gweddi;
Llawer cyfrinach a chwmnïaeth
I'w trysori am byth.

Fedre neb ddwyn y rheini oddi arnynt,
Pa bethau bynnag eraill a ddygid.

Ond ... trist y sôn ...
Chwalwyd y cwbl gan gasineb a
  rhagfarn,
Gan gulni a gelyniaeth,
A diffoddwyd yr addewid ardderchog
  yn dair ar ddeg ar hugain oed.
Diau mai'r siom fwya oedd yr hyn a
  ddigwyddodd
I'r deuddeg dewisol:
Pedr yn llyfu ei glwyfau,
A thrannoeth y gwadu a llymach
  hoelion yn yr atgo
Nag a gurwyd i gnawd Iesu;
A Jiwdas a'r deg darn ar hugain arian
  drwg
Yn gyllell yn ei boced;
A'r lleill
A'u penne yn eu plu wrth feddwl am
  wendidau'r deuddeg.
Y fath griw diwerth a diafael!
Fe'u profwyd a'u cael yn brin.
'Na drannoeth poenus, annioddefol fu
  eu trannoeth hwy.
Trannoeth i'w anghofio pe gellid.
Ysywaeth, ni ellid.

Gwahanol fu trannoeth yr awdurdodau,
Hwy wedi cyrraedd eu hamcan.
Hwn a fu'n gymaint o ddraenen yn eu
  hystlys
Bellach a'r bicell fain wedi sychu pob
  dafan o waed o'i wythiennau,
A gorweddai yn sgerbwd clwyfedig yn ei
  fedd benthyg.
Dyna ddiwedd arno a'i antics crefyddol!
  Ie, trannoeth i lyfu gweflau,
A dathlu yn egnïol lwyddiant eu
  hymgyrch.
Ond ma Duw yn gallu troi'r drol!
A throi pethe wyneb i waered!
Oni ddigwyddodd yr annisgwyl?
Oni ddigwyddodd yr amhosibl?
Oni ddigwyddodd yr anhygoel?
Daeth y croeshoeliedig o'i fedd!
'A'i draed yn gwbl rydd.'
Trannoeth na allai neb feddwl amdano,
Trannoeth na allai'r dychymyg mwya
  rhemp ei ddyfeisio.
Trannoeth na allai'r mwya gobeithiol ei
  obeithio.
Y gorfoledd yn troi'n surni yng ngenau'r

awdurdodau.

Siom a digalondid y criw ofnus yn troi'n
   orfoledd berwedig.

Sôn am droi'r drol!

Dyma'r drol fwya i'w throi erioed! A'r
   disgyblion ar eu newydd wedd

'Yn debyg idd' eu harglwydd

Yn dod i'r lan o'r bedd.'

Pwy fedrai egluro?

Pwy fedrai ddeall?

Pwy fedrai esbonio?

Pwy fedrai gredu?

Roedd yr Iesu'n fyw!

Yn siarad.

Yn symud.

Y bedd yn wag!

Ac ar fore'r Pasg,

Unwn ni gyda'r eglwys

I ddiolch i Dduw

Ei fod yn abl i drechu pob gelyn sy.

Trechu pechod.

Trechu angau a'r bedd.

Ac iddo ddangos ei allu anorchfygol

Yn Iesu o Nasareth.

Does ryfedd mai'r Pasg a wnaeth yr

eglwys,
Does ryfedd mai'r Pasg a 'sgrifennodd y
  Testament Newydd,
Does ryfedd mai'r Pasg yw dydd cynta'r
  wythnos,
Does ryfedd mai'r Pasg yw
  Cristnogaeth.
Rho i ninnau brofi'r nerth
Sy'n 'codi ... 'r eiddil yn goncwerwr
  mawr'.
Rho i ni brofi'r gallu a'n gwna yn fwy na
  choncwerwyr
'Ar bob gelyn sy'.
Dwg ni drwy nerth dy ras
O bob bedd
I fywyd newydd.
Rho i ni i gyd y trannoeth hwnnw
A fydd yn destun cân byth,
Ac yn dystiolaeth i rym yr atgyfodiad.
Trannoeth gwerth i'w gofio.
Trannoeth na ellir ei anghofio
Am fod y Duw a gododd ei fab
Wedi'n cyffwrdd ninnau hefyd.

(Lluniwyd ar gyfer oedfa'r Cymun Bore

Sul y Pasg, 18 Ebrill, 1976, ym Methes-
da, Llanddewibrefi.)

(30 Ebrill, 1976)

Bowery

1

Ma gan bob dinas fawr ei hardal
amheus, y cornel hwnnw lle bydd y
meibion afradlon yn cwrdd. Ma enw
Skid Row yn Chicago yn enwog, ac y
mae'r enw ynddo'i hun yn dweud llaw-
er. Pictiwr o enw, onid e? Ceir Skid
Row yn ninas Henry Ford hefyd, sef
Detroit. Ond yr enw ar le cyffelyb yn
Efrog Newydd yw Bowery. Cofiaf fynd
yno gyda chyfaill, flynyddoedd yn ôl;
ystyriai ef na ddylwn adael y ddinas heb
gael cip ar y wlad bell. Dreifio wedi nos
a wnaeth a phwrpas y daith oedd dangos
i mi'r cyrff meddw'n gorweddian ar hyd
y stryd. Cofiaf yn dda y daith honno a'r
argraff a wnaeth arnaf. Wel, rown i'n
meddwl y dylwn fynd i'r ardal yna i weld
be sy'n cael ei wneud i adfer y

trueiniaid. Ar y Times Square enwog yn Efrog Newydd ma eglwys fach gyda'r *Seventh Day Adventists*. (Beth yw teitl Cymraeg y rhieni?) Gyda llaw, nid oes ganddynt eglwys yng Nghymru—yn eu blwyddlyfr fe restrir Cymru fel *maes cenhadol*. Onid felly y dylid ei rhestru? Beth bynnag, es yno a chael croeso mawr gyda'r gweinidog, a'r peth cynta a ofynnodd i mi oedd:

'Odych chi'n 'nabod Carwyn James?'

'Odw, wedi cwrdd ag e unwaith neu ddwy.'

'Welsoch chi J.P.R. a Gareth Edwards yn whare?'

'Do, sawl gwaith.'

'Beth am y Pont-y-pŵl ffrynt row?'

A dyna lle buom ni'n trafod tîm Cymru am sbel. Gŵr o Seland Newydd oedd hwn a rygbi yn ei waed, ac ni châi gyfle yn amal i drafod rygbi ar y Times Square. Bu'n rhyfedd o garedig ac agorodd y drysau i mi i fannau gwerth ymweld â nhw.

'Y lle cynta y dylech chi fynd yw at yr

heddlu. Ma'n nhw'n gneud gwaith da.'

Dyma fe'n cydio yn y ffôn a siarad â rhywun, ac ymhen 'chydig roedd trefniant wedi'i wneud i mi fynd i orsaf yr heddlu yn y Bowery i gwrdd â swyddog sydd â'i waith i gyd yn genhadaeth. Anodd cysylltu cenhadaeth â'r heddlu, mi wn, ond rhaid gneud hynny fan hyn. Ces gyfarwyddyd ar sut i fynd. Teithio gyda'r trên tanddaearol o Times Square. Braidd yn ddyrys yw'r system honno yn Efrog Newydd, canys dilyn goleuadau a wneir; os ydych yn teithio ar lein goch ac eisiau newid i'r un las, wel rhaid craffu ar y goleuadau. Unwaith y deallwch sut y mae'r system yn gweithio, mae'n olreit. Wel, fe lwyddais i gyrraedd y Bowery a'm cael fy hun mewn 'stafell gefn yng ngorsaf yr heddlu. Rhyw grwt ifanc yno a'i gap ar sgi-wiff yn trio darllen papur, a chyn hir fe'i cipiwyd gan blismon yn ddigon diseremoni. Fe ges i lonydd! Ma'n nhw'n dweud y dylai lot o'r rhai sy i mewn fod mas, a lot o'r rhai sy mas fod i mewn! Cyn hir daeth gŵr ifanc nad ymddangosai o gwbl fel plismon ataf a chawsom sgwrs hir. Roedd yn barod i ateb pob cwestiwn a luchiwn ato. Fy mhrif ddiddordeb oedd gwybod be oeddynt yn ei 'neud i oleuo'r cyhoedd am ddrwg cyffuriau ac alcohol. Ac yr oeddynt yn weithgar, yn enwedig mewn ysgolion a chlybiau, a pharod oeddynt i fynd at unrhyw fudiad a ofynnai am eu help. Ceisient ganoli ar y plant a phlant o dan ddeg oed, oherwydd ma ganddynt yn awr, am y tro cynta, medde fe, blant sy'n gaeth i gyffuriau ac alcohol. Felly mae'n bwysig cychwyn gyda'r rhai sydd ar drothwy'r perygl. Roedd hi'n galondid i weld fod yr heddlu mor barod i gymryd rhan mewn gwaith adferol ac yn awyddus i gydweithio â phob mudiad sy'n ymaflyd mewn un ar y llawr. Roedd y swyddog hwn yn un hynod o barod i helpu.

'Mae'n rhaid i chi fynd i ganolfannau ar y Bowery 'ma lle ma'n nhw'n trin clwyfedigion y frwydr enbyd hon.'

'Fe licwn i fynd.'

Dyma fe'n cydio yn y ffôn ac yn siarad â rhywrai.

Trefnodd fy mod i fynd am ddau o'r gloch y pnawn i ddau le gwahanol.

Y prynhawn cyntaf i hostel Byddin yr Iachawdwriaeth. Fe allwch fod yn siŵr eu bod nhw lle ma'r frwydr boetha. Enw'r ganolfan hon oedd y William Booth Center. Fe oedd tad y weled-igaeth fawr a gymhellodd Fyddin yr Iachawdwriaeth i fynd i blith trigolion y wlad bell. Tybed a freuddwydiodd e y bydden nhw mewn gwlad mor bell â'r Bowery? Ces fy nerbyn i'r ganolfan gan ŵr canol oed cynnar. Ni wisgai hwn wisg Byddin yr Iachawdwriaeth. Na, doedd e ddim yn aelod; gweithio iddynt a wnâi yn y ganolfan hon fel arbenigwr ar alcoholiaeth. Fy nghwestiwn cynta i iddo oedd sut ma rhywun yn dod yn arbenigwr ar alcoholiaeth. A'i ateb oedd, ysgol profiad.

'Be ydych chi'n ei feddwl?'

'Wel, fe ddechreuais yfed yn drwm

pan own i'n bump ar hugain ac fe gymerodd saith mlynedd i mi gyrraedd Skid Row yn Detroit.'

'Fuoch chi'n gaeth i'r ddiod?'

'Do, yn gaeth iawn. Torrodd fy mhriodas, collais fy swydd.' Yr un stori ag yr own i wedi'i chlywed yn y cwrdd hwnnw gyda'r Alcoholics Anonymous. Hwn eto yn diolch am y ffaith ei fod wedi'i *'sychu'*, ac wedi iddo *sychu* teimlai fel rhoi'i fywyd i helpu eraill, ac yn siŵr ni allai fod wedi dewis lle enbytach. Yn y ganolfan hon roedd 410 o ddynion, amryw ohonynt yn diodde'n gorfforol, yn feddyliol ac yn emosiynol. Roedd hi'n amlwg fod nam go ddrwg ar lawer ond fod y mwyafrif ohonynt wedi syrth- io yn 'sglyfaeth i'r ddiod, a'r nam a oedd arnynt yn gwaethygu oblegid hynny. Deunaw oed oedd yr ieuengaf, a'r hynaf o gwmpas y pedwar ugain, ac un ohonynt wedi bod yno am drigain mlynedd. Byddai un olwg ar y lle yn ddigon i stumog y cadarna ohonom, ond mynnodd hwn fynd â mi o gwmpas y celloedd, rhai tebyg i'r rhai a geir mewn carchar, gyda drysau wedi'u bolltio a lle i'r gwyliwr biped drwy'r drws. Doedd fawr o ddim ynddynt ond rhyw lun o wely a chadair. Ond nid yr hyn a welech a effeithiai arnoch, ond yr arogl anhyfryd a ddeuai yn gawodydd o bob cyfeiriad. Rown i'n falch cael cyrraedd swyddfa'r swyddog hwn a chael anadlu awyr iachach eilwaith. Cawsom sgwrs hir ac yr oedd yn ŵr dymunol iawn. Wedi'i hyfforddi'n athro ac yn cael bodlonrwydd llawn o'r gwaith a wnâi.

Ni ddymunai wneud undim arall yn unman arall.

'Be sy'n eich cynnal mewn anialwch fel hwn?'

'Mesur o lwyddiant gydag ambell un.'

'Ac ma llwyddiant?'

'Oes, fe ryfeddech weld y newid a ddaw i fywyd ambell un. Cofiwch, ma digon i'ch danto, ond 'na fe, os llwyddais i drwy gyfrwng gwaith yr Alcoholics Anonymous i dorri gafael y ddiod arna i, wel, ma gobaith i bawb.'

Dod oddi yno wnes i yn diolch nad
oedd raid i mi fod yno, ac ar yr un pryd
yn ddiolchgar i Dduw fod gwŷr fel hwn
yn barod—yn wir, yn awyddus—i weith-
io yno. Byddaf yn aml yn cofio am y
ganolfan hon a'r gweithwyr, ac wrth
gwrs y rhai sy'n byw a bod yno oher-
wydd syrthio ohonynt i grafanc un o
ddiafoliaid enbytaf ein dyddiau ni, a
phob dydd o ran hynny. Rown i'n barod
i fynd i'r trên a welwn i ddim ond gole
coch ym mhobman. Pa liw arall a allech
ei weld ar ôl bod mewn lle fel 'na?

Ond trefnwyd i mi ddod yn ôl eto.
Down i ddim yn siŵr fy mod am
ddychwelyd. Rown i wedi cael digon,
mwy na digon!

(23 Mehefin, 1978)

Bowery

2

Erbyn meddwl, ma rhagor i'w
ddweud am y Bowery. Dyma gyfle yn
awr, canys pan ddychwelais am y

trydydd tro rown i 'chydig bach yn llai ofnus. Roedd gen i drefniant i gwrdd â pherson arbennig am ddau y pnawn a thybiais mai'r peth y gallwn ei 'neud oedd cerdded y Bowery i gyd. Rown i wedi holi'r heddlu a oedd hynny yn iawn ac yn ddiogel. Fe'm sicrhawyd y gallwn fentro 'ar ganol dydd' ac fe'u credais. Un stryd hir yw'r Bowery, stryd brysur gyda siopau, banciau a swydd-feydd arni, i bob ymddangosiad yn debyg i unrhyw stryd arall. Ond y mae'r stryd hon wedi rhoi'i henw i ardal gyfan. Oherwydd yr enw drwg sydd i'r lle, ma tai lodjin rhad i'w cael yno, gwely am noson am y nesa peth i ddim, ac i'r rhai sy'n gwario'u harian ar ddiod a chyffur-iau ma cael lle rhad felly'n dderbyniol. Dynion sydd yno fwya er, erbyn hyn, medden nhw, fe welir mwy o ferched. Ma cymeriad y lle'n newid gyda'r blynyddoedd a hynny am fod mewn-lifiad o wahanol genhedloedd yno. Rhan o'r lle, fwy neu lai, yw China-town, lle y cewch rai o Tseina fel gwybed yn llenwi'r strydoedd. Dod yno am fod tai'n rhad, ac yn ddiweddar dylifodd cawodydd o Puerto Rico yno. Wrth gwrs, ma storïau ofnadw ar led ac mewn print am ryw bersonau cyfoethog yn y cefndir sy'n prynu eiddo yn yr ardal hon ac yn gorlenwi'r adeiladau â phobol er mwyn rhofio rhenti sylweddol i'w coffrau. Ac yn ddi-os y mae gwir yn y peth.

Y mae'r gymysgedd poblogaeth yn creu problemau, ac at hynny ma diweithdra enbyd a gormod yn trigiannu yn yr un adeilad. Rhowch chi'r cwbl ynghyd ac ma gyda chi anferth o broblem. Roedd rhai o'r storïau a glywais gan yr heddlu am fywyd yn yr ardal hon yn ddigon i'ch arswydo, ac fe allwch fod yn weddol siŵr nad oen nhw'n dweud y cwbl. Ma deg llofruddiaeth y nos yn Efrog Newydd, a dyma un o'r ardaloedd lle y digwydd hynny'n gyson. Ond canol dydd poeth oedd hi pan es i yno am y trydydd tro. Haul tanbaid yn tasgu o'r palmant, tomenni o sbwriel yn disgwyl am y casglwyr. Rhai yn prowlan am grystyn neu ddilledyn. Traffic yn chwyrnu heibio. Bywyd yn ymddangos yn gwbl normal ar yr olwg gynta, a'r unig beth oedd yn cyhoeddi'ch bod ar y stryd oedd yr enw ar y mur. Fyddech chi ddim yn hir cyn dechrau gweld. Yno'n dyrrau ar stepen drws roedd nid sbwriel ond corpysau meddw yn cysgu'n sownd heb glywed na lori na dyn. Amrywiai'r nifer, o unigolion i amryw, ac o'u cylch roedd poteli gwag, rhai ohonynt wedi'u lluchio ac wrth ddisgyn ar y palmant wedi torri'n deilchion. Ni chyfrifais i mo'r cyrff diymadferth, rhyw sbecian yn llechwraidd a wnawn, ond heb os, fe es heibio i o leia hanner cant, a dim ond un ochor i'r stryd oedd hynny. Ond ma un olygfa sy'n hunlle barhaus. Disgwyliwn i'r goleuadau newid fel y gallwn groesi. Gwelwn ar y palmant gyferbyn â mi fachgen ifanc, gŵr tywyll ei groen gyda barfen fach. Roedd yn reit drwsiadus ei wisg ond yn sigledig iawn. Pan ddeuthum i i'w ymyl roedd yn ei osod ei

199

hun yn swp ar stepen drws siop, gneud y trothwy'n wely iddo, ond gyda'i fod wedi disgyn ar y garreg dyma'r wraig a ofalai am y siop mas mewn tymer go fawr, brwsh cansh yn ei llaw, ac yn ei frwsho'n llythrennol oddi ar garreg y trothwy, dros y palmant, nes iddo ddisgyn i'r gwter gerllaw. Sôn am lwch y llawr, dyma fe. Ac yr oedd hyn i gyd yn digwydd o dan fy nhrwyn.

Ymlaen yr es a gadael hwn i gysgu ei hun alcoholaidd yn y gwter. Nid nad oedd rhyw feddyliau yn corddi fy enaid. Ymhen tipyn yr own i'n dychwelyd ac erbyn hynny roedd hwn wedi dod o'r gwter, ond mae'n amlwg fod gwraig y siop wedi cwyno wrth ddyn arall fod hwn yn tarfu ar ei busnes ac y byddai'n dda ganddi gael gwared arno. Yn ôl pob argoel doedd y dyn arall hwnnw ddim yn rhy saff ar ei draed, ond dyma fe'n cydio yn hwn fel sach o datw a rhoi lwnd deidi iddo i ganol y ffordd a'r ceir yn hwtian a'r lorïau'n sgrechian ac amryw yn cau dwrn a'i fygwth am ei weithred.

Wrth gwrs, ei symud o ffordd y wraig oedd ei fwriad, ond drwy 'neud hynny roedd yn ei osod yn ffordd eraill. Druan ag e! Roedd ei wyneb yn waed, tasgai ffrwd gyson o'i ffroenau ac, ma'n siŵr gen i, os nad oedd rhai o'i esgyrn wedi torri, fod cleisiau go enbyd ar ei gorff bregus. Wel, dameg y Samariad trugarog ar y ffordd yn y Bowery, gŵr wedi'i ddal ymysg lladron a'i adael yn ei waed, ond welais i'r un Samariad trugarog; un o'r offeiriaid a'r Lefiaid own i. Ond fûm i ddim yn hir cyn taro ar y gwesty, y fan lle y dygid rhai fel hwn am ymgeledd. Am ddau roedd gen i oed mewn lle a elwid y Bowery Residents' Association. Fe'm derbyniwyd eto gan ŵr ifanc parod i rannu'i brofiad. Gwelwn ar y ddesg o'i flaen ei enw ac yn dilyn ei enw y llythrennau M.P.H. Wel dyw m.p.h. ond yn golygu unpeth i mi! Gofynnais iddo, 'Beth ydi ystyr y llythrennau yna?' 'Master of Public Health.' Wedi graddio mewn iechyd cyhoeddus ac yr oedd hi'n amlwg o'i sgwrs ei fod wedi derbyn addysg dda. Roedd y ganolfan yma'n wahanol i un Byddin yr Iachawdwriaeth. A bod yn gywir roedd dwy ganolfan ganddynt, hon yr own i ynddi ac un arall gerllaw lle y cedwid rhai i mewn i'w sychu, ond canolfan fach na allai dderbyn ond rhyw ddau ddwsin oedd honno. Roedd i'r ganolfan hon amryw o bwrpasau; ceid ynddi gantîn eang a darperid pryd canol dydd ar gyfer rhyw ddau gant a hanner o rai mewn oed a rhai di-waith. Ceid yno ystafelloedd adloniant eang fel y gallai'r rhai a fynnent gilio oddi ar y stryd a throi i mewn i lenwi'r oriau gweigion, a chael sgwrs a chwmni. Ond prif waith y ganolfan oedd delio â'r rhai a oedd yng ngafael y ddiod. Byddai'r heddlu'n dod ag amryw yno. Beth oedd y pwynt o fynd â nhw i orsaf yr heddlu a'u llusgo i'r llys? Gwell oedd eu gosod yng ngwesty'r Samariaid trugarog a gofyn iddynt hwy eu hymgeleddu. Pan own i yno dyma gnoc ar y drws—un wedi cyrraedd ac yn galw am ei drin. Tybiais am funud mai'r gŵr a welais i'n cael ei luchio fel pellen oedd e, ond nid hwnnw ydoedd, eithr un arall, hwn eto a'r gwaed yn pistyllo o gwt uwchben ei lygad, a dyma'i osod yn llaw nyrs a oedd yno i'w drin a golchi'i glwyfau. Yr argraff a ges oedd fod yno lif cyson o rai'n dod; mae'n amlwg fod yr ardal yn gwbod am waith da'r ganolfan hon, ac yn sicr roedd yr heddlu'n gneud defnydd helaeth o'r lle. Wrth drin a thrafod gwaith y ganolfan a'r sefyllfa ar y Bowery, gofynnais iddo:

'Sut rai sy'n dod atoch?'

'Pob math,' meddai. 'Ma yma feddyg heddi; yn wir, mae e yma ers wythnosau. Rai dyddie'n ôl roedd yma seiceiatrydd—pan fydd hwnnw ar y sbri daw yma i'r Bowery a chysgu'n rwff. Y mae'r gwŷr proffesiynol yma; un o'r rhai sy'n gweithio gen i yw gŵr busnes o Wall St., un o ddynion trafod arian y farchnad arian. Aeth yntau yn sglyfaeth i'r botel, ond wedi'i adfer mynnai roi'i fywyd i geisio helpu eraill i orchfygu'r un drwg.'

'Faint o rai ar ddrygiau sy gyda chi?'

'Ma yma rai, bid siŵr, er mai 'chydig ydyn nhw. Alcoholiaeth yw'r broblem fwya ac ma cymdeithas yn amharod i gydnabod hynny.'

'Pam yr ŷch chi yma?'

'Wel, roedd gen i swydd dda mewn ardal hyfryd, ond ces fy herio gan gyfaill ryw ddiwrnod i ddod yma. Feddyliais i erioed y byddwn i'n dod i'r fath le ond ymhen tipyn fe dderbyniais y sialens ac yr ydw i'n falch fy mod wedi dod.'

Ymwelydd own i â'r Bowery a hynny liw dydd glân golau. Licwn i ddim cerdded y stryd wedi nos ond ma 'na rai sy'n gneud hynny ac yn gweithredu trugaredd. Er nad yw'r Bowery yn un o'r mannau y bydd twristiaid yn ymweld ag e, roedd treulio rhai oriau yno yn fwy gwerthfawr i mi nag ymweld â theatrau Broadway. Roedd yn brofiad ysgytwol nad anghofiaf mohono am dro, os byth.

Disgynnais i berfeddion y ddaear i gael y trên i'm dwyn yn ôl i'r Times

Square, ond allwn i lai na chofio am y rhai a welais, rhai a oedd wedi taro'r gwaelod a'u gobaith i ddod i wyneb haul a llygad goleuni yn bur wan, ac oni bai am waith rhai, fel y rheini y bûm i gyda hwy, ni ddeuent fyth o'r gwaelodion enbyd. Fe ddysgais y dyddiau hynny fod y gwaelod yn isel a garw a bod y ffordd sy'n arwain yno yn cychwyn mewn cartrefi digon parchus, mewn partïon reit swel. Byddwch ofalus rhag rhoi neb ar y ffordd sy'n arwain i'r Bowery.

(30 Mehefin, 1978)

Rhyw nefol rin

Wedi'r oedfa foreol, pawb yn troi i 'stafell enfawr i giniawa. Roedd cegin gyda'r gore yno a grŵp o wragedd wedi paratoi cinio i bawb, am bris rhesymol. Dewis o gig eidion i gig ffowlyn, neu bysgodyn. Ond cyfle oedd y cinio i seiadu, canys yr oeddynt yn byw mewn ardal lle'r oedd hi'n beryglus iddynt fynd mas, yn enwedig y rhai mewn oed,

205

a balch oeddynt o gael sgwrs a chyfeill-ach ar ôl yr oedfa. Dyna'r adeg i minnau gwrdd â theulu Paul Robeson a dod i wybod rhywbeth am yr eglwys hynod hon. Pan aeth John a Charles Wesle â Wesleaeth i'r Amerig aethant â'r drefn esgobol gyda nhw. Ceir esgobion hyd y dydd hwn yn eglwysi Wesleaidd America. Ond eglwysi'r dynion gwynion, y rhai a brynai gaethion, oeddynt, a doedd dim lle o gwbl i'r caethion yn y gwasanaethau. Caent fod ar y cyrion a dim pellach na hynny. Aethant yn anniddig am na chaent berthyn fel cyflawn aelodau a thorri mas fu'r hanes a ffurfio eglwysi duon—a dyna'r esbon-iad ar yr *African* yn nheitl yr eglwys, a'r *mother* yw'r ffaith mai hi oedd y fam eglwys yn nhalaith Efrog Newydd. Fe'i sefydlwyd yn y flwyddyn 1796, ac ma stori ei hanes cynnar yn wefreiddiol oherwydd fe gostiodd yn ddrud i'r arloeswyr. Heddiw mae yno chwe mil a hanner o aelodau. Gofynnais i'r pen gweinidog yn ystod cinio:

'Dwedwch wrtho i, oech chi'n 'nabod pob un a oedd yna y bore 'ma?'

''Nabod nhw ... 'nabod nhw ... nag own, siŵr, ond rydw i yn gorfod cogio fy mod yn 'nabod pob un!'

Ma rhai ohonom ninnau wedi trio hynny, a chael ein dal, hefyd.

Ond fydd y pen gweinidog byth yn ymweld. Pregethu a gweinyddu yw ei dasg ef. Gŵr o Jamaica oedd y gweinidog ymweld. Pan own i yn 'stafell y gweinidog cyn i'r oedfa ddechre y bore Sul hwnnw dyma'r ffôn yn canu, a'r gweinidog ymweld yn ateb:

'Flin gen i glywed. Be yw'r trefniadau? Mi fyddaf yno mewn pryd. Ga i'ch enw a'ch cyfeiriad eto?'

Wedi iddo roi'r ffôn ar ei glustog, meddai, 'Does gen i ddim syniad pwy oedd hi.' Dyma fe'n holi'r lleill a wyddent am berson o'r enw fel-a'r-fel, yn byw yn y fan-a'r-fan. Hwythau yr un mor anwybodus ag e. Ond dyma beth yw gweinidog mewn cynulleidfa fawr; ma 'na elfen gref o ddieithrwch a dyna un gwerth arbennig a geid o gydginiawa wedi'r oedfa; roedd yn fwy na phryd o fwyd, yn gyfle i ddod i 'nabod pobol, i greu cymdeithas.

Ces gyfle i ga'l sgwrs hir â'r gweinidog hwn o Jamaica. Soniais wrtho fod llawer o'i gymrodyr ym Mhrydain. Gwyddai hynny, ac yr oedd yn 'nabod amryw. Wedi gorfod gadael oherwydd cyni economaidd, a dyna a'i gyrrodd yntau o'r wlad. Chwilio am fyd gwell a'i gael yn Harlem, o bobman.

Gofynnais iddo a oedd yn briod.

'Odw, ac ma gen i deulu mawr.'

'Faint sy gyda chi?'

'Deg!'

'Bachgen, bachgen, ma gyda chi rwbeth i'w 'neud.'

A dyma ei ateb (rwy'n ei roi yn ei eiriau a'i iaith e): *Genetically speaking I am the father of three, but we have fostered two here in Harlem and I have five back in Jamaica that I am responsible for.*

Dyna'r wladwriaeth les ymhlith y

duon. Os oes un o'r tylwyth mewn ffordd i helpu aelodau eraill o'r teulu, byddant yn gneud. Gall y ddolen berthynas fod yn denau iawn; yn wir, ar dro does dim perthynas o gwbl, ond bod un ohonynt yn cymryd rhywrai llai ffodus o dan ei adain. A dyma hwn yn gofalu am ddeg, a dim ond tri ohonynt yn blant iddo ef. Roedd digon o bregeth fan 'na. Edmygais ef. Soniodd na allai feddwl am ddychwelyd i'w wlad. Ni allai gynnal y teulu mawr yna gyda'r gyflog a gâi yno. Roedd bywyd yn frasach yn Efrog Newydd. Ond ni roddai'r argraff o gwbl ei fod yn cario baich; yn wir, 'cario'r groes a'i chyfri'n goron' a wnâi hwn ac yr oedd bod yn ei gwmni yn foddion gras.

Wedi'r seiadu a'r gwledda, troi i'r oedfa arbennig i gysegru'r organ newydd. Gwerth pedwar ugain mil o bunnoedd a mwy. Anferth o offeryn gyda phob math o stopiau anhygoel arni. Organydd proffesiynol llawn-amser yno gyda chôr hyfforddedig. I'r gwasanaeth hwn disgwylid yr esgob. Fe ddaeth. Nid gŵr ifanc mohono. Bu'n esgob am chwarter canrif. Eto yn ifanc ei ysbryd a'i osgo. Fe a bregethai. Pan ddwedaf na chlywais bregeth gyffelyb erioed, rwy'n dweud calon y gwir. Ni chlywais neb mor ddoniol. Roedd y gynulleidfa fawr, rhyw bum mil, yn chwerthin ei chalon hi gydag e. Pregethai ar y salm lle y sonnir am foli'r Arglwydd gyda'r gwahanol offerynnau cerdd:

'Roen ni yn arfer dawnsio yn yr eglwysi. Rown i yn lico hynny. Dydyn ni ddim yn gneud hynny nawr. Rhoddodd yr Arglwydd gorff i ni i'w foli gydag e.'

A dyna fe yn dechre dawnsio a neidio nôl a 'mlân ar draws y llwyfan a gafael yn nwylo ambell weinidog digon afrosgo. Clymau o'r gynulleidfa yn dawnsio. Wedi gorffen dawnsio, dyma fe'n troi at y gynulleidfa a gofyn iddynt:

'Wyddoch chi be ddigwyddodd pan beidion ni â dawnsio yn y capeli?'

'Na-na-na,' meddai'r miloedd.

'Weda i wrthoch chi ... Fe dda'th rhiwmatoid arthreitis i mewn.' Chwerthin braf, curo dwylo a phob tad-cu a mam-gu yn y gynulleidfa ar eu tra'd ac yn dawnsio yn egnïol er mwyn dangos nad oen nhw wedi ca'l y dolur corfforol-ysbrydol yna.

Ie ... tair awr o wasanaeth, a diflannodd yr oriau. Welais i neb yn edrych ar ei watsh. Doedd neb. Ise rhagor oedd y mwyafrif oherwydd pan berfformiai'r côr neu unigolyn caent eu galw eilwaith.

Erbyn i mi droi yn ôl i'm llety roedd yn hwyr. Doedd yr un goes odanaf. Nac oedd wir. Down i ddim yn gwybod be oedd wedi fy nharo. Pentecost arall a minnau yn llawn o win melys. Beth bynnag oedd e, rwy'n ddiolchgar amdano. Dyna'r rhagluniaeth y soniais amdani, y ffaith fod y gweinidog hwn wedi cymryd fy nhrefniadau i o'm dwylo a gneud trefniadau ar fy nghyfer. Pa ymchwil bynnag a wnes ar Paul Robeson, ac fe ges lot o ddeunydd, bu'r Sul yna yn fwy o help i mi dreiddio i'r adnabyddiaeth ohono ef a'i gefndir na'r un dim arall. Fe'i gwelais. Ces yr allwedd i'r hyn a'i gwnaeth, a does ond gobeithio yn awr y bydd y wefr yn para yn ystod misoedd yr ysgrifennu. Ni chadd neb fwy na gwell ysbrydiaeth.

Rhaid oedd fod rhagluniaeth ddistaw,
Rhaid oedd fod rhyw arfaeth gref.

(14 Gorffennaf, 1978)

Map

Daeth yn becyn teidi y dydd o'r blaen. Hir a maith fu'r siwrnai, dros bum mlynedd ar hugain. Mater o ddamwain, cyd-ddigwyddiad, lwc, neu ba esboniad bynnag a fynnoch chi, yw ei fod yma. Fel hyn y bu hi. Bwrw'r Sul own i yn Southboro, gerllaw Boston, yn America. Daeth gŵr y tŷ â map i mi.

'Wyddoch chi rywbeth am hwn?' gofynnodd.

Gwyddwn, bid siŵr. Map o Ogledd Cymru, ordnans syrfei gyda'r manylrwydd arferol, yn cynnwys hefyd y darnau o Loegr sy'n ffinio â Chanolbarth Cymru.

'Map o Ogledd Cymru yw e,' meddwn.

'Ie, ie, ond ma rhagor na hynna yn perthyn iddo. Sylwoch chi ar yr Almaeneg?' Ac yn wir dyna lle'r oedd yr allweddau a'r cyfarwyddiadau i gyd yn iaith yr Almaenwr. 'Ma stori o'r tu ôl i hwnna. Pan ewch chi i Utica gofynnwch i 'Nhad amdani.'

Felly y bu. Rown i'n awyddus i gael gwybod hynt a helynt y map. Holais John Mawddwy Jones—hynafgwr o Ddinas Mawddwy—a dreuliodd ei oes yn America. Gŵr â chof aruthrol a gwybodaeth werthfawr am Gymry Utica a'r cylch. Pan holais i e, doedd e ddim yn cofio hanes y map, ond un diwrnod dyma fe ar y ffôn: 'Dreifyr Stanley Evans oedd hwnna ac ma'r stori gen i rŵan.'

Ond i ddechre yn y dechre. Aeth un o hynafiaid Stanley Evans, a enwais yn

213

barod, gŵr o'r enw Robert Evans, mas i Utica. Dianc a wnaeth. Roedd wedi listio mewn rhyw gangen wirfoddol o'r fyddin pan oedd yn llanc ar y fferm ym mro ei fagu, Dinas Mawddwy. Torrodd rhyfel y Boer mas ac yr oedd cryn wrthwynebiad iddo. Galwodd yr heddlu heibio i'w rybuddio ei bod hi'n ddigon posibl y byddai'r fyddin yn galw am ei wasanaeth llawn-amser yn fuan. Ac yntau yn dyrnu ar un o'r ffermydd cyfagos daeth y plismon heibio a dweud wrtho am ddod. Aeth yntau o'r ydlan a dwedodd wrth y plismon fod yn rhaid iddo fynd i newid a thacluso a ffarwelio â'i rieni. Fe'i gwelai ymhen hyn-a-hyn yn y fan-a'r-fan.

Caniatawyd iddo 'neud a geisiodd gan y plismon caredig, os diniwed. Wrth gwrs, sefyll a disgwyl fu hanes y plismon! Gwadnodd Robert Evans hi. Bu chwilio dygn amdano ond methwyd â'i dinced. Ym Manceinion yr oedd. Cafodd lety y drws nesaf i orsaf yr heddlu yno, a'r bobol drws nesaf yn

214

chwilio amdano ym mhobman ac yntau o dan eu trwynau! Wedi treulio rhyw flwyddyn, fwy neu lai, yno, penderfynodd droi i'r Amerig. Roedd cymaint o'i gydnabod wedi croesi'r Iwerydd a diau eu bod yn cynnig lloches iddo. Aeth i Utica. Yno y bu yn fawr ei barch a selog ei gyfraniad i'r bywyd Cymreig a'r capel. Nawr ŵyr iddo, os da y cofiaf, yw'r Stanley Evans a enwais. Cyn y rhyfel roedd Stanley Evans yn amlwg iawn gyda gwleidyddiaeth yn ei fro. Cefnogai'r Ripyblicanod. Yn rhyfedd, 'chydig o Gymry sy'n cefnogi'r Democratiaid. Cafodd swyddi o bwys. Yna daeth y rhyfel i dorri ar bopeth ac yn wahanol i'w daid aeth e i'r fyddin. Fe'i dyrchafwyd yn uchel swyddog. Roedd yn rhan o'r frwydr fawr derfynol o gwmpas y Rhein. Bu brwydro caled a cholledus. Ryw ddiwrnod daliodd ei adran ef nifer o garcharorion Almaenig. Gan mai Stanley Evans oedd y prif swyddog, ei gyfrifoldeb e oedd chwilio pac a pherson y rhain. Roedd swyddog

215

Almaenig amal ei fedalau a'i rubanau yn un o'r rhai a fachwyd a bu raid mynd trwy'i bethe yntau. Wrth 'neud hynny cafodd Stanley Evans afael ar fap. Wrth gwrs, ma map yn rhan o arfogaeth pob swyddog o filwr. Byddech yn disgwyl mai map o'r darn lle y brwydrent ar y pryd a gariai, ond na, dim o'r fath beth. Map o Gymru oedd ganddo. Ni allai'r swyddog Americanaidd hwn o dras Cymreig ddeall pam fod y swyddog Almaenig yn cario map o Gymru. Syll-odd yn fanwl arno; yr oedd yn gyfar-wydd â darnau ohono. Onid oedd ei daid wedi bod yn sôn gyda chariad a brwdfrydedd am Gwm Cowlyd a Cher-ist a Bwlch y Groes? Cofiai yn dda ymweld â'r lle, mangre ei wreiddiau yntau, yng nghwmni ei deulu. Ond a oedd hwn yn hanu o Ddinas Mawddwy fel yntau? Tybed a oedd taid hwn wedi cilio i'r Almaen? Beth oedd y rheswm, tybed? Ceisiodd ei holi, ond tawedog iawn ydoedd. Onid oeddynt wedi'u dysgu i beidio â dweud dim, ac ni allai

216

uchel swyddog o fyddin y Führer lai na pharchu yr hyn a ddysgwyd iddo. Ond o'r diwedd ac o dipyn i beth fe eglurodd hanes y map. Roedd wedi bod yn ei gario ers tro, oherwydd bod yr Almaen wedi gobeithio goresgyn a darostwng Lloegr a Chymru. Yn wir, pe baent wedi croesi adeg Dunkirk byddem wedi cwympo fel pellen. Ond trwy ryw ryfedd wyrth ni ddaethent. Pe baent wedi dod byddai hwn wedi cyfeirio'i gamre am Gymru, ac efe, mae'n debyg, fyddai'n gyfrifol am arolygu y darn o Gymru a geid ar y map. Ond druan ag e, ddaeth e ddim i Gymru, ac yr oedd ar fin colli ei wlad ei hun pan ddaliwyd e a'r map arno.

Dychwelodd Stanley Evans i Utica a chael swyddi bras eto. Bu'n bost-feistr Utica; swydd wleidyddol yw hon, a chan ei fod yn Ripyblicanwr teyrngar, natur-iol oedd iddo gael ei ddyrchafu. Hefyd, wedi i Eisenhower ddod yn Arlywydd cofiodd am y rhai a fu'n aelodau o'i fyddin yn Ewrop, ac am fod Stanley

Evans yn meddwl cymaint o'r Arlywydd fe enwodd fab ar ei ôl, ac ma hwnnw, Dwight, yn bwrw'r haf ym mro ei gyndeidiau, yn ôl a ddeallaf. Ma lot o bethe yn mynd trwy feddwl rhywun, y gwahaniaeth rhwng Robert Evans a Stanley Evans, y cyntaf yn dianc o grafangau'r fyddin a'r llall yn rhyfelwr brwd. Tipyn o radicaliaeth iach bro ei eni yn un, a'r radicaliaeth honno wedi diffodd yn llwyr erbyn cyrraedd yr ŵyr. Ma hynna'n wir iawn am y rhan fwyaf o Gymry America. Hyd yn oed pobol Llanbrynmair.

Ond y map. Byddaf yn ca'l cip arno yn awr ac yn y man. I feddwl fod Almaenwr wedi bodio hwn yn obeithiol a gweld darn o'r Gymru Gymraeg fel rhan o'i deyrnas. Be fyddai wedi dig-wydd pe byddai wedi dod? A fyddai'r Almaenwr yn waeth i'r Cymry nag yw'r Sais? Ni ellir ateb. Ond ma un peth yn siŵr, map yw hwn o freuddwyd gobeithiol yr Almaen a'r Almaenwr, ac fe'i cafwyd yn ei bac. Bu'n ei gario drwy

218

ddyfroedd a thân am flynyddoedd. Pan chwilir ein pac ninnau, faint o fapiau a geir arnom a'r rheini yn dystiolaeth i ninnau freuddwydio, a gobeithio, ond inni fethu gwireddu'r freuddwyd. Nid y cyflawni breuddwydion sy'n bwysig ond y dystiolaeth inni freuddwydio breuddwydion. Faint ohonom sy'n cario map o Gymru rydd ym mhoced ein calon? Faint ohonom sy'n cario map Tywysog Tangnefedd arnom ac yn gobeithio gweld Hwnnw yn cael ei droed ar ddaear ein gwlad a ninnau yn cael rhan yn ei deyrnas? Pa fap sy yn ein poced?

(21 Gorffennaf, 1978)

Trafod

Clywed fod capel Llwynpiod, fel bob blwyddyn, wrthi yn paratoi ar gyfer y cwis llyfrau. Deunaw yn darllen, a hynny mewn eglwys o ryw ddeugain o aelodau. Pe bai hynna yn digwydd drwy'r sir, byddai'n adfywiad, yn ddiwygiad, yn hwb sylweddol i'r diwylliant Cymraeg, ym mhob ystyr. Rwy'n eu gweld wrthi yn awr, oherwydd fe ges flas o'r peth fy hun. Y capten yw Marie Jâms egnïol o Langeitho, a phe ceid dwsin o rai tebyg iddi hi byddai gwedd a chymeriad ardal yn newid. Ond ma gyda hi dîm da—peryglus, falle, yw'r gair. Odych chi'n 'nabod Ifan Merfyn? Wedi ca'l ei gap fel cwisiwr gryn ddwsin o weithiau, yn wir, mae e fel Gareth Edwards; ar ôl ennill ei gap chollodd e mohono wedyn. Ac ma fe yn y tîm 'leni 'to. Dim sôn am riteiro, a gwerthu ei stori i'r *News of the World!* Yr unig bosibilrwydd iddo golli ei gap yw drwy iddo ferwi nos y cwis a hwythu'r top i ffwrdd. Nid dyna'r tro cynta! Ond ma gwaith ardderchog yn cael ei wneud a phobol na fyddai yn darllen llyfrau Cymraeg yn mynd i'r afael â nhw. Fe welais hyn yn glir mewn dosbarthiadau trafod llyfrau.

'Odych chi wedi darllen y llyfr-a'r-llyfr?'

'Do, chi'n cofio roedd e yn un o

lyfre'r cwis ddwy flynedd yn ôl.'

A dyna gyfle i mi droi at y dosbarth-iadau trafod llyfrau. Rydw i ise dweud nawr mai dyna'r peth a fwynheais i fwyaf pan own i yn weinidog yn Llan-ddewibrefi, Llwynpiod a Blaenpennal. Tri dosbarth gwahanol, ond y tri yn seiadau cyfoethog. Nodyn o dristwch yw'r cynta sy gen i. Bydd rhai aelodau yn eisiau. Nansi Lloyd o ddosbarth Llanio a Llwynpiod. Un dda oedd Nansi, un ddiwylliedig, wedi darllen yn helaeth a gwir ddiddordeb ganddi mewn darllen. Deuai ar y ffôn, yn awr ac yn y man, a gofyn, 'Odych chi wedi gweld y llyfr-a'r-llyfr?' Hi wedi ca'l blas anghyff-redin arno ac yn ei gymeradwyo fel un y dylwn ei ddarllen. Wrth gwrs, gwnaeth waith canmoladwy fel athrawes ar ddos-barth yn 'Sgoldy Llanio. Roedd y lle yn agos at ei chalon a hithe yn agos at galon y lle. Mae'n sobor o chwith meddwl na fydd hi yno. Gwyddom i gyd i anghaffael enbyd afael ynddi, ac na allai ddweud gair. Er hynny fe allai

221

siarad â'i llygaid. Rwy'n falch i mi ei 'nabod a chael o'i chyfraniad yn y dosbarth.

Arbrofwyd ychydig gyda'r dosbarth yna drwy fynd o aelwyd i aelwyd. Bu croeso'r gwahanol aelwydydd yn rhyfeddol. Nid oedd prinder lle i'n derbyn, a dyna hyfryd oedd cwrdd mewn lle cyfforddus. Tanllwyth o dân! Sôn am y tri llanc yn y ffwrn dân, bûm i mewn amryw! Ma bochau fy mhen-ôl yn gwrido y funud yma wrth feddwl am dân Henblas, Caer Llanio, Ystrad Dewi, Tre-waun, Afallon a'r Post Offis yn Llangeitho. Ces y chwysad fwya teidi a gafodd neb erioed wrth geisio arwain y dosbarth a throi cefn at y tân. Ond bu seiadu brwd, doedd oriau ddim yn cyfri; aeth yn ddeg o'r gloch lawer tro, a digon o awydd i fynd ymlaen. Rwy'n siŵr fod gwerth yn y dull yma. Adfer cymdeithas i'r aelwyd, dod â llyfr a thrafod llyfr yn ôl i'r aelwyd, gneud yr aelwydydd yn gynheiliaid y diwylliant Cymraeg. Diolch i bobol hynaws yr ardal am gydweithrediad parod i arbrofi. Byddaf yn gweld eisiau'r gwmnïaeth, heb sôn am y cacs bach bendigedig! Hwyl iddyn nhw y gaea' nesa.

Dosbarth newydd oedd un Blaenpennal i mi. Dod ynghyd i festri Blaenpennal a wneid a'r patriarch o Flaenafon, B. T. Hopkins, yno bob amser, a'i arafwch, ys dywed yr ysgrythur, 'yn hysbys i bob dyn'. Er mai esgor ar eiriau y bydde fe, roedd hi'n werth disgwyl wrtho, canys diferai doethineb a deall o'i feddwl praff. A'i wraig, 'na chi fwrlwm; hi yn pefrio o hiwmor a gwybodaeth am arferion cefen gwlad, wrth ei bodd yn dyfynnu ambell bennill talcen slip neu ddywediad. O bosibl i ni chwerthin mwy yn y dosbarth yna na'r un arall. Un noson roedd hi'n reiat ffêr, ac ma ca'l chwerthin yn donic, onid yw? Cofio am eu ffyddlondeb wnaf, yno yn gryno bob tro. Rown i wedi gobeithio mynd â hwnnw o dŷ i dŷ hefyd, ond nid felly y bu. Sialens i arall yw hynny.

Roedd dosbarth yn Llanddewi cyn i

mi gyrraedd. Eto, nodyn o dristwch i ddechrau. Collwyd un o'r aelodau mwyaf ffyddlon, y diweddar Arthur Davies, prifathro'r ysgol leol. Un tawel, ofnus oedd e, eto yn siŵr o'i fater a phan oedd galw am hynny gallai sefyll ei dir yn go gry'. Gwnâi gyfraniad da. Roedd hi'n rhyfedd ei hebrwng cyn gadael y pentre, ac yntau ond ifanc. Bu'n gyfaill triw i mi a rhannodd amal i gyfrinach â ni yn y Mans.

Ond dosbarth pryfoclyd a gaech chi yn Llanddewi, bois yn lico tynnu'ch coes, a phan dwymai John Thomas, y Pebyll, a'i lais yn codi octef neu ddwy, gallech fod yn sicr o noson gynhyrfus! Mi fydda i'n cofio Gordon Jones, y Pant, y chwalwr delwau, os bu un erioed, yn fy chwalu innau yn gyrbibion mân, fwy nag unwaith! Popeth yn dda. Gŵr o'r un anian oedd ei frawd o'r Felin, Bertie, a J. T., Penlan-wen, a Ieuan y Llwyn. Roedd digon o ddeunydd trafodaeth fywiog a threidd-gar fan'na a digon o liw gwleidyddol

gwahanol i roi cyffro ym mhob traf-
odaeth. Dydw i ddim wedi enwi pob un,
bid siŵr, ond ysgrifennydd y dosbarth
am flynyddoedd oedd Jenkin Jones. Ma
Jenkin wedi cario cyfrifoldeb am lot o
bethe yn yr ardal, a mawr yw diolch y
pentre iddo. Yn sicr, rydw i'n cydnabod
fy nyled yn agored. Ma pawb ohonom
yn dymuno'r gorau i Megan★, ei briod,
hithau wedi cael cyfnod anodd, ond un
a ymdreuliodd i wasanaethu yr ardal a'r
capel, a'r plant yn dwlu arni a hithau yn
fedrus gyda nhw. Pwy a anghofia ei
phartïon cerdd dant hi? Does ond
gobeithio y bydd ei bysedd ar y tannau
yn fuan ac y bydd ei chân yn atseinio fel
cynt. Ni all Llanddewibrefi fod heb
gyfraniad dihafal Megan.

Yn olaf heddiw, un o feibion 'Sgoldy
Llanio, Alun R. Edwards, cyn-Lyfrgell-
ydd Dyfed, a ddechreuodd y cwisiau a'r
cylchoedd trafod. Deallaf fod Rhaglen
Ddiwylliant Dyfed eleni yr un mor
gyfoethog ag arfer. Ni welais gopi eto.
Gobeithio y caiff gefnogaeth, fe a'i

gydweithwyr. Ma maes gwerthfawr wedi ei osod, ac o 'neud rhai o'r pethau a gynhwysir, cewch oriau o ddiddanwch a diwylliant.

Deuthum i o'r ardal yn gyfoethocach am imi gael treulio nosweithiau yn y cwisiau a'r dosbarthiadau trafod, ac mi fyddaf yn gwenu yn amal wrth alw i gof rai o'r pethe a ddywedwyd, a bydd sylw neu ddau o eiddo Dan Evans, Caer Llanio, yn aros am byth. Deuai perlau o fannau annisgwyl ar dro, ac yn y gymdeithas glòs toddai pob un a ffrydiai'r sylwadau yn fwrlwm. Cadw trefn arnyn nhw oedd y gamp! A champ go fawr oedd hynny!

★Bu farw'n ifanc, ysywaeth (gw. t. 262).

(20 Hydref, 1978)

Griff

Pan es i'r Betws roedd yno gawod o blant. Tipyn o grafu pen a chwysu oedd hi wrth feddwl a pharatoi at Gorlan y Plant. Diolch i'r helpwyr am bob help tra derbyniol. Rhaid oedd gwrando adnodau. Ces gyfieithiadau newydd sbon, megis 'Mor hawddgar yw dy bibell di!'

'Oes gen ti adnod?' meddwn wrth un a fynnai fod yn y sedd gyda'i fam.

'Oes.'

'Reit te, gad inni ei chael hi.'

'Mae gen i iâr a cheiliog
A brynais ar ddydd Iau,
Mae'r iâr yn dodwy wy bob dydd
A'r ceiliog yn dodwy dau.'

Chwerthin harti. Oedfa fythgofiadwy! Ond cafwyd dameg i ddweud gair neu ddau arni.

'Yn gynta, sylwch, ma'r gwryw yn rhagori ar y fenyw. Nid fel 'na ma hi yn y capel. Yn ail, ma'n nhw'n dodwy yn rheolaidd; rhyw ddodwy yn awr ac yn y man y bydd lot o'r saint. Yn drydydd, yn gwneud be allan nhw. 'Na raen fydde ar ein capeli pe bai pob un yn gneud be fedre fe.'

Diolch am yr adnod newydd a'r ddameg ystyrlon. O enau plant bychain!

Un bore Sul, thema Corlan y Plant oedd Arch Noa. Yn ystod y siarad â'r plant gofynnais gwestiwn, wel, twp yw'r union air i'w ddisgrifio:

'Pam oen nhw yn mynd i'r arch bob yn ddau a dau?'

Llaw lan ar unwaith.

'Ie, pam?'

'I ga'l rhai bach, siŵr o fod.'

Doedd dim rhagor i'w ddweud ar y pen yna!

Roedd y crwt a roddodd yr ateb yn un hoffus, gwreiddiol. Aem yr adeg honno i wersylla am ryw gyfnod i Lanmadog bob haf. Un pnawn sylwem ar hwn ar y twmpathau tywod, ys dywed Llwyd o'r Bryn, fel 'pecinî yn pacio nôl'. Wrth ddynesu ato gwelem fod camera yn ei law.

'Be wyt ti'n drio'i 'neud, dwed?'

'Tynnu llun 'y nghysgod.'

Drioch chi 'neud hynny o gwbl?

Ymhen tipyn cefnwyd ar y Betws a throi am Aberystwyth. Caem ambell bwt o hanes am hwn ac arall, a chlywed fod hwn yn arolygwr Ysgol Sul, ond ei fod yn hoffi hefyd gwmni tra gwahanol. Ryw noson, nos Wener oedd hi, ninne wedi bod i lawr yn hwyr. Ganol nos dyma gloch drws y ffrynt yn canu. Mynd yn dawel at y drws a'i gilagor. Yno roedd gŵr barfog. Drwy ei wisgers, meddai, 'Rydw i yn aros yma heno.'

'Nabyddes e.

'Ti J. sy 'na ... o ble dest ti?'

'O Rydaman ... ise'ch gweld chi'ch dou.'

'Dere miwn.' Igam-ogamodd ei ffordd i'r lolfa.

'Shwt dest ti?'

'Car.'

'Car ... bachan, odi'r car yn gyfan?'

'Odi, ond fe fues bron â mynd i bont lawr fan'na.' (Pont Llanfarian oedd honno.)

'Wyt ti wedi ca'l bwyd?'

'Na, dydw i ddim ise bwyd. Fe fues yn yfed yn Nhalyllychau.'

Ni chysgwyd fawr y noson honno. Siarad, trafod, ceisio chwilio ffordd i helpu'r crwtyn a oedd mor annwyl yn ein golwg, a'r cof am ei dad a'i fam hyfryd yn brathu calon.

Aeth i'w wely ond pan gododd cyfogai'n gyson ac ni allai edrych ar fwyd.

Ceisiwyd ei helpu a chafodd amryw o ffrindiau da tua'r Betws. Ond fe'i lladdwyd gan y ddiod yn ifanc iawn ac ma tristwch yn fy nghalon o hyd, ac yng nghalon llawer o'i gydnabod.

Yn fy naïfrwydd tybiais mai eithriad oedd e. Yn wir, fe oedd y cynta o'i fath imi ei 'nabod. Eithriad, yn wir. Ymhen rhyw ddwy flynedd, bydd un filiwn o alcoholics yn y wlad 'ma. Mae'r nifer yn cynyddu'n gyson, yn enwedig ymhlith gwragedd a ieuenctid. Ac am bob un y gwyddom amdano y mae pedwar sy'n cuddio'r trwbwl. Nawr gwnewch sym, faint oedd y boen i rieni a thylwyth y crwt o'r Betws ac i'w ffrindiau, ac iddo ef ei hun? Yna lluosogwch hwnnw bum miliwn o weithiau a dyna chi yng nghanol glyn gofidiau. A'r cyfan yn ddi-alw-amdano. Onid oes digon o

ddioddefaint yn yr hen fyd yma heb inni
ddwyn gofid arnom ein hunain ac ar ein
hanwyliaid?

(27 Hydref, 1978)

Cyffes*

Rwy'n cyfadde fod gen i 'record'.
Lleddais fwy nag a gwympodd yn
    rhyfeloedd mynych y byd.
Trois ddynion hawdd-eu-trin yn rhai
    milain.
Gwnes filoedd o gartrefi yn anhapus.
Diffoddais yr uchelgais eirias yn enaid
    llawer llanc
A'i droi'n adyn diwerth.
Llwyddais i lyfnhau y goriwaered
A'i droi'n llithrigfa slic i filiynau.
Gwnes y gwan yn wannach,
A 'darostwng cewri cedyrn fyrdd i lawr'.
Gwnes y doeth yn annoeth
A gyrrais y ffôl yn ddyfnach i'w
    ffolineb.
Denais a rhwydais y diniwed;
Gŵyr y wraig a adawyd amdanaf,
A'r rhai a giciwyd yn gleisiau.

Teimlodd y truan diymadferth ergyd fy
  nwrn,
A thrywanodd fy rhegfeydd lawer enaid
  sensitif.
Es â bara o enau'r plant
A'u gadael yn newynog.
Mae'r rhieni hen-cyn-pryd gan ofid a
  phoen
Yn fy 'nabod yn dda;
Fy nhawch oedd eu hanaesthetig nosol.
Medais y miliynau.
Pladuriaf filiynau eto.
Ma gen i ddigon o help.
A chaf bob hwylustod i wneud a fynnaf,
Gan sedd fawr a sedd gefn,
Gan senedd a sasiwn,
Gan y sgrîn fach a'r sinema,
Gan barti 'Dolig a dathlu.
Ma gen i lawer o ffrindiau dylanwadol,
Ac ychydig o elynion diymadferth.
Fy enw yw *ALCOHOL.*
IECHYD DA i'r achos dirwestol!

(3 Tachwedd, 1978)

*(Nid yw'r syniad yn wreiddiol ond y mae'r
wisg.)

Rhodd werthfawr

'Cwpwl o lyfrau a fydd yn ddefnydd-iol i chi,' meddai'r cyfaill caredig wrthyf, gan estyn i mi becyn wedi ei lapio mewn cwdyn gwyn. Nid oedd amser i agor y pecyn ar y pryd. Aeth rhai dyddiau heibio cyn i mi gael cyfle i 'neud hynny. Y fath bresant annisgwyl! Llyfr yn eu plith yr own i wedi bod yn chwilio amdano ers tro. Ei fodio'n awchus. Ond yr wyneb ddalen yn bres-ant, ac yn drysor. Wedi'i 'sgrifennu yno ceir hyn: 'Parch. W. M. Rees, Pont-yberem, derbyniwyd oddi wrth y Dr. E. K. Jones'. Dyna ddau enw gwerth eu cael ar glawr unrhyw lyfr. Gweinidog gyda'r Bedyddwyr yng Nghefn-mawr, Wrecsam, oedd y Dr. E. K. Jones, un o weinidogion amlycaf ei enwad yn ei ddydd ac yn amlwg iawn gyda'r mudiad heddwch yn ystod y Rhyfel Byd Cyntaf, fe a chymydog iddo, sef yr emynydd H. Cernyw Williams. Buont yn ymladd-wyr glew o blaid dirwest a moes, ac fe 'sgrifennodd E. K. Jones amryw o lyfrau ar y pwnc. Clywed ei enw wnes i; ni chefais mo'r fraint o'i 'nabod na'i glywed. Ond am W. M. Rees, rown i yn ei 'nabod e'n dda. Gallaf fwy neu lai honni i mi fod yn gymydog iddo, fe ym Mhontyberem a minnau yn Rhydaman. Gŵr byr, wedi ei naddu'n ofalus. Cerddai fel pe bai baich ar ei ysgwydd—ac yr oedd, baich am gyflwr ei genedl. Heb os, bu'n apostol dirwest ac ni laesodd ei ddwylo hyd y diwedd. Deuai drwy'r post bob hydre becyn o lenyddiaeth, defnyddiau a gasglwyd gan W. M. Rees, amryw ohonynt wedi eu trosi i'r Gymraeg gydag e. Porthodd weinidogion yr efengyl yn gyson a mynnodd fod y dystiolaeth ddirwestol yn cael y lle dyladwy. Wrth gwrs, fe gofir amdano oherwydd ei frwydr fawr i gadw Cwm Gwendraeth rhag boddi. Hoffai frwydr neu hoffai frwydro, a deuai ei orau i'r wyneb pan amddiffynnai'i dreftadaeth. Rwy'n falch i mi gael ei 'nabod a chael tipyn o'i gwmni unplyg. Ac ma cael cyfrol sydd ag enw E. K. Jones a W. M. Rees arni yn werth tipyn i mi. Yna ma enw'r cyfaill a'i rhoddodd i mi, W. J. Griffiths, gyda'r nodyn eglurhaol hwn: 'Derbyniwyd oddi wrth W. M. Rees'. Felly y daeth y gyfrol a elwir *Jubili y Diwygiad Dirwestol yng Nghymru,* gan John Thomas, D. D., Liverpool, i mi. Fe'i trysoraf. Os oes cyfrol sy yn yr olyniaeth apostolaidd, wel ma hon. Gobeithio y gallaf fod yn deilwng o'r enwau glew sydd arni. E. K. Jones, W. M. Rees, a'r awdur John Thomas.

Trois yn naturiol at hanes tyfiant y mudiad dirwestol yn y De a dyma eiriau agoriadol y bennod:

'Nid wyf eto wedi crybwyll am y diwygiad dirwestol yn y De. Yn ddiweddarach y dechreuodd yno nag yn y Gogledd, ac arafach o lawer fu ei gynnydd. Ni ddaeth gweinidogion yr Efengyl allan mor gyffredinol o'i blaid, ac, fel y gallesid disgwyl, fel canlyniad naturiol, ni ddaeth yr eglwysi. Yr wyf yn tueddu i feddwl fod yr arferiad o ddiodydd meddwol mewn tai yn fwy

235

cyffredinol ym mysg amaethwyr yn y De na'r Gogledd, ac yn y gweithfeydd haiarn a glo edrychid arnynt fel anhebgorion i fynd trwy bob caledwaith. Pa fodd bynnag, y mae yn ffaith na chafodd Dirwest afael mor gyffredinol, ac na chynyddodd gyda'r fath gyflymder yn y De ag yn y Gogledd. Ychydig o gymdeithasau a sefydlwyd yn y De cyn diwedd 1836, a daw y rhai hynny o dan sylw wrth gymryd y siroedd o un i un. Dechreuaf gyda Sir Aberteifi.'

Aberystwyth sy'n cael y sylw blaenaf, a myn yr awdur mai agosrwydd Aberystwyth i'r gogledd sy'n cyfri fod mudiad dirwest wedi cydio yno—y gwreichion yn cyrraedd hyd atynt!

Sefydlwyd y gymdeithas yn Aberystwyth ym mis Hydref, 1836. Un o'r rhai cyntaf i ymuno oedd y Parchedig Edward Jones, gŵr y cafodd Ieuan Gwyllt beth trafferth gydag e; ond yr oedd yn un o apostolion dirwest ac efe a aeth i'r cwrdd hwnnw ym Mhen-llwyn pan lwyddodd i berswadio tad Ieuan Gwyllt i gefnu ar y ddiod a cherdded llwybr newydd. Yn dilyn sefydlu'r gym-deithas hon yn Aberystwyth sefydlwyd rhyw ugain o gymdeithasau lleol eraill. Y fath egni a brwdfrydedd, onid e? Dyma i chi restr o'r cylchoedd: Llanilar, Pen-llwyn, Aber-ffrwd, Ponterwyd, Pontrhydfendigaid, Tregaron, Llan-rhystud, Llan-non. Dyma i chi frawddeg:

'Roedd nifer y dirwestwyr o'r Eglwys-bach i Lanon ar Ionawr 14, 1837, yn 1,155. Gweinidog Tregaron oedd un o'r selogion sef y Parchedig Ebeneser Richard, tad y gŵr sy'n sefyll yn dalog ar ei bedestal ar y sgwâr hyd heddiw, Henry Richard. Bu yntau yn frwydrwr dygn yn ei ddydd, hefyd.'

'Dechreuwyd yn Llanilar, Tachwedd 2, 1836, er nad ymunodd ond naw y noson honno, ac mai i gydredeg â'r Gymdeithas Gymedroldeb y rhoddwyd hi ar y dechrau ond erbyn Ebrill 1837, yr oedd wedi llyncu y Gymdeithas Gymed-roldeb iddi ei hun. Erbyn Tachwedd 2, 1837, yr oedd y nifer yn 72. Cafwyd yno ŵyl fawr ar Ebrill 12 a 13, 1838, yn yr hon y noson gyntaf y pregethodd y Parchn. J. Saunders, Aberystwyth, a D. Williams, Llanidloes. Daeth Cymdeithas Aberystwyth a'r canghennau yno dan ganu, a bernid eu bod yn fil mewn nifer. Yr oedd Cymdeithasau Seion, Moriah, Cynon, Llanafan, Lledrod, Llangwyryfon, a Bethel, wedi dyfod yno hefyd, fel yr oedd ynghyd dyrfa fawr a'u caniadau yn dadseinio y fro.'

Roedd hi'n werth bod yn Llanilar y dwthwn hwnnw. Yn ôl y cyfri a ddaeth i'r ŵyl honno, yr oedd nifer y dirwestwyr yn y sir yn 20,000.

'Na chi le sych oedd Shir Aberteifi! Be weden nhw pe deuent yn ôl heddiw? Onid yw pethe wedi newid yn ddirfawr? Wrth weld ffigurau fel 'na y sylweddola rhywun faint y newid.

(10 Tachwedd, 1978)

Pwdin

Mae'r 'Dolig yn llond y lle. Coed goleuedig, tinsel, lanternau, stabal o glai gydag anifeiliaid disymud yn syllu ar faban nad oes angen lla'th arno. Ŵyn heb gyffro'r gwanwyn yn eu gwythiennau, a bugeiliaid na fedrent achub yr un ddafad golledig. Ie, 'Dolig fel 'na sy gyda ni ers tro bellach, un plastig, ac y mae'n fwy anodd chwilio'ch ffordd at y crud yn 1978 nag oedd hi ym Mhalesteina'r Iesu. Roedd gan y doethion fantais fawr; un seren a'u tywysai, a chadw llygad ar honno oedd y gofyn. Erbyn hyn, ma cymaint o sêr; galacsïau yn wincio ym mhob siop ac yn cymell eich tywys at y til i arllwys eich pwrs, a chwyddo coffrau gwŷr llygad-y-geiniog. Mae'r Mab Bach yn fusnes fawr a'r byd sy'n ddigon difeddwl ohono yn elwa yn fras ar ei gefen.

Pan es i archfarchnad y dydd o'r blaen, ces fy nharo yn syfrdan. Tebyg i mi weld golygfa debyg o'r blaen, ond fe ddaliodd fy llygaid, a bûm yn seso am sbel. Mynydd, a does yr un gair arall addas i ddisgrifio'r olygfa, mynydd uchel o bwdin 'Dolig a charfan o rai yn cloddio yn y mynydd hwn, a phob un yn dwyn ohono y nifer o fasneidiau a fynnai. Yn ôl yr ymosod arno byddai'r mynydd wedi diflannu cyn pen 'chydig o dro. Alla i ddim dweud dim da na drwg am y pwdin hwnnw. Ni phrofais mohono. Nid wyf yn debyg o 'neud hynny. Gwir fod cwmni cydnabyddedig wedi ei ferwi, os ma berwi a wneir yn awr. Ond ma pwdin 'Dolig yn orlawn o atgofion Nadoligaidd i mi. Gwir fod yna bethe eraill cysylltiedig â'r ŵyl—pluo a dwyn y corpysau i'r dre i'w gwerthu. Fel llawer peth arall, diflannodd yr arfer gymdeithasol honno. Ysywaeth, nid yr arfer yn unig a gollwyd ond i ble'r aeth y gwyddau? Roedd blas hyfryd ar ŵydd ifanc, yn gneud cinio 'Dolig yn ginio gwahanol. Fe'i disodlwyd gan y twrci diflas, ar y cyfan, ac ma hwnnw yn ca'l ei fwyta gydol y flwyddyn. Does dim sy'n arbennig ynglŷn ag e, ond ni chaech sleisen o ŵydd ond ar adeg y 'Dolig, a hynny mae'n siŵr yn cyfrannu at ei harbenigrwydd. Wedyn fe geid bîff tendar. Llew Rowlands yn mynd i'r farchnad bîff yn Llundain, prynu'r gore a cherdded y bwystfil porthiannus ar hyd strydoedd Aberystwyth am ddyddiau, yna cwlffe hyfryd ohono yn disgwyl amdanoch yn ffenestr ei siop. Da y cofiaf iddo anfon pecyn mawr ohono, ar ôl cau ei siop nos cyn 'Dolig, a Mam yn ei halltu. Bu'n gig bendigedig i ni am hydoedd, ac ni phrofwyd dim hyfrytach . . . a'i bris, ie, daliwch eich anadl, chwe cheiniog y pwys!

Ond crwydro oddi wrth fy nhestun a wnes. Ise sôn yr own i am y pwdin 'Dolig, nid yr un siop bondigrybwyll, ond yr un a baratoid gartref. Hyd y cofiaf roedd 'na led-baratoi am ddyddiau. Prynu defnyddiau ar ei gyfer, bid siŵr, yna cael cunnog fawr, cunnog bridd wedi'i pheintio yn ddu ar y gwaelod a rhyw liw coch ar y top, cunnog ddeuliw. Yna arllwys y blawd iddi, tywallt y cwrens a'r syltanas—'na bethe hyfryd oedd y rheini i'w scwlca. Llwyddem i ga'l dyrned neu ddau ohonynt. Ma Adda yn gry ym mhob un ohonom—ma bwyta'r ffrwyth gwaharddedig yn gryn demtasiwn i ni i gyd—a bachem ninnau hynny a fedrem o'r ffrwyth atyniadol ar y bwrdd. Byddai yno ryw stribedi a elwid yn 'candid pîl', neis sobor, yn wir teimlem mai piti oedd rhoi'r cyfryw yn y pwdin o gwbl a gofalem fod cyn lleied â phosib ohono yn mynd i'r trwyth. Cawsom lawer rhybudd i gadw ein bage mas a chael ein bygwth mai yn y gwely y byddem os na chadwem ymhell oddi wrth y defnyddiau ar fwrdd y gegin. Dydw i ddim yn cofio'r risêt, dim ond cofio llond y gunnog o ddefnyddiau yn cael eu cymysgu'n ofalus. Ond roedd yno un pecyn a apeliai, nid oherwydd ei gynnwys, ond oblegid y llun arno. 'Na beth od, dydw i ddim wedi gweld y cyfryw ers tro byd. Tebyg ei fod yntau wedi diflannu pan ddarganfuwyd rhywbeth synthetig yn ei le. Llun tarw Henffordd, un braf, un tew, un o'r goreuon oedd ar y pecyn, ac enw'r peth oedd *Atora beef suet*. Byddem yn casglu lluniau'r teirw fel yr oedd rhai yn casglu lluniau pêl-droedwyr ar gardiau sigarennau. Heb os, roedd e'n fwystfil pert, a'i gyfraniad i'r pwdin yn rhoi blas arno, mae'n siŵr.

Un rhan o'r broses oedd honna, rhan y gwragedd, ond ein bod ni'n tresbasu, weithiau. Yn y gegin allan roedd gweithgarwch mawr—ca'l y dŵr i ferwi yn y pair. Ers dyddiau buasai paratoi coed, torri bonion fel y gellid ca'l digon o danwydd i borthi'r tân gwancus, a phan ddeuai i'r berw y gamp wedyn oedd ei gadw i ferwi. Byddai'r pwdin erbyn hynny wedi ei lenwi i fasnis a gorchudd amdano, clwtyn gwyn, tebyg iawn i'r hyn a wisgir gan lawer o drigolion India a welir yn ein plith erbyn hyn. Ma twrban bob amser yn fy atgoffa i o'r clwtyn a wisgid am ben basned o bwdin 'Dolig. Yna bedydd trochiad i'r pwdin, ei ollwng yn dawel i eigion y pair berwedig. Cymylau o stêm yn codi. Y gegin allan yn llawn stêm, cymylau ohono yn dod i'ch cwrdd yn y drws. Dydw i ddim yn cofio am faint o oriau y câi ei ferwi. Yr argraff sy gen i yw ei fod yno am y rhan helaethaf o'r dydd, a bod galw cyson am roi coed ar y tân. Gyda'r nos wedi i'r tân droi'n farwydos, y stêm wedi cilio, a'r dŵr wedi gorffen ffrwtian, tynnid y pwdin o'r pair a'i gario'n barchus i'r llaethdy i oeri. Efallai y ceid tasto un basned cyn 'Dolig, 'chydig i brofi fod y peth yn llwyddiant, a digon i godi newyn o'i wâl erbyn y dydd pwysig. Yna fe'i rhoid, y rhan fwya, i hongian ar y bachau a fyddai'n dal y cig moch. Byddai ambell fasned yn tyfu wisgyrs llwyd, ond doedd e ddim gwaeth oblegid hynny; yn wir, tybiaf mai arwydd o aeddfedu oedd y cyfryw.

Mae'n siŵr fod y paratoi yn waith mawr i rywrai ac yn waith digon caled erbyn meddwl, ond roedd e'n rhan o ramant yr ŵyl. Un o'r seremonïau blynyddol a gyfrannai ryw hud arbennig i ŵyl y Nadolig. Dyw bachu basned o bwdin o fynydd o bwdin 'Dolig mewn archfarchnad ddim yr un peth, ac wrth gwrs, dyw'r tarw Henffordd ddim ynddo. Falle mai dyna'r rheswm pam fod y pwdin wedi dirywio!

Pethe fel 'na oedd yn gneud y Nadolig: pluo, ca'l *giblets* i swper—ac ar lawer ystyr roedd y rheini yn hyfrytach na chig yr ŵydd ddydd yr ŵyl—mynd i Benuwch-fach i gasglu digon o gelyn ac aeron cochion fel coconyts arnyn nhw, a chael cyflenwad digonol o bwdin a hwnnw yn para am fisoedd y tu hwnt i'r 'Dolig. Ie, pethe a wneid gartre. Trwy chwys ein talcen y caem ginio 'Dolig, a'r ymdrech yn rhan o'r disgwyl 'mlân am y profi.

Am ryw reswm mi fyddai'n well gen i, am unwaith, fy nghael fy hun mewn tŷ pair â'i lond o stêm a thân eirias o dan y pwdin nag mewn archfarchnad oleuedig a mynydd o bwdin wedi ei ferwi ymhell i fwrdd. Pwy sy'n gwybod be sy yn hwnnw? O leia fe wyddem ni am bob dim a aeth i'r gunnog, a gwybod am dipyn nad aeth yno hefyd.

(15 Rhagfyr, 1978)

A oes gobaith?

Dyw bore ddim yn ddigon o amser, o bell ffordd, i 'nabod neb. Yn wir, go brin y medrwch chi ddechre deall neb mewn cyn lleied o amser. Ma haenau go ddwfn yn llechu yng nghilfachau ein bod ac nid ar chwarae bach y gellir cloddio drwy'r parwydydd tewion, a rhaid aros am yr awr a'r funud y bydd y person yn barod i godi cwr y llen ar ei fywyd a'i feddyliau. Eto, wedi dweud hynna, mae'n wir i ddweud ein bod yn medru synhwyro rhyw bethau. Diau ei bod hi'n ddoeth inni aros am sbel cyn tynnu unrhyw gasgliadau ar bwys yr hyn a synhwyrwyd gennym. Peth ffôl yw neidio i gasgliadau sydyn. Gallant fod yn gwbl anghywir, eto, ar dro, gallant fod yn weddol agos ati.

246

Rhagymadrodd ydi hwnna i berson a groesodd fy llwybr am fore cwta yn unig. Gallaf ddweud rhai pethau: ei oedran yw pymtheg ar hugain, mae'n frodor o Went, wedi ei fagu ar gyrion Trefynwy, yn un o deulu mawr. Yn anffodus collwyd y fam yn gynnar, a'r tad, a oedd yn bregethwr lleyg gyda'r Wesleaid, yn gorfod teithio cryn bellter i'w waith, gyda'r canlyniad na châi'r cyfle angenrheidiol i fod gyda'i deulu. Felly dibynnai ar ei blant hynaf i gadw llygad ar y lleill. Clafychodd y tad yn gynnar a bu yntau farw pan oedd y cyfaill yma y soniaf amdano yn dair ar ddeg oed. Dyna chwalu'r teulu ac erbyn hyn maent ar hyd a lled y byd, a fawr o gysylltiad rhyngddynt. Cafodd hwn ei dderbyn i deulu arall, os deëllais i bethe'n iawn. Roedd gŵr y tŷ yn weinidog gyda'r Wesleaid, ond wedi ymddeol. Siaradai'n uchel amdanynt ond eto, pan oedd yn bymtheg oed, codi ei bac a wnaeth a'i mentro hi i'r byd mawr tu fas.

Dyw'r camau wedi hynny ddim yn gwbl glir na chywir, mi dybiaf, ond fe'i prentisiwyd fel plwmwr, ac y mae'n grefftwr hyfforddedig. Bu'n ennill arian mawr wrth ddilyn ei grefft. Ond llithro i'r twllwch mawr yn ôl a wnaeth wedi gadael ei rieni maeth, ac ymhen tipyn fe'i cafodd ei hun ym Mrynbuga yn y ganolfan i ddrwgweithredwyr. Roedd ymhlith y to cyntaf i fynd yno, a dwedodd fod y llywodraethwr wedi dweud wrthynt ar eu bore cyntaf y gallent eu cyfrif eu hunain yn lwcus, mai nhw oedd y sylfaenwyr! Cyfaddefai fod y lle hwnnw yn arw a'r driniaeth yn enbyd. Eto mae'n amlwg na ddysgodd fawr o ddim. Tyfodd ynddo glamp o atgasedd at gymdeithas, yn enwedig at yr heddlu, ac yr oedd e a'i bartneriaid yn benderfynol o dalu'r pwyth yn ôl pan gaent eu traed yn rhydd. Wrth gwrs, fel y gellwch ddychmygu, mae'r ddiod yn dod i mewn i'r stori. Ryw noson pan oedd ar feic modur gyda chyfaill iddo, aethant i'r wal a chael hefer o ddamwain. Mae'n syndod fod hwn yn fyw. Bu'n anymwybodol am tua thair wythnos yn yr ysbyty leol, ac oherwydd y ddamwain mae'n diodde o ffitie. Wel, o ddrwg i waeth yr aeth pethe. Bu yng ngharchar chwe gwaith, am gyfnodau byrion gan amlaf, ond am flwyddyn y tro diwetha a newydd ddod mas o'r carchar oedd e pan ddes i i'w 'nabod. Pe baech yn gwrando arno fe allech dyngu fod elfennau o sant ynddo. Cydnabyddai ei fod yn griminal a bod record ddrwg gydag e ond eto, teimlai iddo gael ei garcharu ar gam y tro diwetha. Roedd yn gweithio gyda chwmni o adeiladwyr ac yn ennill tua chan punt yr wythnos—fe a'i wraig yn byw yn fras a digon o arian yn cerdded. Ysywaeth, cafodd ddamwain fawr. Ni fedrodd weithio am flwyddyn. Golygai hynny fod yr arian dipyn yn llai—ond doedd y syched ddim mymryn llai. Roedd prinder bwyd yn y tŷ ac aeth e a'i bartnyr ryw noson ar sgowt o ddwyn. Rhywbeth fel deg punt ar hugain a gafwyd, ond oherwydd fod gydag e hanes o dorri i mewn a dwgyd, i lawr y cadd fynd am flwyddyn. Amddiffynnai ei weithred fel un gwbl deg—roedd yn rhaid iddo 'neud rhywbeth i fwydo a dilladu'i wraig a'i ddau blentyn. Erbyn hyn, a dyma asgwrn arall i'w bilo, mae ei wraig am gael ysgariad, ac yntau'n awyddus i fyw gyda hi a'r plant. Yn wir, mae'n dwlu ar ei wraig a'r ddau blentyn. Hawdd deall ei bod hi wedi cael digon; wedi'r cwbl dyw cerddetan yn ôl ac ymlaen i'r carchar yn fawr o fywyd iddi hi. Ond y mae e'n protestio am nad yw hi'n deall y rheswm pam y torrodd e i mewn i siop i ddwgyd. Er ei mwyn hi y gwnaeth hyn!

Dydw i ddim wedi dweud y cwbl. Un peth a wn, ac fe'i gwelais yn glir yn y cyfaill yma, ma rhai yn cychwyn ar y droed anghywir, siŵr o fod: colli ei fam, y teulu ar ddisberod, y tad yn ŵr caredig, Cristnogol, ond oherwydd y rhaid i ennill arian i gadw'i deulu yn methu'u gwarchod a'u bugeilio fel y dylai. Tybed a ddylai e fynd mas i bregethu ar y Sul o gwbl? Onid ei ddyletswydd Cristnogol oedd bod gyda'i deulu?

Gofyn y cwestiynau a wnaf a charwn i ddim gneud cam ag e. Yna chwalu'r teulu a'i osod gyda rhieni maeth a'i ddal mewn oed cynnar gan gwmni drwg. Roedd ei lwybr yn syth i'r carchar, er yn fore.

Fe ddaeth i'n tŷ ni y dydd o'r blaen. Dod i 'neud jobyn bach, nad oedd yn jobyn o gwbl, a dweud y gwir. Yr amcan oedd ceisio ei helpu trwy ddangos 'chydig o ymddiriedaeth ynddo, a chael sgwrs ag e. Amser cinio, a'r tri ohonom yn siarad ffwrdd-â-hi am hyn ac arall, dyma fe'n mynd i'w boced a thynnu Testament Newydd mas. Rown i wedi gweld yr union un o'r blaen. Rhodd oddi wrth y Gideoniaid oedd e, ac fe'i cafodd pan oedd yn y carchar.

'Dyma fy ffrind i yn awr,' meddai. Y ddau ohonom yn ciledrych ar ein gilydd.

'Ie, shwt buodd hi?'

'Fe ddaeth efengylydd i'r carchar am

wythnos; ymwelai â ni, pregethai hefyd, cynhaliai ddosbarthiadau Beiblaidd,ac fe es iddyn nhw, ac yn y cyfnod yna fe dderbyniais Iesu Grist, a dydw i ddim yr un dyn bellach.'

'Wel, ardderchog,' meddwn i, 'bydd y dyn newydd yn sicr o gael ei brofi yn fwy o'r tu fas na phan oech chi y tu mewn.'

'Eitha gwir ...' Gwelais gysgod o dristwch ar ei wyneb.

'Beth am y ddiod?'

'Dydw i ddim wedi cyffwrdd â dafan ers misoedd.' Roedd hynny'n wir oherwydd ni châi yn y carchar.

Bu gyda ni am oriau; ni allech ddymuno neb gwell yn y tŷ, yn gwrtais, yn fonheddig, yn ofalus gyda'r gwaith a wnâi, ac yn glanhau ar ei ôl. Ei sgwrs yn dda a gallai eich helpu i ddeall yr hyn sy'n gyrru rhywun fel fe oddi ar y llwybr cul. Eto, roedd un peth yn mynnu codi i'r wyneb, er na fynnem awgrymu hynny wrtho. Beth am y dröedigaeth yma? Odi hi yn 'jeniwin', ys dywed y diweddar Abiah Roderick? Wel, fedrech chi

'neud dim ond ei dderbyn ar ei air. Es
ag e yn ôl i'r cartre lle y mae ar hyn o
bryd, ac wrth ysgwyd llaw a dymuno'n
dda iddo, yn gwybod yn fy nghalon fod
gan y truan yma yfflon o frwydr ar ei
ddwylo. Tybed a oedd y Testament
Newydd yn mynd i'w gadw? Ein gweddi
yw mai felly y bydd hi, er ei fwyn e.

Fe'i gwelais ddydd Llun diwethaf.
Gallech dyngu ein bod yn hen ffrind-
iau!! Do, bu yn y capel ddydd Sul. Ces
air tawel gyda'r warden gan fy mod i'n
awyddus i gael gwybod be oedd e yn ei
'neud â'i ryddid newydd. Tybed a oedd
ei dröedigaeth honedig yn ei helpu?
Amheus oedd y warden: wedi clywed
pen gair iddo ddechre cerdded tafarne
eto ond doedd ganddo ddim tystiolaeth
bendant.

Y tristwch mawr yw hyn: y Nadolig,
Gŵyl y Geni a'r iachawdwriaeth fawr,
gŵyl yr ymaflyd mewn dyn ar y llawr,
honno o bob gŵyl yw'r demtasiwn eitha
iddo. Bydd môr o ddiod o'i gwmpas a
mynych gyfle iddo i dorri'i syched, ac

unwaith y digwydd hynny, dyna'i ddiwedd e. Byddai'n dda gwybod fod y Testament yn ei boced yn nerth yn ei galon ac y gall ddod drwy'r 'Dolig, er gwaetha pob Herod.

(29 Rhagfyr, 1978)

Pregethwyr Awst

Roedd Awst yn adeg i fwy nag un cynhaeaf. Gwir fod yr ysgubau aeddfed yn cael eu cario i glydwch y tŷ llafur a'r helem, ac ar ryw ystyr dyna'r cynhaeaf pwysicaf yn Awst. Eto roedd Wil Penuwch-fach ers tro byd—yn wir, ers blynyddoedd fel y gwelais yn ei lyfyr bach fwy nag unwaith—wedi casglu pregethwyr o bell i bregethu yng Nghynon yn ystod Suliau Awst. Y dyddiau hynny roedd llond Aberystwyth o bregethwyr ar wyliau,neu felly y meddyliem. Y lluoedd a godwyd yng ngogledd Aberteifi—a chodwyd to ar ôl to—a'r rheini yn ei bwrw hi bant i'r

Sowth, gan amla, i weinidogaethu, ac yn falch o'r cyfle i ddychwelyd i'w henfro am wyliau Awst. Roedd gyda ni bictiwr arbennig o'r Sowth o flaen llygad ein meddwl, pictiwr yr oedd llawer wedi cyfrannu tipyn o liw iddo; heb os, roedd capeli mawr yn y Sowth a fydde capeli fel 'ny ddim yn meddwl gwahodd neb ond rhywun ac ynddo addewid, o leia, y deuai yn bregethwr o fri. Ac y mae'r co' sy gen i am y rhai a ddeuai yn go' hapus iawn. Ces lyfr gan William Davies, Heol Crwys, llyfr ar hanes Cymru, gyda'r anogaeth i'w ddarllen a'i fyfyrio. Mae'n wir i ddweud mai bechgyn a rhyw gysylltiad â'r fro a gâi ddod, a hynny am fod teulu a thylwyth yn falch o'r cyfle i'w clywed. Dyna'r rheswm am gyhoeddiad J. E. Davies, y Gopa, E. J. Evans, Tanglogau (rhyfedd fel y bydde enw cartre ambell un yn glynu wrtho), David James, Penpontbren, er nad oedd e yn llythrennol yn perthyn i 'ni', ond y gwahaniaeth rhwng Wesle a Chalfin yn ddigon dibwys i ganiatáu i un a godwyd i'r weinidogaeth yng Nghnwch ga'l dod. Roedd 'na do hŷn na'r rheina. Mae'r rheina gyda ni o hyd ac yn dal i bregethu gyda graen mewn dyddiau gwahanol iawn. O'r to hŷn, fe gofiaf un yn dda iawn, gŵr byr, ei wallt yn britho, ac ma gen i le i gredu ei fod yn dod at ei gyhoeddiad dros Cwmseiri, wedi cerdded, mi dybiaf, o Ben-llwyn, lan heibio i Danrallt a Llety Bach, a'i bracsan hi drwy'r rhedyn nes cyrraedd y ffordd. Byddai'n dod yn gymharol gyson, eto, yn ôl y co' sy gen i, fydde neb yn honni ei fod yn bregethwr mawr. Fe'i hesgusodid ef am ei fod yn pregethu o Sul i Sul gyda'r Saeson a bod newid iaith ac ymadrodd yn ei lyffetheirio braidd. Er nad oedd yr huotlaf o bregethwyr, feddyliodd neb omedd cyhoeddiad iddo, a da y cofiaf fel y byddai rhywrai, y rheini oedd â pherthnasau yn y Sowth, yn sôn am-dano fel gweinidog a dyn da, a'r ddynol-iaeth honno a'i cariai, bron yn flynydd-ol, i bulpud Cynon yn Awst. Yn ddiweddarach, bid siŵr, ces well siawns i'w 'nabod a dod i wybod fod pob sibrwd am ei waith da, a gwaith mawr, yn hollol wir. Ond ers tro bellach rydw i yn ei gwrdd bob Llun; caf ginio gyda e. Os na fyddaf i yno fe fydd e. A rywfodd neu'i gilydd ma'r ffaith ei fod yno yn un o'r rhesymau cryfa pam rydw innau yn mynd.

Gweinidogaethu yng Nghasnewydd a wnâi. Treuliodd oes yno gyda'r Saeson. Ni wn yn iawn pa bryd y'i claddwyd. Does dim gymaint a chymaint. Ond wedi ei farw cysegrwyd 'stafell i'w gofio mewn tŷ arbennig yng Nghasnewydd. Agorwyd tŷ yno rai blynyddoedd yn ôl i geisio helpu rhai a ddaliwyd yng nghrafangau'r ddiod—llawer ohonynt mewn lle fel Casnewydd. Mae'n borthladd, a cheir mwy mewn lle felly o hyd. Cysgu'n rwff a wnaent ac amryw ohonynt yn marw yn oerfel y gaea. Nid oedd cartre gan amryw i fynd iddo wedi dod o garchar—eu teuluoedd wedi cefnu arnynt, wedi cael digon o drwbwl, a'r gymdeithas heb unrhyw ddarpariaeth ar gyfer y math yna o berson. Galw mawr am dŷ a allai gynnig lloches a bwyd iddynt hyd nes y caent eu traed odanynt, a chwilio eu ffordd yn ôl i'r gymdeithas, a dod eilwaith yn ddinas-yddion defnyddiol. Ma hynny'n bosibl; digwydd hynny i rai ac y mae'n llawenydd mawr i'r person ei hun,ac i bawb cysylltiedig ag e, pan ddigwydd y wyrth adferol honno. Cofiwch, am bob un a adferir, collir pedwar neu bump, ond fydde neb yn gwadu nad oes yna werth arbennig a llawenydd nid yn unig yn y nef am un pechadur a sobrodd ond yma ar y ddaear hefyd. Gwyddai David Owen am y niwed a wnaeth y ddiod. Cyffyrddodd â hwy lawer tro â'i ddwylo bugeiliol. Beth bynnag, wedi cael tŷ yng Nghasnewydd, teimlad y rheini ynglŷn â'r gwaith oedd y dylid gneud rhywbeth i gofio am un a wnaeth gyfraniad nodedig yng Nghasnewydd. A dyma sydd ar y garreg ar y mur:

The Revd. David Owen Room. This is

the gift of the Newport Temperance Society in memory of the Revd. David Owen and in grateful recognition of his devoted service to God, his fellow-men and the temperance cause in this town.

A chaf eistedd yn 'stafell goffa David Owen amser cinio bob dydd Llun, am awr neu fwy, i drafod hil syrthiedig Adda a cheisio yn ysbryd y gŵr o Ben-llwyn 'neud rhywbeth i helpu rhyw-rai i gael eu traed ar ffordd gadarnach. Pe bawn i'n gwybod—ond 'na fe, down i ddim—mi fyddwn wedi craffu mwy ar ei bregethu a siawns na fyddwn wedi ceisio cerdded gydag e o Nantsarnau i Gynon, er mwyn cael peth o'i hanes.

A'r Llun o'r blaen allwn i ddim llai na chredu ei fod yno. Rwy'n siŵr ei fod. Roedd y warden yn darllen enwau rhai a oedd am gael dod i'r tŷ, ac meddai'r cadeirydd wrthyf i, 'Ma hwn yn siarad Cymraeg.' (Fel mae'n digwydd, does neb arall yn siarad Cymraeg ar y pwyllgor.)

'Ga i weud gair wrtho fe?'

'Wrth gwrs.'

Pan ddaeth, fe'i cyferchais e yn Gymraeg a holi ei hynt a'i helynt a chael ei fod yn dod o'r fro Gymraeg. Stori drist o ildio i demtasiwn, er iddo gael ei dderbyn yn gyflawn aelod gan weinidog adnabyddus, un â chysylltiad agos â gogledd Aberteifi. Ond o garchar i garchar y bu ac o'r diwedd yn gofyn am le i geisio dod o hyd i ben ffordd. Ma gydag e enbyd o dasg, ac ma pob gweddi gyfryngol y gellwch ei gollwng drosto yn wir dderbyniol oherwydd ma ise pob gras sydd yn y nefoedd fawr neu yma ar y llawr i gadw'r truan hwn. Ond mae wedi llwyddo ers rhai misoedd. Teimlwn fod David Owen yn disgwyl i mi bicio i'w weld ar ddydd 'Dolig, dydd anodd ar y naw i'r rhain, a llawenydd oedd ei gael e a Chymro arall yn hapus o flaen tanllwyth o dân yn gwylied y teledu. Doedd yr un o'r ddau yn cofio pryd y buont yn sobor ar ddydd Nadolig o'r blaen. Am na allaf ddatgelu cyfrinach rhaid ymatal rhag dweud mwy am y bachgen yna. Ond mae e yn y cartre lle ma 'stafell goffa i David Owen. Ma gweinidogaeth y gŵr hwnnw yn parhau.

Ma hi'n bleser cwrdd ag e bob Llun, ac yr oedd e yn deall yn iawn pam na chadd gyhoeddiad yng Nghynon ers tro. Clywodd yntau fod yr ysgrifennydd wedi ei alw i gadw cyhoeddiad arall, ond mewn ambell seiat gwrando fydda i ar y Cymro o Ben-llwyn a fwriodd ei goelbren yng Ngwent yn dal pen rheswm gyda Wil Penuwch-fach. 'Na ryfedd, er fy mod ymhell yn ddaearydd-ol o ogledd Aberteifi, o ran ysbryd a meddwl, yn 'stafell 'David Owen', does yno neb na dim ond Shir Aberteifi. Falle mai dyna un o'r rhesymau fy mod yn mynd bob Llun!

(26 Ionawr, 1979)

Megan

Megan Ystrad Dewi; Megan Afallon; Megan Teifi; Megan Jincin—dyna rai o'r enwau a ddefnyddid gan frodor a dieithr-ddyn i gyfeirio ati. Ac y mae'r pedwar enw yn rhoi pedwar pen i ysgrif goffa amdani. Fel hyn y gellir eu dehongli: Megan a'i chynefin, Megan a'i chartre, Megan a'i chanu a Megan a'i chymar. Gwir nad yw ei bywyd yn rhannu'n bedair tafell deidi fel 'na. Ma un yn rhedeg i'r llall ac yn gneud bywyd cyfan, llawn. Cyfanwaith oedd ei hanner canmlwydd.

Cynefin Megan oedd Llanio. Gwir iddi, fel eraill, gael ei haddysg bob dydd yn Llanddewibrefi, ond roedd ysgol arall yn Llanio. Ysgol Sul a gynhelid yn 'Sgoldy. Sefydliad sy'n perthyn i bawb. Eciwmeniaeth mewn grym cyn bod sôn am y cyfryw beth. Yno roedd tywysog a thywysoges yn teyrnasu. Weithiau gyda bygwth a bloedd, ond gan amla gyda gras a chariad. Roedd ganddynt

262

osgordd o gydweithwyr cydwybodol. Clymblaid o blwyfolion yn credu mewn ysgol Sul fel cyfrwng i ddiwyllio ardal ac ardalwyr. Bu'r lle'n fwrlwm berw o ddysgu a dadlau. Paratoi ar gyfer arholiadau, llafar ac ysgrifenedig, caboli mewn cân ac adrodd erbyn cwrdd tri misol ac oedfa. Dysgu'r tonau newydd ar gyfer y gymanfa. Magwrfa doniau oedd y lle. Yno y tyfodd Megan. Yno y cadd hi flas y pethe a ddaeth yn gymaint rhan o'i bywyd. Yn wir, gellir dadlau mai ymestyniad o 'Sgoldy oedd Megan. Parhau yr etifeddiaeth gyfoethog a gafodd ac yn eirias dros gyflwyno'r cyfryw i genhedlaeth newydd. 'Na i chi barti'r Ystrad—hi a'i brawd, Lloyd, a'i deulu—parti teuluol. Peth prin iawn bellach. Diddanwyd llawer bro a chymdeithas ganddynt. Brethyn cartre hyfryd oedd y cyfan. Ond doedd e yn ddim ond 'Sgoldy a'i weithgarwch yn ail-fyw, yn ailgynnau. A dyna beth gwych fod blynyddoedd y teulu wedi methu diffodd yr egni creadigol a blannwyd yn enaid rhai. Blagurodd, blodeuodd, ffrwythlonodd ym Megan a'i pharti.

Symud cwpwl o gamau a wnaeth o Ystrad Dewi i Afallon. Gwir iddi adael y wlad am y pentre. Gadael fferm am dŷ mewn rhes. Afallon oedd ei hunig gartre hi. Ac y mae rhywun yn 'nabod cartre a'r cymeriad a'i lluniodd wrth y celfi sydd yno, onid yw? Fe greodd y Creawdwr, medde'r Gair, ddyn ar ei lun a'i ddelw ei hun. A gesyd pob gwraig ei stamp hi ei hun ar ei chreadigaeth. Dau beth a lanwai'r 'stafell fyw, y grand piano a'r delyn. Nid antîcs rhodresgar mohonynt. Nid cracheiddiwch yn mynnu prynu dodrefn i'w harddangos fel pe bai'r 'stafell yn amgueddfa. Ni bu llai o amgueddfa erioed. Treuliai Megan oriau wrth y piano. Paratoi ac ymarfer tonau'r *Detholiad* neu gael trefn ar ddarn ar gyfer y plant. Yn wir, mynnodd ymberffeithio fel cerddor a chafodd yr A.L.C.M. Doedd dim yn fwy wrth ei bodd na thynnu ar dannau ei thelyn. Cymhwysodd ei hun ar gyfer arholiadau'r Orsedd ac urddwyd hi fel *Megan Teifi*. Y peth pwysig i'w ddweud yw mai aelwyd i'r ardal oedd hon. 'Sgoldy Llanio wedi ailgodi ar aelwyd Megan a Jenkin. Pan aech yno, ar dro, byddai llond cegin o blant, bach a mawr. Megan wrth ei phiano a'r rhain yn un côr o'i chwmpas yn paratoi at hyn ac arall. Roedd meithrin plant yn bwysicach iddi na'i charpedi. Wedi i'r rheini wisgo bydd y lliw a roddodd hi ar enaid a meddwl llawer un yn dal i lewyrchu. Pa sawl cenhedlaeth o blant a fu yno? Heidiau ohonynt a'r lle yn fôr o gân. Nid oedd fyth yn hapusach na phan gâi griw bywiog o'i chwmpas a'u gweld yn ymateb i'w hyfforddiant, a châi ei gwobr nos y perfformio! Roedd y gwaith caled yn werth chweil, wedi'r cwbl.

Cyfeiriais at ei henw fel aelod o'r Orsedd, Megan Teifi. Roedd canu yn ei gwaed, tôn yn ei gwythiennau. Meddylier am rai pethau a wnaeth. Chwarae'r organ ym Methesda am bymtheng mlynedd ar hugain. Hi a chwaraeai yn y cwrdd gweddi ar nos Lun. Roedd yn un o organyddion cyson y rihyrsals a'r gymanfa. Âi â llwyth yn ei char i chwyddo'r nifer. Byddai galw am eitem i gwrdd plant a drefnid gan y Cwrdd Misol tuag Aberaeron. Gallech ddib-ynnu y caech eitem a graen arni o Landdewi. Gan iddi ddysgu chwarae'r delyn, mynych y gelwid arni i chwarae mewn priodas a gwledd, mewn cyngerdd a noson lawen. Aeth yn llawen barod i'r cwbl. Cyfrannodd ei cherdd. Hi gyda Mair Gwynne Davies fu'n casglu'r Madrigaliaid ynghyd a bu'n gadeirydd y parti hyd y diwedd. Yr un yw tystiolaeth pawb, roedd Megan yn siŵr o'i nodau. Dyw pawb ddim, a gallai hi gyda'i medr gario'r cloffion gyda hi. Ma un peth yn eitha siŵr: os mai chwarae ar aur delynau a wneir yn y nefoedd ma'n nhw wedi cael aelod newydd yn Megan Teifi sydd gyda'i helfen. Wedi rhestru ei chymwysterau a'i chyflawniadau, mae un peth arall

266

pwysicach i'w ddweud: ca'l pobol i ganu mewn tiwn oedd hoffter Megan, a doedd hi fyth yn hapusach na phan geid y pedwar llais yn cynganeddu'n grefftus. A gwir hynna am ei bywyd. Ca'l ardal i ganu mewn tiwn, dyna'i hawydd, a doedd dim yn fwy o boendod iddi na discord a chanu mas o diwn. Cafodd hi ei chywair gan ei Meistr a mynnai i eraill ddysgu'r gân honno. Gall ambell gerddor fod yn anodd ei drin. Nid am ddim y sonnir am y cythraul canu, ond ma 'na gyfieithiad o un o'r gwynfydau sy'n darllen fel hyn: 'Gwyn eu byd y rhai hawdd eu trin.' Un o'r rheini oedd hi. Gwynfyd oedd gweithio gyda hi a gwae yw gweithio gyda'r lleill, heb os.

Rhan o ddeuawd oedd Megan a'r llais arall yn un cyfoethog. Deulais a asiodd, a chanu Jenkin a Megan yn ganu swynol, cydgordus. Priodas gyfoethog fu hon. Gwelwyd y croes-ffrwythloni hwnnw sy'n digwydd ym mhob gwir briodas a'r ddau yn elwa'n fawr oblegid hynny. Roedd Jenkin yn gryfach na hi

267

ond bu ei gryfder o fantais i Megan. Trwyddo cafodd hyder a chefnogaeth. Ni bu neb yn fwy teyrngar a chefnogol. Fe oedd y symbylydd iddi fynd ati i weithio am y ddiploma a enillodd. Yn wir, hyfryd o beth oedd e, wedi meddwl, ond credai Jenkin fod Megan yn fedrus, a doedd e ddim yn ôl o ddweud hynny. A'r gwir yw ei fod yn reit. Os derbyniodd hi nerth a hyder o'r bartneriaeth,nid llai gwerthfawr ei chyfraniad hithau. Gyda'i graslonrwydd a'i haddfwynder, llwyddai i dawelu'r cyffro a allai danio yn enaid ei gŵr. Gallai Megan ei drin yn gelfydd a thrwy'r driniaeth garedig a weinyddai gwnaeth waith gras arno. Ma Jenkin yn addfwynach a hithau yn gryfach oherwydd y briodas. Ond ni ellir tanlinellu un peth yn ormod: câi Megan ryddid a help i ddilyn y pethau a garodd. Nid ataliodd ei gefnogaeth hael. Byddai'n hawdd deall dyn yn mynegi ei anfodlonrwydd wedi dychwelyd ar ôl diwrnod o waith ac yn cael nad oedd ei fwyd ar y bwrdd ar y funud honno am fod llond tŷ o blant yn cael eu hyfforddi. Na, gwyddai na châi gam ac y byddai bwyd, ond gwyddai yntau mai pwysicach oedd rhoi bwyd meddwl ac ysbryd i'r plant. Pâr a fu'n cynnal y naill a'r llall, pâr a rannodd eu diddordebau a'u cartre, pâr a'u cyfraniad yn fawr i eglwys ac ardal. Pâr a dyfodd drwy eu partneriaeth ddeallus.

Swm a sylwedd y cyfan a ddywedwyd yw hyn, ac y mae'n fendigedig i fedru ei ddweud: cafodd Megan fywyd llawn, cyfoethog, cynhyrfus o fewn cwmpas ei chylch a'r 'pethe'. Gellid dadlau iddi droi mewn cylch cyfyng—Llanio, Llanddewibrefi a Thregaron yn benna—ond os cul, roedd iddo ddyfnder, a gwreiddiodd hithau'n ddwfn yn ei bro. Roedd cyfrannu at gynnal a hybu'r diwylliant hwnnw yn genhadaeth eirias yn ei henaid sensitif. Ni welodd hi ddim gwell a chredodd nad oedd dim gwell y gellid ei gynnig i neb na'r hyn a gafodd hi yn 'Sgoldy Llanio. Wedi'r cwbl, bu'r hyn a gafodd hi yn gyfoeth, yn llawnder, yn gyfoethogiad, yn fywyd yn wir, iddi hi. A phwy a wad nad oedd Megan, yn ei pherson a'i chyfraniad, yn goron ar y bywyd a dderbyniodd hi mewn ysgol Sul a chapel? Hi oedd y gymeradwyaeth huotla i'r etifeddiaeth a dderbyniodd ac a gyfoethogodd drwy ei gweithgarwch a'i doniau. Tasg anodd sy'n wynebu'r un a ganodd mewn deuawd soniarus am ran fawr o'i fywyd yw ymddisgyblu i ganu heb ei gyfeilydd-siŵr-o'i-nodyn. Ond mae'r cryfder a gyfrannodd i Megan yn mynd i'w gynnal, a'i gadw, a'i helpu i ganu cerdd i'r Arglwydd mewn gwlad ddieithr.

(Ionawr, 1979)

Dave

Ryw bnawn o haf 1977 rown i'n digwydd mynd i gyfeiriad Llwynpiod. Gweld Dave Trewaun yn brasgamu ei ffordd tua thre. Ei godi.

'Shwt wyt ti, Dave?'

'Ardderchog, dyma'r dwrnod gore 'to, T.J.'

'Be sy ... pa newyddion?'

'Wedi bod yn Llambed yn newid fy enw. Rydw i nawr yn Dave Blackwell.'

Fe welwch y balchder yn fflachio yn ei lygaid, y balchder o gael gwisgo enw'r teulu a roddodd gartre a chysgod iddo. Ac fel Dave Trewaun y bydde pawb yn ei 'nabod; yn wir, cyn iddo newid ei enw, Dave Blackwell ydoedd i laweroedd. Does dim amheuaeth nad oedd Llwynpiod, Llangeitho, Tregaron a Llanbadarn Odwyn ym mêr ei esgyrn. Yno y cadd ei wreiddiau. Yno y tyfodd, a dod yn ôl oedd un o'i brif bethe o hyd. 'Chydig feddyliodd neb ohonom y câi ddychwelyd mor fuan i orwedd yn naear ei ardal. Allwch chi feddwl am Dave yn gorwedd?

Ma sawl atgo a phictiwr yn mynnu gwibio o flân llygad y meddwl wrth gofio amdano. Capel Llwynpiod ... Dave yn gymaint rhan o'r gymdeithas gynnes yno, ym mhob peth. Yn barod gyda'i gyfraniad i bob cangen o'r gwaith. Ond yn benna cofio am Dave wrth yr organ.

Rwy'n credu mai un o'r pethe cynta 'wedodd e wrtho i oedd, 'T.J., ma ise organ newydd 'ma.' Gwir y gair, er ei bod yn gneud yn iawn at oedfa bob Sul. Ond lice Dave gael gwell. A bod yn deg, fe ddylai Dave fod wedi cael gwell. Fe gorddodd berfeddion yr offeryn, doedd hi ddim yn deall be oedd yn digwydd pan oedd e a'i fysedd arni ac yn pedlo fel cystadleuydd yn y ras laeth enwog! Sôn am egni ac angerdd ar waith, dyma fe: Dave yn canu cerdd i'r Arglwydd ar organ Llwynpiod, a honno gyda'i chymalau rhiwmatig yn gorfod 'stwytho i'w gymhellion cerddorol e. Teimlai yn fynych—yn wir, teimlai yn gyson—fod y canu yn llusgo braidd a gwnâi ei orau glas i gario ei gynulleidfa wladaidd gydag e. Tipyn o gamp! Dydw i ddim yn siŵr iddo lwyddo, bob tro. Pob clod iddo am drio. Ise rhoi bywyd a chyffro yn yr addoliad, dyna'i fwriad. Anadlu anadl einioes ar oedfa a ymddangosai iddo ef yn ddifywyd. A dyna Dave Trewaun, y gŵr ifanc angerddol, ymroddedig, brwdfrydig yn rhoi o'i bopeth i'r hyn a wnâi ac yn bur anfodlon fod yna rai yn llai brwdfrydig nag e. Fe'i câi hi'n anodd deall oerfel a difaterwch, a diolch iddo am ambell air o feirniadaeth digon teg. Mae'n siŵr gen i mai enwau cymharol ddieithr oedd y meistri cerdd i addolwyr cyffredin Llwynpiod. Byddai Dave yn dod â darnau dethol gyda fe ar gyfer yr egwyl pan fyddai'r casgliad ar waith, a chadd Bach, Handel, Mendelssohn, Wagner, a chymanfa o rai eraill, eu cyfle i seinio cerdd mewn oedfa. Roedd paratoad Dave gystal â phe bai mewn eglwys gadeiriol, ac yn chwarae ar organ reiol enfawr. Fan 'na roedd ei fawredd. Nid canu rhyw dôn ffwrdd-â-hi i lenwi bwlch i ddisgwyl i'r geiniog ola daro'r bocs. Dim o'r fath beth. Cyflwyno darn a ystyriai e yn addas i'r achlysur. Cystal cyfadde na lwyddon ni i werthfawrogi ei gyfraniad fel ag y dylid, ond heb os, ni chadd yr un gynulleidfa yng Nghymru well organydd. Tywalltodd ei enaid eirias i'w chwarae diwylliedig, a deil ambell ddarn i seinio yn fy nghlust yn awr. Ond waeth pa mor hyfryd y darn, y peth hyfrytaf oedd gwylied yr organydd wedi ymgolli'n llwyr a'r gân wedi cipio ei enaid i fyd lle'r oedd angylion yn gorfod gwrando, rwy'n eitha siŵr.

Roedd cerddoriaeth yn berwi yn ei wythiennau, diferai'r nodau o'i fysedd. Nid ffrwyth cwrs coleg mohono. Gwir iddo ddilyn cwrs ac ennill gradd neilltuol o dda a chael ysgoloriaeth i 'neud gwaith ymchwil yn ei bwnc, ond roedd cerddoriaeth i Dave yn ffordd o fyw, yn ffordd o feddwl, yn ffordd o deimlo, yn ffordd o edrych ar bethau, a dyna pam yr oedd rhywun yn siŵr fod iddo ddyfodol disglair yn ei faes. Roedd ei feddwl yn llwyr ar ei bwnc, yn warant o ymroddiad hunanaberthol, a phan gewch chi'r ddeubeth yna—gallu academaidd disglair ac ymroddiad—wel, does dim lot yn mynd i rwystro bachgen fel 'na rhag cyrraedd y brig. Yn ddiweddar roedd e wedi dechrau rhoi cryn sylw i'r ochr leisiol; yn wir, fe'i hanrhydeddwyd adeg y Nadolig a'i ddewis i ganu mewn cyngerdd mawr yng Nghaer Efrog, ac yn ôl pob hanes gwnaeth waith da, fel tenor, ar y rhannau o'r *Meseia* a osodwyd iddo. Tybiaf ei fod yn hanner meddwl am gystadlu yn y Genedlaethol, er nad oedd gydag e ddim gormod o olwg ar safonau'r Brifwyl. Gwn ei fod yn cael gwersi llais yn yr adran gerdd yng Nghaerdydd, ac yn ddiweddar ymfalchïai iddo gael ei wahodd i fod yn aelod o'r côr enwog, Pendyrus, gyda'i arweinydd cerddgar, Glyn Jones. Chwith meddwl na chaiff ganu yn hwnnw ond galwyd arno'n ddisymwth i'r nefol gôr. Pwy sy'n chwarae'r organ yno, tybed? Ma un peth yn eitha siŵr, bydd Dave wedi gofyn yn go glou am gael ei fysedd mirain arni, a synnwn i ddim na fydd mwy o gyffro yng nghanu'r côr hwnnw nag a fu ers tro. Wel, os llwyddodd i roi bywyd a symud yng nghân oedfa gyffredin ar gefen gwlad, mae'i dasg yn llai yn y nefoedd.

Ces gydweithio ag e i baratoi dwy oedfa ar y radio, un o Ysgol Haf yr Ysgol Sul yn Aberystwyth yn Awst 1977. Doedd Dave ddim yn fodlon o gwbl ar y canu. Teimlai nad oedd y dehongliad a'r tempo ddim yn reit a cheisiai gyda'i chwarae wella pethe. Fe fynnodd gael pethe'n iawn. Un fel 'ny oedd e, ac am hynny rown i'n ei edmygu. Ddim yn brin o ddweud yn blaen, a byddai'r croendenau, heb os, yn ffromi ambell waith. Ond safonau uchel Dave a fynnai ganddo gael y gore posibl. Roedd yn eiddigeddus o'r safonau uchaf ac yn anniddig gydag undim llai na hynny. Safai o flaen y côr a gneud ei orau i gael eu sylw. Rhai'n mynnu sisial a siarad. Roedd yn edrych fel Malcolm Sargent, yn taro'r ddesg â'i faton gan ddweud, *'The music begins before you hear it.'* Anghofia i mo honna, dro.

A'r oedfa arall honno o aelwyd Trewaun, oedfa'r dosbarth trafod llyfrau.

Doedd dim yn mynd i'w gadw rhag dychwelyd o Gaerdydd, a da ei gael. Dibynnem arno a bu amal seiat rhyngom ynglŷn â beth i'w ganu. Fe'i ces yn hyfryd i gydweithio ag e.

Wedi inni symud i Gaerdydd, y diwrnod cyntaf inni fod yn ein cartre newydd, pwy ddaeth ar gefen ei feic ond Dave. Yn sobor o falch o'i weld. Dod i ddweud wrthym am ganlyniad ei arholiadau gradd, ise rhannu'i lawenydd gyda ni. Fe oedd y cynta i ga'l pryd o fwyd gyda ni, a balch oeddem bob amser o'i weld yn dod. Hen grwt hyfryd, defnyddiol ac addewid am berson a wnâi gyfraniad i Gymru ynddo. Rhyw iechyd iach ynddo, awel iach yn torri arnoch oedd ei gwmni a'i gymdeithas.

Fedra i ddim cloi'r deyrnged hon i Dave heb sôn am Trewaun, Dai a Nellie Blackwell. Cadd ei dderbyn i'w haelwyd, a dod yn rhan annatod ohoni, a'i balchder dealledig yn ei lwyddiannau amlwg yn beth a gynhesai galon unrhyw

277

un. Os oedd Dave yn cyfri ar aelwyd Trewaun, un peth sy'n siŵr, roedd Trewaun yn cyfri i Dave. Fe'u parchai hwy, eu hanrhydeddu a'u canmol; gwerthfawrogai'r cyfan a gafodd. Bu'n ffodus yn y ddau, heb anghofio Mair, a ystyriai yn chwaer gyflawn iddo, ac Iwan. Pwy a all ddweud be oedd y berthynas rhwng Dave ac Iwan? Perthynas tad a mab? Dau frawd? Athro a disgybl? Dau ffrind? Y cwbl yna, a llawer mwy. Ma'r hen fyd 'ma yn mynd i fod yn lle llawer tlotach i Iwan, heb Dave. Y gwir yw, fe fydd yn dlotach i bawb ohonom. Er mai ond dwy flynedd ar hugain a gafodd, mewn cyfnod byr iawn cyfoethogodd, cyfrannodd, cynhaliodd lawer ar fywyd aelwyd ac ardal. Ac ma un peth yn gwbl sicr, bu bywyd yn beth llawn cyffro a diddordeb i Dave. Bu fyw hyd yr ymyl a'r hyn sy'n hyfryd i'w gofio yw iddo gael help i fyw felly gan ei aelwyd yn Nhrewaun, gan ei gapel yn Llwynpiod, a chan ei goleg yng Nghaerdydd. Os rhoddodd e ei bopeth iddyn nhw, fe roddasant hwythau yn eu tro, ac yn eu ffordd arbennig, lawer iddo yntau. Mae'n drueni na chawn fedi'r cyfoeth a gasglodd. Ond ma un peth yn gwbl siŵr: nid buan yr anghofiwn ni a gadd y fraint o'i 'nabod mo Dave Blackwell. Roedd bywyd yn pefrio ynddo a go brin y gall angau a'r bedd ddiffodd y bywyd hwnnw.

(23 Chwefror, 1979)

Colli'i goron

Ma cyfres deledu ddrudfawr wedi ei dangos, *Edward and Mrs Simpson*. Creodd gryn gyffro a dadlau. Yn wir, ma bygwth cyfraith am enllib a chambort-readu. Rhwng gwŷr Pentyrch a'i gilydd am hynny. Crwt ysgol own i pan dorrodd y newydd ar glustiau gwerin frenhingar y tridegau. Doedd dim radio na theledu ac ni chaem ni bapur dyddiol. Yr unig lenyddiaeth a gaem oedd *Y Goleuad*, *Trysorfa'r Plant*, *Y Drysorfa Fawr*, ynghyd â *Chymru'r Plant* a'r *Welsh Gazette*, a dydw i ddim yn cofio fod y rheina yn cymryd diddordeb yn y brenin a'i gar- wriaethau. Eto, roedd pawb ohonom yn awyddus i wybod be oedd yn digwydd, a'n dolen gydiol â'r byd mowr tu fas oedd Jim Wilson. Dyw'r enw yn golygu dim i chi, mae'n siŵr. Wel, yr adeg honno roedd twysged o grwydriaid, 'tramps' ar lafar gwlad, yn galw ac yn cynnig eu gwasanaeth. Ma galw enw'r gymrodor- iaeth i go' yn codi hiraeth. Twm-fflat- nôs, creadur cwrs a'r menywod yn ei ofan, yn enwedig os oedd e yn ei ddiod. Cofiaf amdano yn dod i'r ffald ryw bnawn, pawb ond y gwas bach ar y caeau, a gwas bach yw'r union ymadrodd i ddisgrifio Jim Kitchener. Llond dwrn o foi, a dyma Mam yn galw arno i ddod ati am fod Twm-fflat-nôs yn gwrthod symud o stepen y drws. Wir i chi, dyma'r Dafydd ysgafn hwn yn bachu coler cot y Golïath a'i symud yn ddiseremoni—sôn am fferet yn llusgo mochyn daear, dyna'r union olygfa. Mawr oedd llawenydd a diolch Mam a'r forwyn, a does dim ise dweud i Jim fod yn arwr yn ein tŷ ni byth wedyn.

Un gwahanol oedd Wil Stacey er ei fod yntau, fel ei gymrodyr eraill, yn bur sychedig, ond wnâi e ddim niwed i'w gysgod yn ei ddiod. Gweithiai'n gydwybodol iawn, cliriodd gyfeiriau o eithin; yn wir, ma ca' wedi ei enwi er co' amdano, ca' Stacey. Un peth y gellir ei ddweud amdano, gadawodd ddarn o Shir Aberteifi yn lanach—ellwch chi dim dweud hynny am bawb ohonom! A'r hyn sy'n od yw ei fod yn gamstyr am symud y drain o'r tir, eto fedre fe ddim tynnu'r drain a'r mieri o'i enaid ei hun, roedd hwnnw yn dir digon anial. A dyna'r gŵr a enwais yn barod, Jim Wilson. Roedd rhywbeth yn wahanol ynddo, rhyw dwtsh bach o'r gŵr bonheddig ynddo, a gallai fod yn foesgar ac yn llawn manyrs. Y si ar led yn yr ardal oedd mai 'ffeirad wedi disgyn ar ddyddiau drwg oedd e. Y ddiod wedi mynd yn drech nag e. Gwisgai sbectol a weddai'n well i'r stydi na'r gwter, oherwydd cwtero oedd ei waith ar ein fferm ni, ac yr oedd e'n grefftwr da. Jim Wilson oedd y cynta i ddod â phapur dydd Sul i'n tŷ ni, er mawr ofid i 'Nhad. Pryderai 'Nhad y byddem ni'r plant yn cael gafael arno ac y gallai ein llygru. Doedd dim ise iddo fe fecso gormod, a dweud y gwir, prin oedd ein Saesneg. Dwn i ddim hyd y dydd heddi ymhle y câi Jim y papur, ond ei gael a wnâi. Byddai'n barod i sôn am ei gynnwys yn y stabl a ninne'n eiddgar i ddal ar bob gair a gariai'r llenyddiaeth waharddedig yma. Onid yw'r hen Adda yn gry' ym mhawb ohonom? Amser swper ryw noson, llond bord ohonom, dyma 'Nhad—a wyddai fod gan Jim Wilson y wybodaeth ddiweddara am y brenin disberod—yn methu'n deg â ffrwyno ei chwilfrydedd ac yn gofyn i Jim, *'What do you think of the king?'* Munud o ddistawrwydd myfyrgar a phawb ohonom yn disgwyl yn eiddgar am lifeiriant o wybodaeth llyfugweflau, ond nid felly y bu. Sôn am frawddeg dorrog o ystyr, rydw i'n ei

282

chofio hyd y dydd heddi:

'*Boss, he sold his farm for a*—(a dyna glamp o ansoddair Saesneg gwaedlyd) *he sold his farm for a b... cow.*' Ma cyfrolau wedi eu 'sgrifennu am helynt y brenin a'i ddewis, ond fe wedodd Jim y cwbl mewn un frawddeg lachar. Dwn i ddim ai gwir y stori iddo fod yn 'ffeirad; un peth a wn, os bu iddo bregethu erioed, ni lefarodd yr un bregeth fwy na'r hyn a draddododd wrth swper ryw noson, ac yr oedd hi'n bregeth sy'n wir am gymaint mwy ohonom na'r brenin. O leia rydw i'n dal i gofio'i bregeth un-frawddeg, ac rwy'n meddwl i 'Nhad newid ei feddwl am gynnwys papure dydd Sul. Wedi'r cwbl os oedd doethineb disglair fel 'na, wel, falle y dyle fe ga'l y *News of the World* a'r *Goleuad!*

(16 Mawrth, 1979)

Cloc

Mae'r hen gloc mawr gydag enw John Jones, Aberystwyth, wedi'i dorri ar ei wyneb wedi bod yn rhan feunyddiol o 'mywyd erioed, erbyn meddwl. Fe'i clywais yn taro cyn imi glywed fawr o ddim arall. Lleuad lawn sy gydag e er pan ydw i yn ei 'nabod. Dyw honno ddim wedi newid o gwbl, hyd y gwn i. Gwir fod ambell gwac yn ei dro wedi bod yn tician â'i berfedd, ond er gwaethaf popeth mae'n dal i daro. Fe'm dilynodd i Shir Gar, yn ôl i Shir Aberteifi ac yn awr mae'n rhan o'n cartre yn swbwrbia Caerdydd. 'Na hyfryd fyddai cael gair gydag e am ei bererindota, a'i farn am y gwahanol ardaloedd y bu'n byw ynddynt. Tipyn o symud iddo oedd gadael cegin fferm a dod yn rhan o ddodrefn y mans. Er y newid, pheidiodd e ddim â tharo. Mae'n ddarn sy'n fy nghlymu'n annatod wrth fy noe a'm hechdoe. Chwaraewn o gwmpas ei draed, ac weith-iau ynddo, oherwydd yn ei foncyff ma

digon o le i gwato, a dim ond cael rhyw-
un arall parod i gydio mewn coes, fel y
gwneid wrth fynd ar gefen ceffyl, yna fe
ellid disgyn i'r trwnc gwag a chwato'n
ddiogel am sbel. Rhyfedd ei fod yn
cerdded o gwbl. Nid yn unig mae'n at-
gofio rhywun am y chwarae a'r sbort a
gaem, ond yn ei wyneb gwelaf amryw a
oedd yn wynebau cyfarwydd. Mae e ryw-
fodd neu'i gilydd yn diogelu'r gymdeith-
as yr oedd yn rhan ohoni. Ond nid sôn
amdano fel rhan o 'mywyd i yw fy mwr-
iad nawr. Fe'm trawodd y dydd o'r blaen
wrth feddwl am yr iaith Gymraeg a'i
hidiomau, rhyfedd gymaint a gyfran-
nodd y cloc i'n hiaith.

Cerdded ma cloc. Wrth gwrs, dyw e
ddim yn symud gam o'r fan. Mae e heno
yn yr un gornel â phan ddaeth yma, er
hynny mae wedi cerdded yn gyson ers
blwyddyn. Am ei fod yn cerdded, arafu a
wna neu golli, neu ar dro bydd yn ennill.
Wrth gerdded gyda rhywun hŷn, yn
enwedig pan oeddech yn blentyn yn
ffit-ffatan wrth sodlau un, byddai camau

breision hwnnw yn golygu ei fod yn ennill arnoch. Ac y mae'n taro dyn wrth feddwl am y peth, dyna ystyron gwahanol sydd i gerdded. Mae'r ystyr syml, arferol o droedio, ond pan fyddai lle ar werth byddech yn clywed yr ardalwyr yn dweud fod hwn-a-hwn wedi bod yn ei edrych yn fanwl, wedi ei archwilio, ond y term am y cyfryw oedd 'cerdded lle'. Yna pan fyddai rhywun yn caru ac yn mynd i fan arbennig i edrych am ei gariad, fe ddywedid, 'Ma fe'n cerdded i'r fan-a'r-fan'. Dweud dim mwy ond gadael i'r awgrym a geir yn y gair 'cerdded' gyfleu yr hyn a ddigwyddai. Ac wrth gwrs, mewn angladd 'cerdded' fydden nhw, a hynny yn golygu fod cario'r arch yn rhan o'r digwydd a phob gŵr cyhyrog yn cynnig ei ysgwydd wedi dewis un o'r un maint ag e. Weithiau byddid yn cerdded o bell ond gan fynycha nid oedd brinder cerddedwyr. Yr hen gymdogaeth dda. Rhyfedd, onid yw, pa mor gyfoethog y gall un gair syml fod, ac y mae'n bwysig i ddiogelu'r gwahanol ystyron yna.

Yna nid weindio'r cloc fyddai 'Nhad. Ei waith e oedd gofalu amdanyn nhw, dri ohonynt yr adeg honno, ac ar nos Sadwrn rhaid oedd codi pwysau'r cloc. Disgrifiad llythrennol yw hwnnw o'r hyn a wneid, oherwydd o'r tu mewn i'r cloc ma dwy blwmen fawr, a disgynnant yn ara drwy'r wythnos wrth i'r cloc gerdded yr oriau meithion. Clociau wyth niwrnod ydynt fynycha, yna wrth osod y 'goriad mewn twll ar wyneb y cloc gellid codi ei bwysau. 'Goriad fyddai'n gair ni bob amser, yn ddiweddarach y clywsom am allwedd. Ac onid yw agoriad yn air Beiblaidd da: 'ac y mae gennyf agoriadau uffern a marwolaeth'. Ma rhai clociau nad oes raid wrth agoriad i'w trafod, gellid codi'r pwysau drwy dynnu ar tsiaen, ond os collir y 'goriad sy gyda hwn, wel, ni ellir codi'r ddwy blwmen fawr. Ni phwysais mohonynt erioed. Rhaid gneud ryw ddiwrnod i fodloni chwilfrydedd, ond maent yn reit swmpus i'w codi.

Ond ma un gair—gwarlingo—sy'n

gwbl gyfarwydd i mi ond nad wyf yn siŵr o'i ystyr. Gwn beth a olyga pan ddefnyddir ef gan rywun, er rhaid adde mai anaml y clywaf neb yn ei ddefnyddio yn awr. Ryw bum munud cyn i'r cloc daro, ma 'na symud yn ei goluddion. Byddwch yn clywed olwynion yn symud. Paratoi a wna at awr y taro. Ond ni chlywais ei ddefnyddio am ddim arall; hyd y gwn i, dim ond cloc sy'n gwarlingo. Ni fenthyciwyd mohono a'i ddefnyddio, fel cerdded, i sôn am rywbeth arall. Ac y mae'n air od, neu felly mae'n ymddangos i mi. O ble y daw a be yn hollol yw ei ystyr? Gellid ei rannu ac y mae'r rhan gyntaf yn gwbl ddealladwy, sef 'gwar', ond beth yw'r 'lingo'? Neu ni sydd wedi llygru'r gair ar lafar gwlad? Odi e'n air a ddefnyddir tu fas i ogledd Aberteifi, tybed? Rhaid cydnabod na holais fawr o neb yn ei gylch, ond byddai cael goleuni arno yn werthfawr. Eto, ma lle i ofni ei fod yn prysur ddiflannu o'n geirfa. Cyhyd ag y bydd y cloc mawr yma, ac yn cerdded ar ôl codi ei bwysau, bydd yn gwarlingo hefyd. Yn wir, yn ystod paratoi yr erthygl hon fe'i clywais wrthi.

Peth arall a wna cloc yw taro. Cyfeiriad at y ffaith fecanyddol fod yna forthwyl yn cael ei osod mewn cywair wrth i'r cloc warlingo, ac yn taro cloch yn gyson ar yr awr. A dyna chi ar drywydd gwythïen gyfoethog arall—dilyn y gwahanol ffyrdd y byddwn yn defnyddio 'taro'. Byddwch yn taro i weld rhywun neu'n taro bargen neu yn waeth fyth byddwch yn cael eich taro. Mewn rhai mannau y gair am strôc yw trawiad a byddwn yn sôn am drawiad ar y galon. Yna ma 'chydig o newid yn yr ystyr pan ddwedwch 'does dim taro arno', yn golygu 'dim niwed o bwys'. Yn sicr gall pethau fod yn waeth pan ddwedwch chi fod yna rywbeth wedi taro ym mhen hwn-a-hwn, 'Unwaith y trewith rhywbeth yn ei ben e newch chi ddim ag e'. A'r gymeradwyaeth fwya y gellir ei rhoi i bâr priod yw dweud, 'Ma'n nhw'n taro'i gilydd'.

Rydw i'n gwrando arno'r funud hon yn cerdded ei dic-doc cyson a phob taro a wna yn taro darn i ffwrdd o fywyd rhywun. Odi, ma'r cloc yn fwy na chloc, mae'n rhan o'n hiaith a nawr rwy'n cofio fod yn rhaid imi daro i Aberystwyth 'fory; picio ddywedai'r Gogleddwr, ond taro fyddwn ni. A mynd yr ydw i er mwyn cymryd rhan mewn cynhadledd lle y trafodir gan arbenigwr yr effaith a gaiff alcohol ar yrwyr cerbydau. Odyn, ma'n nhw yn taro rhai yn gelain, ysywaeth, gormod o lawer, ac y mae'n bryd taro ergyd tros ddirwest a sobrwydd. Mynd i godi pwysau yr argyhoeddiad hwnnw yw fy mwriad.

(18 Mai, 1979)

Ifan

Ma tristwch, o raid, yn y bennod ola. Cyhyd â bod y bennod heb ddod i'w diwedd, ma dyn yn cael blas ar y gyfrol i gyd. Bydd dyn weithiau yn troi yn ôl i'r penodau blaenorol a blasu rhyw dameidiau yma a thraw. Ond pan wêl argoelion fod y bennod ola'n dod i ben, ac y bydd galw buan am gau'r llyfr a'i osod ar y silffoedd fel cofnod moel o'r hyn a fu, ni all dim ond plyciau o hiraeth a thristwch gael y trecha ar deimladau dyn—er, rhaid adde nad tristwch yn unig sydd yng nghalon dyn; bydd elfennau cry' o ddiolch a gwerthfawrogiad am i chi gael 'nabod y cymeriadau sy yn y gyfrol, am i chi dderbyn oddi wrthynt a bod y gyfrol wedi'ch cyfoethogi. Rhyw feddyliau cymysg fel 'na a ddaeth trosof pan glywais fod Ifan wedi'n gadael. I roi iddo ei enw llawn a pharchus, Evan Thomas Daniel, ond trwy drugaredd dim ond Evan Thomas Daniel sy wedi marw; ma'r Ifan a 'nabyddes i a'm teulu yn dal i fyw a chyhyd ag y byddwn bydd y co' amdano yn parhau yn go' hyfryd am un a blethodd yn ddwfn i fywyd pob un ohonom.

Ni wn i am fawr neb a fu byw mewn cyn lleied o fyd. Gallech ei farco yn weddol glir. Terfynau Sarnau oedd terfynau ei fyd, ac er bod Sarnau yn gwisgo'r enw Sarnau Fawr, a hynny am fod yna Sarnau Fach, pan fo dyn yn cael ei lyncu'n llwyr gan hyd yn oed Sarnau Fawr, wel, byd go fach yw ei fyd. Wedi dweud hyn 'na, ma un peth arall sy'n galw am ei ddweud: ni wn i am neb a gafodd fyd mor gyfoethog mewn cyn lleied o fyd, a chael y byd hwnnw yn dragwyddol ddiddorol. Roedd Ifan yn profi'r pwynt y gallwch chi gael bywyd llawn mewn cylch cyfyng. Un rheswm am hynny oedd ei ddiddordeb ysol mewn ffermio. Nid ffermio fel busnes ond ffermio fel ffordd o fyw. Roedd yn ffermwr deallus a diwylliedig heb erioed gael hyfforddiant gwyddonol, dim ond dysgu trwy brofiad. Gwas ydoedd gydol ei oes, er rhaid prysuro i ddweud na feddyliem amdano felly. Un ohonom ni oedd e a ninnau yn rhan ohono yntau, eto gwas cyflog ydoedd, ond un o'r hil brin honno bellach a ystyriai eiddo ei feistr fel ei eiddo ei hun, a phe bai 'Nhad yn absennol am flwyddyn, neu fwy, gallai fod yn gwbl dawel ei feddwl y byddai popeth yn mynd rhagddo yn gwbl iawn, yn wir, yn well na phe bai yno!

Bûm innau wrth draed y Gamaliel hwn; ceisiodd ddysgu rhai gwersi i mi, ond ma arna i ofn na lwyddodd bob tro. Un o'i gynghorion cyson, a chyngor anodd i un gwyllt, diamynedd i'w dderbyn oedd hwn:

'Ma'n werth i ti iste i lawr i feddwl uwchben jobyn am hanner awr cyn dechre, meddwl shwt ma mynd ati, fe arbedi di amser yn y pen draw.' A dyna a wnâi, nid rhuthro yn ddifeddwl a'i gael ei hun mewn trafferth, ond cynllunio tasg yn ofalus ac ystyried y ffordd orau, a'r ffordd hwylusa i'w gwneud yn effeithiol. Gweithiwr gofalus, meddylgar oedd e. Ac yr oedd un peth fel tân ar ei groen, a gwaith sâl, ffwrdd-â-hi oedd hwnnw. Credai mewn crefft, a chredai mewn cymryd amser i 'neud gwaith yn dda. Ei arwyddair oedd 'beth bynnag yr ymafla dy law ynddo, gwna â'th holl galon' a gallech fod yn weddol sicr na ddeuai dim sâl na symol o'i law. 'Na i chi'r mater cwbl sylfaenol o hogi ei arfau. Tuedd rhai yw clatsio mlân â'r min wedi pylu, ac ma hynny i'w weld yn y gwaith a wnânt. Byddai Ifan yn cymryd amser i hogi a deuai pob erfyn o'i law fel y rasal. 'Ma min yn mynd i dy arbed; rhaid i ti gael yr erfyn i weithio yn dy le, ac wrth gwrs, bydd gra'n ar dy waith os cedwi di fin ar dy offer.' Ma gwers fawr fan 'na, gwers y gwelais ei gwerth fwy nag unwaith mewn llawer cylch o'r tu fas i ffermio. Welsoch chi rywun heb fin ar ei arfau yn gneud gwaith da?

Ma hogi yn gwbl angenrheidiol. Y peth arall yr oedd e'n ofalus yn ei gylch—ac ma tystiolaeth i'r pwynt hwnnw hyd y dydd hwn, mi gredaf, yn Sarnau—ar ôl gorffen gydag offer arbennig, dyweder injan lladd gwair neu'r beindyr, rhaid oedd eu glanhau yn drwyadl ar unwaith, cyn eu rhoi o'r neilltu. Gallech fod yn gwbl sicr y byddai offer a roddwyd o'r neilltu gan Ifan, pan fyddai galw am eu defnyddio y flwyddyn ddilynol, yn barod i waith heb na brycheuyn na chrychni arnynt. Un o'i elynion mawr oedd rhwd ac ymladdodd frwydr ddygn yn erbyn y gelyn hwnnw. Ma beindyr Deering, beindyr ceffyle, sy bellach yn agos i hanner cant oed yn dal i weithio fel watsh er ei bod yn cael ei llusgo ers blynyddoedd gan dractor, ac y mae ei chyflwr campus i'w briodoli i oruchwyliaeth ofalus Ifan. A dyma wers arall sydd wedi profi ei gwerth yn gyson, sef na all un offeryn 'neud gwaith os nad yw'n rhydd o rwd; rhaid ei gadw mewn cywair glân, di-rwd; rhaid ei barchu. I'r graddau y rhowch sylw i'ch offer, i'r graddau hynny y cewch chi'r gore ohonynt.

A sôn am offer, dylid dweud mai dyn ceffyl oedd Ifan. Deiliad anhapus oedd e o fyd y tractor. Ni chymerodd at hwnnw. Amheuai ei fedr i wneud gwaith graenus a chrefftus. Roedd ei ruthr a'i gyflymder yn peri fod yna amheuaeth yn codi ym meddwl Ifan ynglŷn â'i effeithiolrwydd. Ni chredodd fod cyflymdra a chrefft yn cyd-fynd o gwbl. Gwgu a gollwng ambell air a sylw brathog a wnâi pan ddeuai'r tractor i'r drafodaeth. Ond dewch chi, os oedd ceffyle rywle'n agos byddai yn dihuno i gyd. Ffroenai hwnnw o bell a does amheuaeth nad oedd e yn 'nabod ceffyl da. Gwyddai enw pob darn ohono yn Gymraeg. Felly y dysgodd e nhw.

(Os ca i roi hys-bys fan hyn, ma cyfrol gen i sy'n trafod y pwynt yna'n llawnach. *Pencawna*, (Gwasg Christopher Davies, 1979) yw ei henw.) Roedd yn feistr ar dorri ceffyl ifanc i mewn. Ni fethai gyda'r mwya anystywallt. Gallai fod yn bur llym wrthynt, a byddent cyn pen fawr o dro yn gryndod i gyd dim ond iddo godi'i lais. A wir, pan godai'i lais arnom ninnau blant, byddem yn corco'n clustiau. Rwy'n credu ein bod yn ei ofan, a thueddu fydden ni i 'neud rhyw bethau yn slei fach rhag i Ifan weld.

Soniais i'w fyd fod yn un cyfyng, a gwir y gair, ond mae'n rhyfedd pa mor gyfoethog y gall bychanfyd rhywun fod. Ma byw yn agos at natur a sylwi ar nodweddion y gwahanol dymhorau yn addysg ac yn ddiwylliant, a chredaf fod Ifan mewn cynghanedd lawn â thymhorau'r flwyddyn, a gwyddai, wrth gwrs be ddylid ei 'neud, ac yn bwysicach be *na* ddylid ei 'neud, yn ystod pob tymor. Dyn yn 'nabod ei fyd oedd e, yn ei garu ac, yn fwy na dim, yn fodlon arno. A diamau mai dyna'r peth mwya y gellir ei ddweud amdano, iddo fodloni ar yr hyn a ystyriem ni yn 'chydig a chael yr ychydig hwnnw yn ddigon ac yn ddigonol. Onid yw'r rhan fwya ohonom yn greaduriaid anfodlon ac yn edrych dros y clawdd yn eiddigeddus a gresynu fod hwn-a-hwn yn cael cystal byd? Unwaith y digwydd hynny y diflasa o blant dynion ydym. Cyfrinach bywyd—a dysgodd Ifan honno—yw gneud yr eitha o'r hyn sydd gennych, a gwerthfawrogi yr hyn sydd yn eich llaw, ac ystyried eich bod y person mwya breintiedig yn y byd. Ma honna yn fendith amhrisiadwy. 'Chydig sydd â hi.

Ond mae'r bennod ola wedi ei chwpla. Mae'r gyfrol yn un gyfoethog, cyfrol sy'n cwmpasu rhagor na hanner can mlynedd, yn gwasanaethu ar un fferm, gyda'r un teulu. Ma ynddi gymeriadau gwahanol, tad a mam a nythaid o blant, nifer o weision eraill, Joni Tomos, Dei bach, Lisi'r forwyn ac amal i dramp, ac yn eu plith Walter arbennig, dynion y meirch a'r gwaddotwr, porthmyn a thrafael-wyr—y cymysgedd a gaech ar gefn gwlad a'r cymysgedd yn gneud y gyfrol yn ddiddorol i rywun heddiw wrth droi ei thudalennau. Un o'r hynodion a berthyn i Ifan yw ei fod e yno ar ddechrau'r gyfrol ac y mae hi yn cau gydag e. I ni, a gafodd y cyfle i'w 'nabod, ma gyda ni lawer i ddiolch iddo amdano. Da, was da a ffyddlon, buost ffyddlon ar ychydig.

(25 Mai, 1979)

Cadno

Roedd hi'n hyfryd eu gweld eto—wedi newid rhywfaint, fel y byddai dyn yn disgwyl. Ma blwyddyn neu ragor yn gneud gwahaniaeth mawr i gryts yn eu harddegau. Ond doedd y newid ddim wedi'u dieithrio. Daeth eu gweld â llawer o atgofion. Roeddynt yn aelodau ffyddlon o'r grŵp a oedd gen i yn Llanddewibrefi, a ches lawer o'u cwmni a'u cefnogaeth. Nid oeddynt yn brin o ddawn. Yr ieuengaf â llais canu hyfryd, er ma gerfydd ei glustiau y byddai'n canu, ar dro! Yr hynaf â llais cyfoethog, yn bleser ei glywed yn gyhoeddus gyda'i Gymraeg rhywiog. Yn wir, pe dymunai, gallai fod yn gryn berygl ar lwyfannau 'steddfodau fel adroddwr, fel ei ewythr Bertie, Pant-y-blawd, o'i flaen. Roedd tipyn o waith perswadio, ond wedi iddo gydio yn y darn gwnâi waith da a chydwybodol. Ma un atgo gen i amdano, fe fydd gen i am byth. Daeth gyda ni i'r Almaen, yn un o'r criw a fentrodd i Colôn yn 1976, a chafwyd lot o hwyl. Ond roedd John Aber-coed yn poeni am ryw ast dorrog. Roedd ei thymp yn agosáu a disgwyliai dorred o gŵn bach cyn dychwelyd. Soniai byth a hefyd am yr ast a ryw noson mewn barbeciw roedd yno ŵr caredig iawn. Soniais wrtho am

bryder John ac ar amrantiad gwahodd-
odd John a minnau at y ffôn ac o fewn
'chydig eiliadau canai'r ffôn yn Aber-
coed a llais ei fam yn ateb. Ofynnodd e
ddim shwt oedd ei fam na'i dad, yr unig
gonsýrn oedd yr ast, a chafodd y newydd
bendigedig fod torred deidi o gŵn bach
yn ei ddisgwyl yn ôl. Pe bai ei wraig
wedi cael efeilliaid fydde John ddim yn
hapusach! Roedd e ar ben y byd y noson
honno.

Ond o bosibl mai'r peth a wnaeth orau
oedd rhannu llwyfan gen i ryw noson a
chwarae Siôn a Siân. John yn Jennie, ac
yn wir i chi, ni wisgwyd Jennie yn ei holl
ogoniant fel John y noson honno! Rhyw
Dai sâl own i wrth ei ochor; nid yn unig
bod ei ddillad yn wych, roedd y coluro yn
fedrus a John yn dangos fod hen ddawn y
teulu yn berwi yn ei waed. Oni fu Jenkin
yn aelod o barti Mary Lewis, Llandysul?
Ac nid ar chwarae bach y caech chi
berthyn i'w phartïon hi. Byddai John ar
bwys ei berfformiad y noson honno wedi
cerdded i mewn i unrhyw gwmni. Na,

dyw e ddim yn brin o ddawn a medr. Ac yr own i'n rhyfeddol o falch o'u gweld ar dudalen flaen y *Cambrian News*. Ond allwn i ddim credu fy llygaid. Edrychais fwy nag unwaith i wneud yn siŵr fy mod yn gweld yn iawn. Ie, John ac Ednyfed oedd yno, a llwynog bach a fagwyd yn swci gyda nhw. A rhyw fore dyma glywed y ddau ar y radio, ar raglen Hywel Gwynfryn, yn adrodd sut y daeth y cadno i'w meddiant. Os deëllais i bethau yn iawn roedd gyda nhw dri i ddechrau ond dihangodd dau yn ôl i'w cynefin. Hwrê, dyna ddau sy wedi trechu bois Aber-coed! Ma ise tipyn i 'neud hynny. Deil un yn ei gaethiwed. Am ba hyd tybed? Pe bai John yn yr Almaen eleni byddai'n ffonio adre bob nos i holi a oedd y llwynog yn ei gwb! Deallaf, yn ôl a glywais, mai cloddio i nyth llwynoges a wnaethant a dal y cenawon bach a cheisio'u magu ar fara a llaeth. Ond y peth rhyfedda o bopeth a glywais—alla i ddim credu fod John Aber-coed yn credu hynny—ei reswm tros fagu'r llwynog yw

301

y bydd o help iddo. Gall ei ollwng i'r coed, a bydd yn udo yno a galw'r llwynogod eraill ynghyd a bydd hynny yn gyfle iddo saethu'r lleill. Odi John Abercoed yn credu fod cadno yn mynd i fradychu ei hil? Dynion sy'n gneud peth fel'na. John, does dim Jiwdas Iscariot ymhlith llwynogod. Gallaf sicrhau y ddau a aeth i'r drafferth o fagu llwynog bach mai dianc i'r goedwig fydd ei ran. Os ydw i yn 'nabod eu tad yn iawn, a chredaf fy mod, mi wranta ei fod e wedi dweud wrthyn nhw mai llwynog yw llwynog, ac y myn y llwynog sydd ynddo gael ei ffordd yn y pen draw. Dyw ei fagu ar fara a llaeth ddim yn mynd i newid ei natur. Ac am gredu y gellir ei ddefnyddio i alw ei gydlwynogod ynghyd i'r lladdfa, dim ffiar! Bydd hwnna wedi dilyn y ddau arall cyn hir, ac yn ca'l sbort iawn am ben y rhai a aeth i'r drafferth o'i fagu, a bydd yn ddigon digywilydd i ddod nôl a lladd ar dir y dwylo fu'n ei dendio. Dyna'i natur. Un fel 'na yw llwynog ac ma disgwyl iddo weithredu yn groes i'w natur yn ddisgwyliad afresymol. Ni fedr nacáu ei natur ei hun. Rhaid iddo fod yn driw iddo'i hun.

Rydw i wedi bod yn meddwl tipyn am y llun o'r ddau frawd a'r llwynog bach. Fel y dywedais, rown yn sobor o falch o weld y bechgyn. Edrychaf ymlaen at eu gweld yn y cnawd yn fuan. Ond mae'r llun a'r digwyddiad a bortreadir yn y llun wedi troi yn ddameg o dan fy nwylo. Dameg a ddylai ddweud neges go gre' wrth rai sy'n 'nabod llwynogod ac yn eu hela. Un o gyfrinachau bywyd yw 'nabod popeth am yr hyn ydyw. Fe ellir honni pethau mawr am lot o bethau ond o dan yr honni gorffwys gwirionedd sydd raid ei gydnabod. Rydw i er gadael Llan-ddewibrefi wedi cael cyfle i weld y pwynt yna yn ei rwysg a'i rym, ac ma dameg y llwynog gyda bechgyn Aber-coed wedi rhoi pregeth newydd i mi! Ma pethau hyfryd a dymunol yn cael eu dweud am y ddiod ar y teledu ac mewn hysbysebion lliwus. Nid yw'n brin o rai i'w chanmol a'i chymell ac i fynnu nad oes dim niwed ynddi. Yn wir, fel y llwynog gyda'r bechgyn, fe all fod o fantais i chi, medden nhw. Na thwyller neb ohonoch. Ma diod yn ddiod fel ma llwynog yn llwynog a'i natur yw niweidio a sarnu. Does yr un diwrnod yn mynd nad wyf yn cael ffeithiau trist i brofi'r pwynt yna. Neithiwr ddiwethaf rown i'n digwydd bod mewn cwmni parchus iawn. Cafwyd amser da. Fy neges i oedd sôn am y rhaib a gyflawnir ar ein cymdeithas ni gan ddiod, ac yn arbennig am y galanastra a welir ar fywydau rhai ifainc. Daeth yn adeg trafodaeth. Soniwyd am yfed cymdeithasol, yfed i groesawu a dangos croeso, yfed iechyd da, yfed cymedrol. Doedd y ddiod ddim yn brin o ladmeryddion huawdl ac fe allech dyngu mai cyffur diniwed iawn ydyw a bod dyn, fel bechgyn Aber-coed, wedi dofi enbydrwydd y cyffur yma. Doedd dim raid i mi fynd ymhell i ddangos yr anfadwaith a gyflawna'r cyffur ar gymeriadau a chymdeithas, a'n brwydr fawr ni yw cael pobol i weld beth yw gwir natur y cyffur ar gymeriadau a chymdeithas, a pha faint o niwed y gall ei wneud. Rown i'n digwydd bod mewn ardal wledig y Sul o'r blaen. Canol gwlad hyfryd. Wrth ddychwelyd o'r oedfa fore Sul, meddai'r wraig a yrrai'r car, 'Welwch chi'r lle 'na?' gan gyfeirio at fferm fawr.

'Gwelaf, beth amdano?'

'Fe'i gwerthwyd rai dyddiau'n ôl.'

'Pris mawr, rwy'n siŵr.'

'Dim digon i glirio'r dyledion.'

'Pa ddyledion?'

'Wedi yfed y cwbl. Does gydag e ddim to uwch ei ben. Ei fywyd teuluol yn yfflon. Ei iechyd wedi ei amharu ac ni ellir disgwyl ei wella. Bywyd yn sarn, a bywydau eraill.' Fe ellid pentyrru achosion tebyg a rhai gwaeth, petai raid. Dyna a wna'r ddiod. Darostwng, difetha, distrywio. Gellir ei hamddiffyn faint a fynner, ond yn y pen draw mae'n medru cnoi a gafael yn gas a'r unig beth gonest i'w wneud â hi yw cydnabod ei natur a'i niwed, a'i thrafod felly. Peth difrifol yw honni fod rhywbeth sydd a cholyn peryglus gydag e yn ddiniwed ond i chi ei ddofi a'i gadw o dan reolaeth.

Fe ellid tynnu gwersi eraill o ddameg y llwynog dof. Ga i awgrymu hyn, ar gyfer pobol ifainc. Yn wir, mae'r gynta a dynnwyd ar eu cyfer nhw, bid siŵr. Ond yr ail ben yw hwn: cwmni drwg, cwmni amheus. Fe ellwch gael sbort gyda nhw. Fe ellwch ddweud nad ydyn nhw ddim cynddrwg ag y dywed dynion. Ond llwynogod a brath gyda nhw, dyna ydynt, a ryw dro, yn gwbl ddirybudd, bydd y gwylltineb sydd ynddynt yn brigo i'r wyneb, a'r funud honno fe'ch brethir yn gas, yn wir, mor gas fel y bydd creithiau arnoch am byth. Rhaid dysgu'r grefft i 'nabod popeth am yr hyn ydyw a pheidio â cheisio twyllo'ch hun ei fod yn wahanol, er ei fod ar y pryd yn ym-ddangos yn wahanol. Ma'n nhw yn hoffi hynny a thrwy hynny y gallant ddwyn eu drygwaith i ben.

(6 Gorffennaf, 1979)

Moelwyn

Clywais â'm clustiau sôn amdano, a doedd y pethau a glywais ddim yn codi awydd mawr arnaf i'w gwrdd na cheisio cyd-fyw ag e. Ond roedd rhagluniaeth, os mai rhagluniaeth oedd y peth (amheuaf hynny), wedi ein bwrw ynghyd a rhaid oedd rhannu bywyd yn yr un plwy, a gobeithio'r gorau. Wrth gwrs, roedd byd o wahaniaeth rhyngom. Fe yn academydd disglair, wedi treulio ei flynyddoedd gorau yn darlithio i fyfyr-wyr prifysgol a hynny mewn Saesneg. Ond nid gŵr pwnc mohono, roedd ei orwelion yn lletach a chymerai ddiddor-deb diwylliedig yn y celfyddydau. Onid oeddwn wedi ei weld ar y teledu a'i glywed ar y radio yn sôn am artistiaid a cherddorion, cerflunwyr a chrefftwyr o'r hen fyd ac o'r byd newydd? Heb os, gŵr â chwmpas eang oedd e. Ond wedi bod wrthi yn dysgu penderfynodd ailafael mewn plwy a chafodd le ar gefen gwlad Cymru, ym mhentre Dewi Sant ei hun.

Yr oedd hynny yn golygu llawer iddo. Credai fod y sant hwnnw wedi bwrw ei hud ar y lle a bod ôl ei draed ar bridd a ffyrdd y fro. Dydw i ddim yn siŵr a yw e'n credu hynny heddi! Gwledig oedd fy nghefndir i, amaethyddol, a heb brofi nemor ddim o flas diwydiant, fel y gwnaeth e yn Aberafan. Dim ond un peth a oedd yn gyffredin rhyngom: yn wreiddiol, dau Hen Gorffyn oeddym, ond iddo ef weld mai ei faes gweinidogaethol fyddai yr Eglwys yng Nghymru. Felly, o ystyried popeth, gellir yn deg ddweud ... 'y pellter oedd rhyngddynt oedd fawr', a'r pellter hwnnw yn codi peth ofn arnaf, ofn na allem bontio'r gagendor. Ac yn ôl a ddeëllais yn ddiweddarach roedd amryw wedi disgwyl y byddem yn rhythu ar ein gilydd ar draws y gagendor hwn, ac weithiau yn cnoi ein gilydd. Hyfryd yw tystio na ddigwyddodd hynny. Ni fuom yn agos at hynny o gwbl. Gwir yw dweud na allem weld lygad yn llygad, eto, er anghytuno ar amal i bwynt, gallem drafod ein gwahaniaeth yn rhesymol a chytuno ac anghytuno. Ffiloreg noeth yw'r gred fod yn rhaid i chi gwympo mas â'r sawl yr ydych yn anghytuno ag e. Dynion bach sy'n gneud hynny; ma rhai sy wedi tyfu lan yn medru gneud yn amgenach, ac yr ydw i yn ddigon balch i gredu fod y ddau ohonom wedi tyfu lan, tyfu digon i gydnabod gwahanol safbwyntiau a hawl pob un i'w safbwynt. Ond yn rhyfedd iawn, o'r diwrnod cynta y cyrhaeddais ei blwy, cawsom y ficer a'i wraig yn nerth a chadarn dŵr a buom ddegau o weithiau yn ddiolchgar amdanynt ac am eu cyfeillgarwch. Alla i ddim dweud ein bod yn rhedeg i dai ein gilydd ond go brin fod yna wythnos yn mynd na chaem sgwrs a thrafodaeth. Er y gallasai'r sgwrs yn hawdd fod wedi troi at bethau personol—gwnâi hynny weithiau, bid siŵr—gan amla cydio mewn rhyw fater neu bwnc a wnaem. Gŵyr pawb a gafodd y fraint o fynd i'r ficerdy fod yno oriel gyfoethog o ddarluniau gwerthfawr gan y meistri; hefyd roedd yno gerfluniau tra arbennig.

Teimlwn gydol yr amser y bûm yn ei blwy nad oedd galw am ymweld â'r Amgueddfa Genedlaethol i weld hyn ac arall—roedd digon ar stepen ein drws, a mwy na hynny roedd yno un i'n goleuo a'n tywys ar hyd llwybrau dyrys y grefft o wneud llun a cherflun. Gallaf yn sicr ddweud imi ddysgu mwy gydag e am y celfyddydau nag a wnes gyda neb arall. Yn wir, bu ei 'nabod a threulio rhai oriau yn gyson gydag e yn gyfoethogiad na allaf i mo'i brisio. Diolchaf, gwnaf, yn wir, am gael fy nhaflu i'r un pentre ag e. Deuthum oddi yno â'm llygaid wedi eu hagor i amryw o bethau. Yn wir, roedd yn werddon yng nghanol tir digon anodd yn amal, a chynhaliai fy ysbryd. Ni allaf ond diolch heddiw, wrth adolygu'r cyfnod hwnnw, a mynegi fy ngwerthfawrogiad am yr hyn a gefais, am yr hyn a ddysgais, ond yn benna am y cyfeillgarwch. Er yn dra gwahanol, eto roeddem yn un a chytûn, a gwyddai'r pentre hynny, ac yr oedd yn ddirgelwch anneualladwy i amryw.

Wrth gwrs, dyw'r dwst ddim wedi setlo ar ffyrdd yr ardal eto. Hedfanai fel Jehu ar hyd y cefnffyrdd. Ac, yn wir, dyna'i gymwynas: symud dwst. Dyna gyfraniad yr ŵyl gelfyddyd a drefnai. (Peth newydd iawn mewn pentre 'steddfodol Cymreig a gredai fod 'O! na byddai'n haf o hyd' yn un o unawdau mawr yr oesoedd!) Mynnai hwn agor y drws i'r gweithiau clasurol a modern, a'r rheini yn fynych yn annealladwy a heb fod o hyd yn soniarus iawn i'r glust. Daeth â lluniau modern i'r arddangosfa a gwahoddodd feirdd i ddarllen eu gweithiau. Y cwbl yn newydd iawn. Y cwbl yn ysgytwad fawr. Beth fydd pen draw yr arbraw fentrus yna? O leia gallaf ddweud imi elwa'n fawr o'r peth a bu'n gyfrwng i symud trwch o ddwst a oedd wedi crwsto arna i. Y funud yma o flaen fy llygaid, yn crogi ar fur ein cartre, mae'r tri chlawr a gynlluniwyd ar gyfer gŵyl gelfyddyd y pentre. Maent yn wych. Heb os, doedd y plwy ddim wedi deall beth yn hollol a oedd wedi'i daro pan ddaeth hwn i'w plith. Os cododd y ddaear o dan draed Dewi Sant fe geisiodd hwn godi'i blwyfolion i weld y tir pell mewn celfyddyd a chrefft, mewn cân a barddoniaeth. A welsant hwnnw? Ni wn. Ni all neb 'neud i bobol weld; yr unig beth y gellir ei wneud yw rhoi cyfle iddynt weld, ac yn bendifaddau cawsant y cyfle hwnnw. Ac yn ystod y cyfnod yna buom yn cyd-weithredu a chynnal oedfaon undebol gan symud o un addoldy i'r llall. Ni chydiodd y peth, a hynny am resymau amlwg, ond bu'n brofiad gwerthfawr. Rhaid addef fy mod yn edrych ymlaen at fynd i'r eglwys. Pregethai'r ficer yn wych. Os oedd ei wreiddiau hen-gorffaidd yn brigo i'r wyneb yn rhywle, yn ddi-os gwnaent hynny yn ei bregethu grymus. Ces fendith. Gwn i eraill gael ac yr oedd ymuno yn y gwasanaethau achlysurol ar ddydd Gwener y Groglith a gwyliau eraill yn brofiadau i'w trysori.

Gadawodd ei farc arna i yn ddiamau.

Rhagymadrodd yw'r llith yna i'r ffaith fy mod am gyfeirio at gyfrol o farddoniaeth a ddaeth o'i law. Rwy'n cofio rhai o'r rhain yn dod o'r ffwrn, fel y darnau crochenwaith a wnâi. Fe'u clywais cyn iddynt sychu yn iawn. Da yw eu cael rhwng cloriau caled fel y gall rhywun fyfyrio arnynt, oherwydd rhaid yw myfyrio a meddwl uwchben cynnyrch awen yr offeiriad academaidd. Enw'r llyfr yw *No Dark Glass* ac fe'i cyhoeddwyd gan Wasg Christopher Davies. Bydd pobol y plwy yn 'nabod rhai ohonynt am fod ynddynt gyfeiriadaeth leol.

Ni allaf ddyfynnu'r darnau a garwn; nid adolygiad mo hwn ond dyma ddarn cyfoethog:

Ann Williams
of Pant y Blawd
died 10th July 1808
Aged 56

Though the acres teemed,
Life was stunted, bitter, confined.
Death led to a narrow grave
crammed at the path's edge,
the stone not wide enough
to take her name with grace.

Fe ges i flas ar y gyfrol a blas anghyff-redin ar ambell ddarn fel yr un a luniwyd wedi iddo fod mewn arddangosfa o waith Josef Hermann.

Ond yr hyn sy'n gneud y gyfrol yn werthfawr i mi yw fod Moelwyn Merchant wedi torri ei enw arni a 'sgrifennu gair o gyfarchiad. Rhwng y gyfrol hon, y darn celfydd o waith coed a ges yn anrheg gydag e wrth inni adael pentre Dewi Sant, a'r tri llun sy'n hongian yma, mae'r ficer fel un cwmwl tystion mawr yn ein hamgylchynu, ac mae'r atgofion yn felys. Bu'n fendith ac yn foddion gras i'w 'nabod e a'i briod garedig, gwrtais.

(5 Hydref, 1979)

Co'

Does dim yn syfrdanol o newydd mewn dweud fod y cof fel compiwtyr. Rhyfedd y pethau a gasglwyd ac a storiwyd yn ddiarwybod i ni, ac yna, ar amrantiad fe ddigwydd rhywbeth i alw rhyw bethau a storiwyd yn ôl, a dyna chi ar fyrder yn ail-fyw ddoe neu echdoe. Onid yw'r co' yn beth gwerthfawr? Ac y mae'n drueni gweld rhai sy'n colli'u co', y cyfan yn drysu, y compiwtyr wedi rhedeg yn wyllt a di-drefn. Gobeithio y cawn ein harbed, bawb ohonom, rhag hynny. Beth bynnag, dyma'r compiwtyr y dydd o'r blaen, ar gymhelliad digon syml, yn codi ysgol Llanfihangel-y-Creuddyn i'r co'. Mae'n rhyfedd pa mor fynych y daw honno ar y sgrîn, a dweud y gwir. Alla i ddim honni i'm dyddiau ysgol fod yn rhai cynhyrfus na chofiadwy. Digon cyffredin, ddwedwn i. Eto yn ddymunol a llawn sbri, mae'n siŵr, fel y dylent fod. Ond Miss Evans y Go' ddaeth yn ôl. Merch fain, dal oedd hi. Athrawes y rŵm ganol, y 'stafell ganol. Miss Evans oedd hefyd yn 'stafell y babanod, ond llwyddodd y prifathro, rywfodd neu'i gilydd, i fynd drwy 'stafell Miss Evans y Go' heb ei faĉhu, ond fe'i daliwyd gan Miss Evans y Felin! Fe'i hadweinid fel Miss Evans y Go' am ei bod yn ferch i'r go' lleol, yr enwog Williams Evans, y gŵr a ddyfeisiodd yr aradr fain a fu'n cipio'r llawryfon mewn priminoedd. Gwelais un yn yr Amgueddfa Werin yn Sain Ffagan y dydd o'r blaen ac roeddwn yn falch o gael dweud fy mod yn 'nabod y sawl a'i gwnaeth, ac imi gael cwarter o ysgol gyda'i ferch. Deallaf na chafodd hi goleg; doedd hynny'n poeni dim arnom ni'r plant. Ni phoenem am bethau dibwys felly. Un o'r ynsyrtiffs oedd hi, a gwnaeth y criw yna ddiwrnod da o waith am arian bach iawn, digywilydd o fach, oherwydd byddent yn gorfod cario cyfrif-oldeb athro trwyddedig. Cystal mynegi gair o ddiolch yn fawr ar ran plant y sir. Rhaid eu bod yn hoffi plant ac yn hoff o ddysgu. Beth arall a'u cymhellai i weithio?

Roedd y rŵm ganol yn ysgol Llaning-iel yr adeg honno yn 'stafell gymharol fawr. Rwy'n credu fod pethau wedi newid. Roedd tri neu bedwar dosbarth ynddi, o'r rhai a oedd newydd adael 'stafell y babanod i'r dosbarth a oedd ar fedr symud i 'stafell y sgwlyn. Parhau y gwaith a ddechreuwyd oedd y dasg i Miss Evans a'n cael yn barod i fynd i gwrdd â gofynion y dosbarthiadau uwch. Roedd un peth arbennig yn y 'stafell honno. Roedd y rhaff a gydiai wrth gloch yr ysgol yno, a phan oedd galw am ganu honno byddem yn giwed gre', yn cynnig ein gwasanaeth. Doedd dim a rôi fwy o foddhad inni na chael hongian wrth honno a tharo'r gloch yn y to nes ei bod yn diasbedain drwy'r holl fro. A'r gwir yw ein bod ni yn ei chlywed gartref, o leiaf filltir i ffwrdd, os oedd y gwynt o'r cyfeiriad iawn, ac y mae lle i ofni mai clywed y gloch yn canu oedd yr alwad i ni gychwyn ar ein siwrnai, yn rhy amal. Mae'n rhaid bod Miss Evans yn flaengar iawn. Mynnodd roi gwersi cŵcyri i ni. Braidd yn amheus oedd y bechgyn. Onid peth i'r merched oedd trin a thrafod bwyd? Eto byddai ambell un yn ei frat gwyn yn herio rhagfarn ardal amaethydd-ol ac yn mynnu cwcian gyda Miss Evans. Dydw i ddim yn cofio i mi fod yn aelod llawn-amser o'r wers yna, er ma gen i go' bod yn y dosbarth rai troeon. Chofia i ddim be oedd y wers a rhaid dweud nad yw fy nghwcian i wedi bod yn glod i Miss Evans. Rwy'n cofio un wers yn dda—rhaid mai'r haf oedd hi canys yn y tymor hwnnw byddem yn mynd mas i gael gwersi. Nid gwersi natur na dim o'r fath, ond mynd â'n cadeiriau mas i gae bach a oedd yn rhan o'r maes chwarae, a chwilio cilfach gysgodol wrth fôn shetin i weith-io. Roedd gwneud hynny yn ddiddorol, oherwydd roedd amryw o bethau yn digwydd o gwmpas, hwn a'r llall yn mynd a dod, rhai yn lladd gwair, ambell un yn tocio'r fynwent. Digon i'n diddori a dwyn ein sylw oddi ar y gwaith diflas o ddysgu. Rhaid mai gwers ar y corff a oedd ar waith. Wrth gwrs, doedd Miss Evans ddim agos mor feiddgar ag y maent bellach. Nid oedd rhyw yng ngeir-fa ysgol Llaningiel. Rhaid bod lluniau ganddi i ddangos y gwahanol aelodau sy yn y corff. Daethpwyd at y galon, ei phwysau, ei gwaith, ei phwysigrwydd, a dyma saethu'r cwestiwn atom, be sy'n digwydd pan fyddwch yn cysgu? Odi'ch calon yn cysgu, neu a ydi hi'n dal i gerdded? Bu tipyn o ddyfalu, un yn edrych ar y llall, a'r ateb ymhell o fod yn glir inni. Beth bynnag, roedd y consenswus yn y diwedd o blaid y ffaith ei bod yn cysgu pan fyddwn ni yn cysgu a'i bod yn aildanio yn y bore wedi inni ddeffro. Bu llawer o ddyfalu ac esbonio. Fe adawodd yr athrawes ni i drafod ac wedi inni ddihysbyddu'r pwnc dyma hi yn esbonio. Ddwedodd hi ddim. Pwyntiodd yn dawel at y fynwent, canys yr oedd mynwent yr eglwys yn ffinio â maes chwarae yr ysgol a gwelem angladdau yno'n gyson, ac meddai: 'Calon wedi stopio sy'n gyfrifol fod cymaint fan 'na. Unwaith y mae hi yn sefyll does dim dechre arni wedyn.'

Gadawodd y peth dramatig hwn argraff fawr arnom a phob un yn rhoi ei law ar ei galon i weld a oedd ei galon yn curo rhag ofn y byddai yntau yn landio dros y clawdd gerllaw! Wedi inni ddeall y pwynt, ac yr ydw i'n siŵr inni ddeall, dyma ddangos i ni sut oedd gwrando ar guriad y galon. Gosod bys ar byls; braidd yn anodd oedd hynny. Methu'n deg â chael gafael yn y curiad. A dweud y gwir, dydw i hyd y dydd heddi ddim yn rhyw siŵr iawn o gael gafael ar byls, odych chi? Dyna gododd y compiwtyr y dydd o'r blaen. Dim byd syfrdanol, eto yn rhan o brofiad ysgol rhywun. Pa sawl un a oedd yn y dosbarth hwnnw, tybed, sydd erbyn hyn â'i galon wedi sefyll? Mwy nag un, mae arna i ofn. Yn sicr, dyna yw stori Miss Evans y Go', ers tro bellach; eto deil i fyw yng ngho' a phrofiad amryw ohonom.

(8 Chwefror, 1980)

Amsterdam

Yn gynnar yn y pumdegau aeth parti ohonom i Amsterdam. Ni bûm yno wedi hynny. Erys yr argraff am y ddinas amlgamlesog hon gyda'i hadeiladau uchel, henaidd. Heb os, y mae i Amsterdam gymeriad. Ar y nos Sul roeddem wedi ymgynnull mewn goruwchystafell, ar ôl oedfa, yno'n canu emynau a'r gwŷr o'r Sowth wrth eu bodd yn canu ei chalon hi. Cafwyd noson hwyliog. Yn ystod y canu daeth gŵr tal, bonheddig ataf a gwahodd cwpwl ohonom am baned o goffi i'w gwch a oedd wedi ei angori ar un o'r camlesi, heb fod nepell o'r fan y cyfarfyddem. Aethom a chael croeso mewn cwch eang. Newydd gyrraedd yr oeddynt o Brydain, pedwar yn y teulu, gŵr a gwraig a dau blentyn. Roedd y mab a'r ferch yn cysgu'n braf yn eu hamoc. Roedd y gŵr yn wyddonydd o bwys, wedi 'sgrifennu nifer o lyfrau ar fioleg ac ar y cysylltiad rhwng Cristnogaeth, y Beibl a bioleg. Un o deulu Pilkington, pobol y ffatrïoedd gwydr, ydoedd. Buom mewn cysylltiad am sbel go lew wedi hynny. Yna, ymhen rhyw ugain mlynedd, pan oeddwn ar ymweliad â Cenia yn nwyrain yr Affrig, ces gwmni gŵr ifanc, tal a oedd wedi graddio'n uchel yng Nghaer-grawnt ond wedi dewis gwasanaethu Cymdeithas y Beiblau. Oherwydd ei fedr mewn ieithoedd semitig roedd yn gynghorwr ar gyfieithu yn yr Affrig. Teithiai o gwmpas yn ei awyren breifat ei hun, ac fel y digwyddodd fe oedd y crwt a welsom yn y cwch yn Amsterdam yn cysgu'n sownd. Cynt y cwrdd dau ddyn na dau fynydd!

A phan own i yn y gynhadledd yng ngogledd Carolina yn haf 1980 dyma gwrdd â gŵr o Amsterdam. Rown i wedi sylwi ar ŵr tal, barfog. Llwyn drain o farf golau ganddo. Ryw noson rown i wedi mynd am dro o gwmpas y llyn a oedd o flaen y gwesty lle y lletyem. Dyma gwrdd â'r gŵr barfog yma a mynd am wâc gydag e. Gweinidog yw e yn awr yn Amsterdam. Bu'n weinidog ar y cefen gwlad yn rhywle. Gwlad amaethyddol oedd ei blwyf a'i blwyfolion. Teimlai awydd i newid maes a wynebu sialens newydd. Daeth cyfle iddo fynd i'r ddinas, i'r brifddinas. Annisgwyl braidd, medde fe. Pan gyrhaeddodd, yr un hen stori, adeilad mawr gwag. Bu i hwn orffennol llewyrchus iawn. Cynulleidfa o ddwy fil mewn oedfa.

Eithr y gogoniant a ymadawodd. Dyrnaid a oedd yno a'r rheini mewn oedran, amryw ohonynt. Eto eu hymlyniad yn driw. Carent y lle yn fawr. Ond ni theimlai'r gweinidog ifanc hwn fel treulio'i oes yn gweinidogaethu i gynulleidfa a oedd yn lleihau o flwyddyn i flwyddyn ac yn bendifaddau yn heneiddio. Gerllaw'r capel roedd parc, un o barciau hyfrytaf y dref, ond yno y casglai'r ieuenctid a oedd ar gyffuriau. Fe welai hwn hwy bob dydd; gwyddai am y traffig mewn drygiau a bod miloedd ar filoedd o ieuenctid yn ymgynnull yn Amsterdam am fod cael cyffuriau yn haws yno nag yn unman arall. Yn achlysurol byddai trueni ac enbydrwydd y rhain yn croesi ei lwybr. Teimlai gonsýrn amdanynt. Er mwyn cael arian o'r wladwriaeth rhaid oedd iddynt gofrestru yn swyddogol; roedd hynny'n waith manwl ond cwbl angenrheidiol. Ryw fore Sul, a'r cynulliad henaidd wedi ymgynnull i addoli, dyna roi sialens iddynt. Go brin eu bod mewn oedran i ymateb i sialens fawr, ond sialens fawr a gawsant. Wedi cael oedfa fer, dwedodd wrthynt ei fod am eu help, a'i fod wedi gwahodd nifer o'r rhain o'r parc, a phan ddwedodd hynny, crychodd rhai eu haeliau, edrychai'r lleill yn surbwch hollol. Gwyddent yn iawn mai'r parc oedd gwlad bell y meibion afradlon ac ni fynnent rwbio yn y rheini. A dyma'u gweinidog nawr yn eu gwahodd i'r capel a gofyn i'w aelodau eu helpu i lenwi ffurflenni fel y gallent gael 'chydig o arian at eu cynhaliaeth. Wel, o gwrteisi yn fwy na dim, medde fe, bodlonodd y dyrnaid i wneud a ofynnodd ganddynt a dyma ddechrau codi pont rhwng ei eglwys a'r ieuenctid disberod yma. O'r fan honno ymlaen mae ei weinidogaeth wedi bod bron yn weinidogaeth i'r rhain a syrthiasant ymhlith lladron a'u gadael yn eu gwaed yn hanner marw.

Y mae carchar yn Amsterdam a neilltuir yn gyfan gwbl i rai a ddaliwyd yn delio mewn cyffuriau. Mae'n orlawn a bydd yr awdurdodau yn galw ar hwn i fynd yno i helpu. Bu'r heddlu ar un adeg yn bur gas wrtho am nad oedd yn barod i fradychu cyfrinachau. Cafodd ei fygwth ganddynt y'i bwrid i garchar os nad oedd e'n cydweithredu. Ni ddatgelodd yr un gyfrinach. Pwysicach, medde fe, os oedd e i lwyddo yn ei genhadaeth, oedd ei fod yn ennill ymddiriedaeth yr ifanc. Ni allai obeithio llwyddo pe caent hwy yr argraff ei fod yn helpu'r heddlu. Ond ymhen tipyn daeth yr heddlu i weld a deall ei fod yn gwneud gwaith gwych, yn cyflawni cenhadaeth fawr. Ond brwydr galed fu hi yn yr eglwys. Ni fynnai'r dyrnaid henaidd mo'r criw afradlon yma. Teimlent eu bod yn halogi'r lle a oedd wedi ei gysegru gan genedlaethau o saint ac yn awr wele'r moch yn rhuthro ar y lle, a hynny ar anogaeth eu gweinidog. Pa fath o weinidog oedd hwn? A oedd e yn dawel fach ar gyffuriau? Byddai pob math o amheuon yn cael eu codi a'u lleisio. Ond parhau gyda'i weledigaeth a wnaeth hwn a myned oddi amgylch gan wneuthur daioni. O dipyn i beth dechreuodd rhai o'r ieuenctid fynychu'r oedfaon ac yn awr, medde fe, mae'r olygfa ar fore Sul yn un ddiddorol, a dweud y lleia; y dyrnaid parchus henaidd yno, er yn llai nag y buont, a hefyd ddyrnaid arall o rai gwallt hir, yn gwisgo dillad gwahanol gyda phob math o jingilaris arnynt. Ond maent yn tyfu yn un gynulleidfa; y rhai mewn oed yn araf dderbyn y rhai iau, a'r rhai iau yn dod i werthfawrogi safbwynt y rhai hŷn.

Ces aml i seiad gydag e ar ôl y wâc honno a'i gael yn berson diddorol iawn a mentrus. Edmygwn ef oherwydd mae ganddo wraig a phedwar o blant ac yn fynych daw'r heddlu â rhai o'r ieuenctid yma a godir ar balmant y dref a'u gosod yn ei dŷ ac yntau yn eu derbyn i'w gartre. Yn wir, mae'n ystyried ei gartref fel rhan o'i eglwys, y ddau sefydliad yn cyflawni'r un weinidogaeth.

Ma dros ddeng mlynedd ar hugain er pan fûm i yn Amsterdam, ond er pan gwrddais â'r gŵr barfog hwn, rwy'n awyddus iawn i ddychwelyd: nid i weld y camlesi a'r adeiladau, ond i weld gŵr sy'n gweinidogaethu i angen ieuenctid a ddaliwyd mewn helynt, ac yn ceisio eu hadfer. Ma llaweroedd o rieni ar hyd a lled Ewrop yn nyled hwn, heb os.

(14 Tachwedd, 1980)

Lleuad

Plant drwg a gâi fynd i'r lleuad. Dyna'r bygythiad i ni'r plant. Fe welem y gŵr yn rhythu arnom â baich ar ei gefen, baich o frigau, rwy'n meddwl, a diau mai ei fwriad oedd ein rhoi ni ar y tân. Ni wn a oedd yn fygythiad effeithiol canys ni wyddem am neb a gipiwyd i'r lleuad. Eto roedd ei wyneb bygythiol yn creu peth arswyd. Ond heb os, mae'r lleuad wedi bod yn rym a dylanwad pwysig yn hanes dyn o'r dechrau. Sonnir yn y Testament Newydd am rai lloerig— y lleuad yn effeithio arnynt—a daw'r gair Saesneg *lunatic* o'r gair Lladin *luna*.

327

Mae'r ffaith fod *lloerig* yn rhan o'r enw *lloer* a *lunatic* yn dod o *luna* yn awgrymu fod perthynas fwy a dyfnach rhyngddynt na pherthynas geiriol. Gwyddom fod hynny'n wir. Ar hyd y blynyddoedd bu gwŷr y cefen gwlad yn trefnu bywyd yn ôl cylchdro'r lleuad. Gwn na fyddai 'Nhad fyth yn ystyried rhoi wyau o dan yr ŵydd i ori os na fyddent yn deor pan fyddai'r lleuad ar ei chryfder. Nid wyau yn unig a effeithid. Hau llafur fel y byddai'n egino a'r lleuad ar ei chryfder. Roedd yna gred fod popeth yn gryfach, fel pe bai rhyw egni cudd yn cerdded i gyhyrau popeth pan fyddai'r lleuad yn llawn. O'r ochor arall, y lleuad ar ei gwendid yn golygu yr effeithid er drwg ar fywyd yn ei gyfanrwydd, ar ddyn, anifail a phlanhigyn. Lawer tro y clywsom rywun yn dweud am berson, 'O, ma'r lleuad ar ei gwendid,' a hynny'n egluro'n foddhaol gyflwr y person. Dau gyfnod pwysig oedd i rai a ddioddefai gan eu nerfau, lleuad ar ei gwendid a chwympad y dail.

Mae un peth yn gyffredin i'r ddau, y cyffro sy yn y cread ar drai a'r trai hwnnw yn dylanwadu er drwg ar bersonau. Go brin fod yna lawer sy'n barod i dderbyn y goel yna bellach. Ffiloreg hen wrach ydyw i'r gwyddonwyr. Eto, ma hir sylwadaeth gwŷr a fu'n byw gyda natur ac yn agos at natur yn mynnu fod y peth yn ffaith. A rhaid adde, efallai, mai cefndir sy'n lliwio cred; ym mêr fy esgyrn ma gen innau ffydd yn y lleuad. Oni welais ei nerth yn fywyd cyffrous mewn cywion, gwyddau a thwrcïod bach? Hefyd sylwais fod y gwndwn coch yn lliwio'n gynt a chryfach pan eginai'r had a'r lleuad ar ei chryfder. Hyd y gwelaf, ychydig sy'n barod i wadu nad oes a fynno'r lleuad â'r llanw; esbonnir mynd a dod hwnnw gan fynd a dod y lleuad.

Wel, os yw'n effeithio ar y llanw, pam nad yw cylch ei dylanwad yn lledu i gynnwys meysydd eraill? Beth bynnag yw cysylltiad y lleuad â bywyd, gwn i mi fwy nag unwaith fod yn ddiolchgar iawn am olau llachar y lleuad fedi. Digon o olau i fedru cywain llafur i'r ydlan a digon i erlid ambell 'sgwarnog a'i dal. Ond yr enw arni yn Saesneg yw *Hunters' Moon*. Pan fygythid ni mai ym mreichiau dyn y lleuad y byddem, tybiaf ein bod yn ei ystyried yn bell iawn i ffwrdd. A dyna'r gwir. Faint o filltiroedd sydd i'r lleuad? Dros naw deg o filiynau. Anhygoel ac eto mae'n llewyrchu ei golau yn glir ar ein daearen, a hwnnw wedi teithio cryn swm o bellter cyn taro arnom ni. Rhaid bod y lleuad yn gryf iawn. Rhaid bod rhyw fatris aruthrol o bwerus yn ei chynnal a'i gyrru. A dyna'r gwir. Go brin y byddai neb yn fy nghredu pe dwedwn i mi fod ar y lleuad. Chlywsom ni ddim eich bod yn astronawt. Naddo. Wel, dydw i ddim yn un o'r brîd eithriadol hwnnw. 'Chydig sydd, a daw'r rheini o blith yr Americaniaid a'r Rwsiaid. Nhw sydd wedi cyrraedd a chasglu llwch a chreigiau'r lleuad. Ac yn rhyfedd iawn welson nhw mo'r dyn drwg a fu'n llygadrythu arnom ni, genedlaethau o blant. Erbyn hyn ysbeidiol iawn yw'r ymweliadau â'r lleuad. Ac nid oes fawr o sôn am y nesa, chwaith. Yn wir, ma rhywun yn gofyn a ellir cyfiawnhau'r gost enfawr i geisio glanio ar y lleuad a ninnau yn gwneud cymaint o annibendod o bethau ar y ddaear, a bod galw am arian i ddatrys llawer o'n problemau?

Ond i ddychwelyd at fy ymweliad i â'r lleuad. Ni bu sôn yn y wasg am y lansio. Ŵyr neb ond 'chydig o gyfeillion i mi fod yno. Eto, ma tystion a all warantu fod y digwyddiad yn ffaith. Canol Medi oedd hi, adeg lleuad naw nos olau, a bod yn fanwl, er na chredaf i honno fod o ryw help mawr. O'r America yr es i'r lleuad. O ble arall? A bod yn fanwl, yn Washington y bu'r digwydd. Gallaf nodi'r dydd-iad a'r awr. Maent yn fy nyddiadur mewn inc coch. Cystal rhoi gwybod i chi sut y bu. Ymweld â'r Smithsonian Insti-tute yn Washington a wnâi nifer fach ohonom. Ma honno yn institiwt sy'n cynnwys amryfal bethau, o orielau llun-iau a chrefftwaith i waith diweddara gwyddonwyr dyfeisgar ein byd. Ac fel y disgwyliech y mae yno adran sy'n adrodd hanes yr holl weithgaredd a fu i geisio gosod dyn ar y lleuad. Yno mae'r offer, y dillad, enwau a lluniau'r gofodwyr, pob manylyn i egluro technegau mwya manwl y paratoi ar offer a dyn. Ac fe gewch daith, os mynnwch, yn un o'r capsiwls; yn wir, roedd yno giw mawr yn disgwyl eu tro i fynd i mewn. Yna roedd adran yn dangos y deunydd a gasglwyd ar y lleuad, yn greigiau a llwch, a dadansoddiad manwl daearegol o'r math o greigiau a geir yno. Yn wir, roedd yr arddangosfa yma yn dal y mwya anwyddonol; rhaid adde imi gael rhai oriau cynhyrfus wrth syllu a sylwi ar ymgais y pitw bach a elwir dyn i fentro i'r gofod, a llwyddo. Yna wedi bod o gwmpas, wrth adael roedd yno ddarn o'r graig a godwyd ar y lleuad a chroeso a gwahoddiad i chi ei gyffwrdd a'i fodio. Cyffwrdd â'r lleuad! A dyna a wnes, rhoi fy mys yn llygad y gŵr a fu'n rhythu arnaf slawer dydd. A dyna fi wedi bod ar y lleuad. Cystal adde, oni bai fod y lleuad wedi dod ata i, go brin y byddwn i wedi mynd i'r lleuad. Ma dameg fan'na, onid oes, ar drothwy'r Nadolig. Oni bai fod y Mab wedi dod atom ni, allai neb ohonom fynd ato Ef.

'Na brofiad rhyfedd yw cyffwrdd â darn o rywbeth sydd mor anferthol o bell, ei weld a'i gyffwrdd, ei deimlo a'i fodio, ac wedi gwneud hynny cael ei fod yn hynod o debyg i'r ddaear o dan ein traed.

(21 Tachwedd, 1980)

B. T. Hopkins

Bro rhwng môr a mynydd yw Blaenafon. Ardal agored noethlymun, heb gysgod dim amgen nag amal glwmpyn o frwyn i gwato ambell gwningen a 'sgwarnog. Rhaid wrth hwsmonaeth ddygn a deir i whidlo bywoliaeth o'r ddaear anaddawol. Nid yw'r gors yn lle i 'neud ffortiwn. Os ydych chi am brofi naws a natur y fro adwythig hon, trowch eto i ddrama fydryddol Kitchener Davies, *Meini Gwagedd.* Roedd e'n 'nabod y fro. Cododd o'i daear a rhedodd rhin a phoenau'r fro i'w wythiennau cynnar.

Ond ma brenin y fro wedi cwympo. B. T. Hopkins, a fu farw ar 21 Ionawr, 1981. Yr olaf o drindod—heb ryfygu ychwanegaf—*sanctaidd:* Prosser Rhys, J. M. Edwards a B. T. Hopkins. Seiadodd y tri ar fawnog Llyn Eiddwen, ac os oedd honno'n amharod i ildio cynnyrch, daeth ffrwythau melys iawn o ddwylo'r triawd a dyfodd ar y gors. Perthyn Kitch, fel y'i gelwid, i genhedlaeth iau; eto mae'n un ohonynt am fod ei wreiddiau yn y gors a'i lên yn llawn o raib y cyfryw ddaear. O'r pedwar, Ben Hopkins oedd yr unig un i aros ar y gors, ac efallai y byddai ambell un yn barod i ddweud iddo aros yn y gors. Treuliodd ei oes faith yn cerdded y gors, a'i cherdded yn bwyllog fel bod pob sangiad o'i eiddo yn gadael marc diogel. Un felly oedd e.

Pwyll, pendefig Dyfed, yn wir! Esgorai ar ei eiriau. Nid y gors yn torri'n fwrlwm a ffrydlif a geid ganddo, eithr diferion distaw, a phob un yn werth ei gostrelu. Roedd i'w ynganiad ryw oslef a llusgo a oedd yn llyffethair ar barabl hwylus, esmwyth. Eto, roedd yr ynganu yn nodweddiadol o'r person.

Dyna Ben Hopkins gyda'i arafwch hyfryd, meddylgar. Weithiau byddech yn teimlo fel rhoi proc iddo a'i gael i gyflymu, ond gŵr un gêr oedd e, ac ni allai neb na dim beri iddo newid o'r gêr honno. Unwaith y deallech hynny a dod i delerau â'i arafwch gwladaidd, yna roeddech mewn ffordd a mŵd i ddisgwyl yn hamddenol am a ddeuai o'i enau doeth. Diau y byddai rhai yn barod i ddweud i'w orwelion fod yn gyfyng; wedi'r cwbl dyw hyd a lled Blaenafon ddim yn llawer, odi e? Canai yn y mesurau caeth, gan amla; yn ddi-os roedd y rheini ar flaenau'i fysedd. Eto er mai mesurau caeth y gynghanedd a ddewisodd fel ei briod gyfrwng, o'r caeth fe greodd bethau pert, gogoneddus a hyfryd. A gellir dweud yr un peth am ei fyw cyfyng. Os mai bro ei faboed oedd ei libart, o fewn y fro honno bu'n byw bywyd llawn a chyfoethog.

Tybiaf y medrir honni ei fod yn gynnyrch yr ysgol Sul a'r capel. 'Na le bywiog oedd Blaenafon fel y'i cofiaf gyntaf: y lle'n fwrlwm o fywyd cyffrous, a'r capel yn ganol a chalon y gweithgaredd hwnnw. Yno, fel patriarch, fel y cofiaf i bethau—a rhaid adde mai brith go' sy gen i—roedd gŵr barfog, tad-yng-nghyfraith Ben Hopkins, gŵr o gryn sylwedd a swmp, ac nid efe oedd yr unig un. Arwyr mawr y lle oedd D. J. Evans, Capel Seion ac O. H. Jones, Llanilar, am eu bod yn coleddu syniadau mentrus am y Beibl. Gwŷr y feirniadaeth Feiblaidd ddiweddara, ac fe lyncid honno ar fryniau Blaenafon. Roedd yn donic i'w cynnal ar y gors ddu. Ac yr oedd Sul gydag un o'r ddau a enwais yn ddigwyddiad, yn enwedig gan fod D. J. Capel Seion yn pregethu yn gyson, ar hyd y blynyddoedd, gartre neu oddi cartre, ar y wers ar gyfer y Sul hwnnw.

Dyna rywbeth at ddant diwinyddion Blaenafon a digon o gig i'w gnoi am sbel. A thorrodd helynt Tom Nefyn, Blaen-afon—a Ben Hopkins yng nghanol y trefniadau, ac yntau'n ŵr ifanc yn trefnu iddo ddod i bregethu i'r ardal, ac yn dangos cefnogaeth i'w weledigaeth broffwydol. A chofier fod yr ardal hon wedi dod yn drwm o dan ddylanwad diwygiad 1904 a phob awgrym o feirn-iadaeth Feiblaidd yn ddirmygedig ac esgymun. Ond cadarnle'r meddwl modern oedd y gors fawnog, ac os na thyfai fawr o ddim ond brwyn a phlu'r gweunydd ar honno tyfai ffrwythau'r ysbryd yno ac fe'u ceid yn pingo ar gang-hennau llawer cymeriad yn yr ardal.

Ac nid oedd neb â chnwd trymach o ffrwythau aeddfed iawn na Ben Hopkins. Roedd yn berson cyfoethog, diwylliedig, Cymreig: Cymro naturiol na lychwinwyd mohono gan undim estron, ond a wrteithiwyd gydol y blynyddoedd gan etifeddiaeth na fedd daear ddim o'i rhyw, yr etifeddiaeth sydd yn rhan o'n treftadaeth fel Cymry. Pan gwympodd y brenin hwn, brenin y gors rhwng môr a mynydd, dirgrynodd Cymru i gyd oherwydd collwyd Cymro naturiol, cadarn. Un balch o'i fro a'i febyd; un balch o'i genedl, ac yn rhyfeddol o eiddigeddus o'r hyn a'n gwnaeth ac yn credu fod diogelu a pharhau yr hyn sy'n gynhenid Gymreig yn genhadaeth oesol, orfodol i bawb ohonom. Ni ellir colled fwy na cholli gŵr fel B. T. Hopkins—colli calon y genedl, colli coron ein diwylliant unigryw.

Diolchaf heddiw, diolchais cyn heddiw, am ei gael yn aelod o'm dosbarth trafod llyfrau yn festri capel Blaenpennal. Criw bach, ffyddlon, darllengar, y mwyafrif ohonynt, a phriod Ben Hopkins yno gydag e. Bu hi'n ddau lygad iddo ers tro, cans pallodd ei olwg a threuliodd hi oriau bwygilydd yn darllen iddo. 'Na i chi astudiaeth ddiddorol o bartneriaeth; sôn am ieuo'r anghymharus, fe allech yn hawdd gredu hynny. Hi yn fywiog, fel arian byw, yn ffraeth a doniol. Doniolwch a hiwmor ei phriod yn fwy cuddiedig, ond peidied neb â thybio ei fod yn ddi-hiwmor. I'r sawl a'i clywodd ar y radio yn ymrysona cawsant flas ei ffraethineb.

Yn yr oruwchystafell gyda'i bobol ac ymhlith llyfrau ac awduron, dyna'i fyd, a phan gaech chi injan Ben i danio a sbarco, wel, y peth gorau i'w wneud yr adeg honno oedd distewi a mynd yn fud, a gwrando gyda'ch ceg led y pen ar agor i ddal ar bob gair a ddisgynnai ar eich dwylo. Bodolodd Ben Hopkins ar y gors rhwng môr a mynydd, bu fyw ym myd llyfrau a llên. Alla i ddim siarad am ei waith fel ffermwr; nid ei grefft yn y byd hwnnw a'i hanfarwolodd eithr ei ganu celfydd yn y cywydd anfarwol, 'Rhos Helyg'.

> Lle bu gardd, lle bu harddwch,
> Gwelaf lain â'i drain yn drwch.
> A garw a brwynog weryd,
> Heb ei âr, a heb ei ŷd ...
> O'th fro noeth, a'th firain hwyr,
> O'th druan egwan fagwyr,
> O'th lyn, a'th redyn, a'th rug,

Eilwaith mi gaf, Ros Helyg,
Ddiddanwch dy harddwch hen
Mewn niwl, neu storm, neu heulwen.

Da oedd ei 'nabod. Gwnaeth gymwynas bersonol â mi, a gwelir rhan o'r gymwynas honno ar garreg fedd yng Nghapel Seion—llythrennau B.T.H. wrth droed y pennill hyfryd:

Eto, mi glywaf ateb
Y grisial li o'r gors wleb
I gŵyn y galon a gâr,
Hedd diddiwedd dy ddaear.

Ac yn hedd y ddaear a gâr y gosodir ei lwch. 'A thristwch ddaeth i'r rhostir,' colli'r brenin, claddu'r un a anfarwolodd ei fro a'i gosod ar fap llenyddol-diwylliannol Cymru. Bydd ei barabl ara yn un o'r lleisiau a fyn dorri ar fy nghlyw o bryd i'w gilydd, a phan lefara byddaf yn barod i wrando. Diolch am gael y fraint o'i osod ymhlith seiniau'r symffoni sy'n cynyddu yn fy mywyd.

Rhodder tusw o Blu'r Gweunydd ar ei

fedd. Maent yn brin a hardd. Pan chwaraea'r gwynt â'u cnu o fanblu creir patrymau crefftus, barddonol. Blodyn cyffredin anghyffredin i gofio un felly a dyfodd ar ddaear fawnog rhos helygaidd. Un y bu gwynt yr awen yn ei gymell a'i gael i greu cerddi a fydd yn rhan ohonom. Mae'n wyrthiol, onid yw, be all yr awel ei 'neud â phlu'r gweunydd?

(6 Chwefror, 1981)

Cymdeithas

Ces wahoddiad i gyfarfod cyhoeddus a gynhelid o dan nawdd yr hyn a elwir yn Prison Christian Fellowship. Tebyg mai'r teitl Cymraeg fyddai Cymdeithas Gristnogol y Carchar. Rhaid adde na wyddwn i fawr o ddim am y gymdeithas hon. Gwyddwn fod y cyfryw gymdeithas yn gysylltiedig â charchar Caerdydd, ac yr own i yn 'nabod rhai o'r aelodau. Clywais hefyd gan garcharorion a chyn-garcharorion am y gwaith da a wneir ganddynt, ond wedi dweud hynna, wel, dyna hi'n nos arnaf.

Felly pan ddaeth gwahoddiad i fynd i'r cwrdd cyhoeddus rown i'n falch o'r cyfle i ddysgu mwy am y gymdeithas hon. Galwyd y cwrdd mewn goruwchystafell helaeth yn y City Temple, eglwys y brodyr Elim Apostolaidd, eglwys fywiog a llawn iawn bob Sul. Cannoedd, os nad miloedd, yno'n gyson. Un o'r eglwysi bywioca yn y ddinas, yn ôl pob tyst-iolaeth, a gwn am nifer o gyn-garcharor-ion sy'n mynd yno, ac wedi derbyn help ac arweiniad gan yr eglwys hon.

Ond 'down i erioed wedi bod ar gyfyl y lle. Pan gyrhaeddais roedd cannoedd wedi dod ynghyd. Canu brwd, ysgwyd llaw, croesawu dieithriaid, cymdeithas gynnes iawn, ac ni fedrech lai na gwerth-fawrogi'r cynhesrwydd. Fel y digwydd-odd, wyddwn i mo hynny cyn mynd, ond roedd sylfaenydd y gymdeithas arbennig hon yn dod yno i annerch y cwrdd. Dyna'r rheswm pam yr oedd y lle yn llawn, mae'n debyg.

Ymhen tipyn galwyd arni i annerch, ac esgynnodd gwraig gymharol ifanc i'r llwyfan. Un fach fain, braidd yn ddi-sut a chyffredin—o leia, dyna fy argraff gyntaf. Ei henw yw Sylvia Mary Alison. Alle neb honni ei bod yn siaradwraig huawdl, eto llifai trwyddi ryw ddylanwad tawel, effeithiol, ac ni fedrech lai na chael eich dal gan ei stori.

Mae'n wraig yn awr i Aelod Seneddol Torïaidd dros ran o swydd Efrog, gŵr a fu ar un adeg yn un o'r gweinidogion yn swyddfa Gogledd Iwerddon. Fe'i maged yn freiniol. Yn ferch i ddiplomat, bu'n byw ar hyd ac ar led y byd a derbyn o orau bywyd bras. Ond roedd yn blentyn o ddifri, crefyddol ei natur, ac yn gynnar iawn teimlodd alwad i weithio mewn carchardai. Ni allai ddeall na dirnad yr alwad hon oherwydd ni bu ar gyfyl y lle erioed ac ni wyddai ddim am ddrwg-weithredwyr a chreim. Eto, ni allai anghofio'r carcharau a'u hangen.

Yn 1954 daeth Billy Graham i Harring-ay i gynnal ei grwsâd enwog. Diau i

amryw ohonoch fynd yno a chael ben-
dith. Da y cofiaf fynd gyda Mrs Will-
iams, Hornsey, neu Mrs Williams, Pyll-
au Isaf gynt. Hi yno bron bob nos, mi
dybiaf. Roedd yn olygfa i'w chofio, yn
enwedig y canu yn yr orsaf danddaearol
ar y ffordd o'r cwrdd. Wel, aeth Sylvia
Mary Alison yno a chyffyrddwyd â hi, a
phan alwodd yr efengylydd ar rai i fynd
ymlaen i gyflwyno eu hunain i Grist,
cerddodd merch y diplomat a phlygu
deulin.

Yna aeth i'r coleg, i'r London School
of Economics, a dilyn cwrs mewn astud-
iaethau cymdeithasol a seicolegol. Wedi
derbyn ei hyfforddiant aeth i weithio i
hostel gyda Byddin yr Iachawdwriaeth.
Hostel i ferched drwg oedd hon a dys-
godd lawer am eu problemau. Yn wir, fe
welodd ochor i fywyd na wyddai hi ddim
amdano. Agorwyd ei llygaid. Symudodd
wedyn i ysbyty meddwl, a'i gwaith yno
oedd cynnal sesiynau gyda grwpiau i'w
helpu i 'nabod eu hunain, yr hyn a elwir
yn *group therapy*. Yn y rheini gwelodd

nad oedd fawr o wahaniaeth rhyngddi hi a nhw, ei bod hithau hefyd yn bechadur a'i chalon ar dro yn gartre i feddyliau a bwriadau digon llygredig.

Y cam nesa oedd priodi a throi yn wraig tŷ am ddeunaw mlynedd a magu tri o blant. Ar brydiau, gwelai fod ei breuddwyd am weithio mewn carcharau wedi cilio yn go bell o'i bywyd. Yna, yn 1976, daeth un o ffrindiau yr Arlywydd Richard Nixon i aros atynt, sef Chuck Colson. Fe'i carcharwyd am ei ran yn helynt Watergate, a daeth yn Gristion yn y carchar a 'sgrifennodd lyfr yn adrodd hanes ei dröedigaeth. Ar y pryd roedd e'n meddwl am wneud rhywbeth yn y carcharau, ond doedd e ddim wedi penderfynu yn derfynol pa beth yn hollol.

Bu'n trafod ei fwriadau gyda'r Alisons a theimlai hi fod ei gynlluniau ef yn ei chyffroi ac yn adfywio'r gobaith a fu'n cynnau yn ei chalon am wneud rhywbeth i helpu carcharorion. Yna, yn 1977, roedd hi a'i gŵr yn Washington ac yn derbyn o letygarwch y Colsons a rhyw ddiwrnod daeth gwybodaeth i Chuck Colson ei fod yn cael caniatâd i weithio mewn deugain o garcharau a threfnwyd iddi hi i fynd i garchar i wragedd yn San Francisco, lle y'i gwahoddwyd i siarad â nhw. Teimlai mai dyna waith ei bywyd, ond sut oedd cychwyn ym Mhrydain?

Yn Ebrill 1978, cyfarfu â'r Arglwydd Longford a buont yn siarad am waith Chuck Colson yn America. Trannoeth daeth yr Arglwydd Longford ati ac meddai, 'Ma gen i arweiniad sicr mai chi sydd i gychwyn y Gymdeithas Gristnogol i garcharorion yn y wlad yma. Teimlais ar un adeg fod yr Arglwydd yn fy ngalw i ond dwedodd wrthyf, na, saf di o'r neilltu. Mrs Alison sy'n mynd i 'neud y gwaith.' Ni allai gredu ei chlustiau, eto roedd gorfoledd a llawenydd a thangnefedd nas gŵyr y byd amdano yn ei chalon.

Y cam nesa oedd cynnal cwrdd gweddi yn Nhŷ'r Arglwyddi—o bobman—pump ohonynt, i weddïo am arweiniad a nerth. Ac arweiniad a gafwyd. Oddi ar hynny mae pethau wedi symud yn gyflym iawn. Erbyn hyn ceir grwpiau yn gysylltiedig â nifer go dda o garcharau yn y wlad hon, a'u bwriad yn y lle cyntaf yw helpu'r Caplan sydd yno drwy estyn llenyddiaeth Gristnogol i'r carcharorion, sydd â chymaint o amser ar eu dwylo a chyfle gwych ganddynt i ddarllen a myfyrio. Yna trefnant i grwpiau fynd i mewn i gynnal dosbarthiadau Beiblaidd, rhai sy'n dysgu elfennau'r ffydd Gristnogol, a'r gobaith yw cael o blith y carcharorion eu hunain rai a fedr gymryd cyfrifoldeb fel athrawon oddi mewn i'r carcharau. Ac y mae argoelion fod hynny yn digwydd.

Hefyd, yn ogystal â gweithio o'r tu mewn, gweithiant o'r tu fas. Ma angen help arbennig ar garcharorion pan ddeuant o garchar, neu mae 'na berygl iddynt lithro yn ôl. Eisiau help i gael gwaith a llety, eisiau cyfeillion a chyfeillgarwch rhai na fyddant yn eu harwain ar ddisberod eto.

Ni ellir ond llawenhau oblegid gwaith y gymdeithas hon. Gwaith di-sôn-amdano ac, oherwydd ei fod yn waith mewn carcharau, ni ellir cyhoeddi ar bennau'r tai yr hyn a wneir. Dyma genhadaeth bwysig. Cenhadaeth ar y cyd yw hi. Celloedd o Gristnogion ymroddedig yn symud i faes a anwybyddwyd yn rhy hir. Ma lle i gredu y bydd hon yn mynd o nerth i nerth, ac yn mynd i'r afael â phwnc dyrys diwygio'r carcharau, peth sydd â dybryd alw am ei wneud.

Ces gamargraff. Er bod y wraig fain yn ymddangos yn ddi-sut a chyffredin, yn siŵr, llifai trwyddi ryw rym a gras, gweledigaeth a gwefr. Dyma un o'r pethau gobeithiol, annisgwyl, ac yr ydw i yn y dyddiau dreng diddigwydd hyn yn diolch i mi fynd i'r cwrdd. Deuthum oddi yno â 'nghalon yn llawn—llawn diolch a dymuno. Rhag ofn y carai rhai ohonoch gael gwybodaeth bellach am y gymdeithas hon, dyma'r cyfeiriad i chi: *Prison Christian Fellowship, P.O. Box 263, LONDON, S.W.1.* Anfonwch da chi, a soniwch amdani yn eich ysgol Sul, eich seiadau, eich dosbarthiadau Beiblaidd, eich gwersi ysgrythur yn yr ysgolion. Ni chlywais ddim a wnaeth gymaint o argraff arnaf ers tro. Ardderchog. Diolch iddo. Amen ac Amen. Rhaid ymuno â'r gell sy yng Nghaerdydd. Rhaid yn wir.

(27 Mawrth, 1981)

Trannoeth

Heddiw ... 'fory ... trennydd ... tradwy ... er rhaid adde mai llithro o'n geirfa a wna'r olaf. Anaml y clywch chi e ar lafar gwlad, bellach. Dylid ei gadw ar bob cyfri.

Yna ewch tuag yn ôl ac fe gewch, heddiw, ddoe, echdoe. Mae'n ddiddorol, onid yw? Allwn ni ddim mynd mor bell yn ôl ag a allwn ni tuag ymlaen. A ninnau fel Cymry yn hoff iawn o gerdded llwybrau ddoe ac echdoe!

Yna ma un arall a ddefnyddir gennym mewn perthynas â dyddiau: trannoeth, ac weithiau, ail drannoeth. Daeth hwn'na i'n diarhebion, 'trannoeth y ffair', sef ar ôl y digwydd. Ac ma llawer ohonom wedi cyrraedd trannoeth y ffair, on'd do? Hen brofiad digon diflas yw e, i chi ac i'r sawl a fu'n trefnu. Ond dyw trannoeth ddim yn ddiflas o hyd, yn wir, ma cryn dipyn o obaith ynddo. Gall heddiw gyda'i helbul a'i helynt fod yn enbyd, ac y mae felly i lawer yn awr. Y caddug eitha yn cau amdanynt, ac yn y caddug hwnnw ni welant un llafn o oleuni, a chymerant eu bywyd, rai ohonynt. Pe gallent eu meddiannu eu hunain mewn amynedd a disgwyl i'r trannoeth gyrraedd, siawns na fyddai golwg newydd ar bethau.

Daw'r trannoeth yn fynych â gobaith, a dechrau newydd, a golwg newydd ar bethau, a hynny yn adfer gronyn o hyder i'r sawl sy o dan ei bwn. O'r ochor arall, rwy'n 'sgrifennu'r erthygl hon drannoeth y gyflafan enbyd yn Brixton, ac y mae'r enw hwn yn gyfarwydd i gannoedd o bobol Shir Aberteifi. Buont â wâc la'th yn y cylch, a'i chael yn fro ddymunol. Yn wir, os nad ydw i'n methu, bu modryb i mi, Anti Lisi, â busnes la'th yno. Yno y cododd ei theulu, am gyfnod.

Oherwydd ei gysylltiad agos â chynifer ohonom roedd gweld yr helynt yn torri i'r byw. Er enbyted yr helynt a'r niwed i bersonau ac eiddo, bu raid aros hyd drannoeth i weld hyd a lled, uchder a dyfnder y difrod. Wedi i'r protestwyr gilio a pherchenogion tai a siopau gael amser i archwilio eu heiddo y daeth maint a swm y difrod yn wybyddus.

Trannoeth diflas, trannoeth enbydus oedd hi yn Brixton ac, yn siŵr, nid y difrod oedd y tristwch mwya, eithr sylweddoli fod reiats fel hyn yn digwydd nawr ar ein daear ni. Yn wir, os yw'r proffwyd cyflafan, Enoch Powell, yn gywir, dyw'r hyn a ddigwyddodd yn ddim o'i gymharu â'r hyn y gallwn ei ddisgwyl. Ac ma rhywun yn synhwyro ei fod yn rhy agos ati.

Beth yw cynnwys y trannoeth i Brydain? Bryste ddoe, Brixton heddiw, ble 'fory, a thrennydd a thradwy? Arwydd bach o gynnwys hyll yr yfory a'r trannoeth a gafwyd yn Brixton, heb os. Nid fy lle i, pe gallwn, yw trafod y pam. Ma ymchwiliad cyhoeddus i'r cythrwfl; os yw hwnnw yn mynd i chwilio'r gwir reswm, sydd amheus.

Un peth sy'n sicr: ma pawb ohonom yn deisyf a dymuno am drannoeth gwell. Licen ni weld llygedyn o oleuni a fydd yn darogan trannoeth mwy heddychlon a hapus. Ond dyna fe, heddi sy'n creu yfory. Ffrwyth y presennol fydd y trannoeth a rhaid talu sylw i achosion y terfysg a symud y rheini yn ddi-oed. Ond trannoeth trist i drigolion Brixton a'r wlad hon, yn bendifaddau.

Dyw pob trannoeth ddim fel'na, diolch i'r drefen. Rydw i'n 'sgrifennu'r geiriau hyn i ymddangos wythnos ar ôl y Pasg. 'Na i chi drannoeth annisgwyl oedd y Pasg: y Meseia yn ei fedd, y garreg wedi'i gosod a milwyr yn gwarchod. Y disgyblion i gyd yn eu plu. Y cyfan drosodd. Pob gobaith a fu'n tanio'u calonnau yn awr yn farw gorn mewn person a groeshoeliwyd ac a osodwyd mewn bedd benthyg. Pa mor llachar bynnag a fu'r dair blynedd gota y cawsant rannu ei gyfrinachau a'i genadwri, bellach doedd dim i'w rannu. Distawodd y milwyr y cwbl. Ichabod...a'r gogoniant a ddiflannodd. Roeddynt yn rhodio gwastad y dyffryn tywyll du lle nad yw'r haul yn cyrraedd a goleuo.

Eto, fore Sul y Pasg, y gwragedd yn mynd at y bedd a chael ei fod yn wag: 'Yr Iesu a gyfododd ... nid yw Efe yma, efe a aeth o'ch blaen chwi i Galilea, yno y cewch ei weled ef.' Sôn am ddryswch, am holi a chwestiyno...am bendroni...hwn a oedd yn farw gelain yn awr yn rhodio. Wedi codi. Ac unwaith y gafaelodd y ffaith syfrdanol yna yn y giwed ddiobaith, ddiflas, fe'i gweddnewidiwyd. Roeddynt yn bobol newydd, hyderus. Dyna drannoeth annisgwyl! Dyna drannoeth gorfoleddus! Dyna drannoeth buddugoliaethus a'r fuddugoliaeth wedi cerdded yn gynnwrf diatal i wythiennau llesg disgyblion a oedd wedi danto a chael hen ddigon.

Ac wrth gwrs, y trannoeth yna sy wedi rhoi inni ein Sul, y dydd cyntaf o'r wythnos, dydd yr Atgyfodiad, y trannoeth syfrdanol o anhygoel, dyna'r Sul. Y trannoeth yna a roddodd i ni'r Testament Newydd, y casgliad yna o lenyddiaeth a ddilynodd y ffaith fod y Crist yn fyw. Ni byddai Sul na thestament heb y trannoeth annisgwyl ar fore'r Pasg. A dyna a roddodd i ni Eglwys y Crist ... cymdeithas yr Atgyfodiad yw hi, cymdeithas sy'n gwybod fod ynddi nerth anhygoel a bod trannoeth yn bosibl i bob credadun. Dyna sail ein ffydd ni. Dyna'r rheswm am ein bodolaeth.

Ac ar adeg y Pasg, mae'n siŵr gen i, hyd yn oed mewn gwlad lle ma Brixton yn realiti arswydus, ma trannoeth newydd yn bosibl. Pe bai'r grymoedd a weithiai, ac a weithiodd, yn y Crist yn cael eu gollwng ar led—yn gariad, yn faddeuant, yn gymod, yn frawdgarwch—trwy'r rheini yn unig y gellid cael trannoeth heb chwerwedd a surni a dig. Does ond dymuno y bydd neges y trannoeth yn gafael y Pasg hwn. Pan fo galluoedd y tywyllwch yn gafael, gollyngant elfennau i'r amgylchedd sy'n gwenwyno perthynas dynion, yn carfanu yr hiliau gwahanol ac yn gosod un yn erbyn y llall, ac nid oes ond un ateb: grym didostur yr heddlu neu'r lluoedd arfog, ac nid yw presenoldeb y cyfryw ond yn dwysáu'r sefyllfa ac yn rhoi olew ar y tân, a gadael trannoeth sy'n rhwbel o adeiladau a rhwbel o deimladau.

Rhaid wrth elfennau yn y sefyllfa fydd yn ernes o drannoeth amgenach, ac yn ddi-os y mae'r Pasg yn adeg i alw sylw at y grymoedd sydd ar gael ac ar waith ac yn disgwyl am gael eu mabwysiadu a'u cymhwyso. Nid y ffordd a fabwysiadwyd yn Brixton yw'r ateb; ma hynny'n eglur i bawb. Ma ffordd arall dra rhagorol.

Y merthyr mawr hwnnw, Dietrich Bonhoeffer, a ddywedodd, onid e, pan ddaeth y milwyr i'w gipio a'i ddwyn i gael ei saethu: 'Dyma'r diwedd i chi... ond y dechrau i mi.' Gŵr a'r Pasg yn ei galon a'i ffydd. Beth yw eich gobaith am eich trannoeth? A oes yna drannoeth ar eich map? A basiodd y Pasg a'i neges heb eich cyffwrdd? Ai ffiloreg noeth yw'r neges hon?

Yr awr dywyllaf yw'r awr agosaf at ddydd. Felly y bu yn yr ardd. Felly y bu ym mhrofiad llawer credadun.

Buom yn cael wy Pasg a chyw bach melyn yn codi ohono—wy'r trannoeth yw peth felly, cysgod o neges y trannoeth newydd a geir yn y Pasg. Bellach cawn wyau clwc, di-gyw. Ai darlun yw hynny o'n dyddiau didrannoeth?

(24 Ebrill, 1981)

Y Genhadaeth

Ar ôl y cwrdd diolchgarwch, rwy'n meddwl, y byddai Miss Griffiths yn rhannu i ni gardiau lliw samwn, cardiau casglu at y genhadaeth dramor. Ymddangosent yn fawr ar y pryd. Gwaith llenwi arnynt, a golygai eu llenwi gerdded a chocso. Tra byddai'r cardiau heb eu llenwi roedd hi'n beryglus i bregethwr neu borthmon, i sipsi neu sant, ddod dros riniog ein tŷ ni; byddai'r garden yn disgyn ar eu dwylo a doedd dim llonydd nes iddynt dorri eu henwau. A does dim angen dweud y byddem yn pwyso a mesur pawb gyda'r swm a roddwyd ganddynt at y genhadaeth. Rhaid fod yna gymysgfa ryfedd wedi bwrw eu chwechau at y gwaith, amryw ohonynt heb fod â gormod o ddiddordeb mewn na chenhadu na cheidwad, ond yn rhoi er mwyn ein tawelu, a phlesio ein rhieni, bid siŵr.

Ambell borthmon yn ddigon o hen law i wybod y câi ei swllt yn ôl ar ei ganfed yn y fargen a ddaeth i'w cheisio. Ond yn ogystal â bachu pob un a ddeuai i'r ffald, rhaid oedd mynd o gwmpas i gasglu. Rhoi mwy nag un Sadwrn at y gwaith a chrwydro'r fro. Yn wir, fe ddaeth rhyw-un i 'nabod ei ardal ar y saffarïau cenhadol hyn, a mwy na hynny, dod i 'nabod y brodorion. Ni chofiaf i ni gael croeso anghynnes gan neb, er bod ambell un yn fwy hael ac yn barotach i estyn inni dafell neu sleisen o gacen.

Wedi'r cwbl sut y gallech chi gerdded gwaun a rhos i gasglu at y rhai draw, draw yn India, os nad oedd bwyd yn eich stumog, a heb os, roedd cerdded milltiroedd yn ffordd dda o greu archwaeth. Yna, wedi'r casglu, disgwyl gwybod pwy oedd wedi casglu fwya. Ni allaf ddweud fod yna gystadleuaeth frwd, eto roedd rhyw falchder teuluol pe digwyddai i chi gael gwobor am gasglu at y genhadaeth. Llyfrau fyddai'r gwobrau, llyfrau am genhadon dieithr. Prin oeddynt yn y Gymraeg, mae'n rhaid, ond gwelaf gwpwl ar fy silffoedd yn awr, megis y llyfrau ar *William Carey* a *Mary Slessor*. A chofiaf imi gael gwefr flynyddoedd yn ddiweddarach yn Nigeria, oherwydd yn y wlad honno ma Calabar lle y bu Mary Slessor yn cenhadu a gwneud gwaith mawr; deuthum yn gyfeillgar â gŵr a fu yn angladd Mary Slessor a dangosodd imi'r ardal lle y cyflawnodd ei gwaith.

Wrth gwrs rhaid adde nad oedd gyda

ni syniad clir o'r hyn a wnaem wrth gasglu at y genhadaeth. Gwyddem am enwau fel Bryniau Casia, Lushai, Shillong, Jowai, Cherrapunji, enwau dieithr a phell, eto roedd dolen gyswllt rhyngom a'r lleoedd hynny am fod Cymry Cymraeg yno'n gweithio, a chaem ambell stori amdanynt yn yr ysgol Sul a darllen tipyn am eu hynt a'u helynt yn *Y Cenhadwr*. Anfynych iawn y deuai un ohonynt i'n gweld, a phan ddigwyddai hynny, edrychem arnynt fel gwŷr o blaned arall. Ma stori'r genhadaeth dramor yn un rhamantus a chostus, fel pob cenhadaeth dramor. Llu yw'r gwŷr a'r gwragedd a roddodd bopeth er mwyn y gwaith, a gadawsant enw da ar eu hôl.

Bu raid i mi ddisgwyl am flynyddoedd cyn cael cyfle—trwy ryw ryfedd ragluniaeth—i gerdded daear a byw ymhlith pobl lle bu cenhadon yn gweithio i sylweddoli maint y cyfraniad a wnaed ganddynt. Yn wir, ni byddai addysg o unrhyw fath, ni byddai darpariaeth feddygol ar eu cyfer, ni byddai gwerinoedd o

dan anfantais ac mewn anllythrenog-
rwydd mawr wedi eu goleuo oni bai am
ymdrech a chyfraniad y genhadaeth. Ma
hynna'n wir ym mhobman, dybia i. Diau
fod yna wendidau a'r gwendidau rheini
yn codi o'r ffaith fod yna amrywiaeth
mawr mewn personau. Rhai yn gry', yn
gry' mewn mwy nag un ystyr, eraill yn
wannach a methu yn haws iddynt, ond o
gofio a chydnabod pob gwendid a
methiant, heb os, mae'r bendithion a
ddistyllwyd ar fywydau'r brodorion yn
ganwaith mwy na'r melltithion a ddaeth.

Gwir fod baner Jac yr Undeb yn
chwifio'i chysgod drostynt, a honno fu'r
anhawster penna iddynt yn y pen draw.
Eu cysylltiad â honno a ddaeth â llawer
ohonynt o dan gabl yn y diwedd, yn
enwedig pan ddechreuodd gwerinoedd y
gwahanol wledydd ddihuno a mynnu eu
hannibyniaeth.

Drwodd a thro gwasgaru daioni a
wnaethant, a dylid cofio hynny, ac ma
llaweroedd heddiw'n cyhoeddi fod eu
cyfraniad yn wynfydedig:

Pan oeddym ni mewn carchar tywyll du,
Rhoist in oleuni nefol.

A'r hyn a ddaeth â'r genhadaeth yn fyw i'r co' oedd ymweliad y côr o Fryniau Casia â Chymru. Bu un aelod o'r côr ar ein haelwyd ni, gweinidog sy'n weinyddwr llawn-amser gyda'r eglwys ar y maes. Pererindod o ddiolch oedd hon, dyna a ddywedent; diolch i Gymru, diolch i blant Capel Cynon fu o gwmpas gyda'u cardiau samwn yn llenwi blychau sgwâr gwag gyda'r ceiniogau prin a'r chwechau prinnach. Ni wyddem i ba le yr aent. 'Bwrw dy fara ar wyneb y dyfroedd' oedd hi yn llythrennol, 'canys ti a'i cei ar ôl llawer o ddyddiau,' a dyma a ddigwyddodd pan ddaeth ein plant o'r India bell i dalu diolch. A meddwl am un peth a ddywedodd y gŵr a fu'n aros yma. Sôn yr oedd am Thomas Jones, Aberriw, un o'r cenhadon cynnar. Hwnnw ddyfeisiodd sgript i'w hiaith. Iaith lafar oedd hi hyd hynny a dyma Gymro o ganol Sir Drefaldwyn yn gosod iaith frodorol ar bapur a thrwy hynny'n ei gwneud hi'n bosibl iddynt gael Testament a Beibl a llenyddiaeth o bob math. Dyna'r arloeswyr, a mawr yw dyled yr India iddynt; a'r peth hyfryd oedd hwn, fod etifeddion y bendithion wedi dod yn ôl i ddweud diolch yn fawr. Nid pawb sydd mor rasol a chwrtais â hyn'na. Rhaid dweud i'r diolch newid cymeriad y siwrneiau hir ac anodd i gasglu at y genhadaeth.

Heb os, roedd y casglu yn werth ei wneud. Profai'r ffrwyth hynny, ac er nad oedd ein haberth pitw ni yn ddim o'i gymharu ag aberth yr arloeswyr arwrol, eto roedd ein ceiniogau yn gefen iddynt gael hyn ac arall at eu gwaith, ac yn tystio mewn ffordd dawel i'r ffaith fod yna eglwysi bach ar gefen gwlad Cymru yn meddwl am eraill, os nad oedd y meddwl a'r deall yn glir, bob tro. Bu raid imi aros yn hir cyn cael gweld pen draw y daith gasglu at y genhadaeth. Pan ddaeth yr ateb, diolchais innau am gael byw i'w weld. Rhaid mynd ati i ailddarllen rhai

o'r llyfrau a ges am gasglu at y genhad-
aeth dramor. Daeth tro ar fyd; bellach
nid oes Genhadaeth Dramor, na chardiau
i'w llenwi, na cherddetan o dŷ i dŷ i
lenwi'r cardiau gwag. Diolch i ni eu
helpu i ddod yn rhydd o'u caethiwed.

(5 Mehefin, 1981)

Tenor

Ma deng mlynedd ar hugain yn
gwlffyn teidi o fywyd unrhyw un. Ond
dyna yn union faint sydd er pan fûm i
yno o'r blaen. Newydd adael cartre yr
own i. Cefnu ar y cyfarwydd am yr
anghyfarwydd. Gadael yr hyn y bûm yn
rhan ohono am flynyddoedd am fyd
newydd iawn. Popeth yn newydd—
ardal, ffrindiau, gwaith. Os bu'r adnod
yn wir erioed, roedd yn neilltuol o wir yn
fy hanes i: 'Wele, gwnaethpwyd pob peth
yn newydd.' A rhan o batrwm y bywyd
newydd oedd mynd mas ar y Sul i
bregethu. Tua chanol yr wythnos yn
Nhrefeca, ceid yr hyn a elwid yn *supply*

class—eglwysi yn anfon i mewn i ofyn am stiwdent at y Sul. Unwaith yr oeddech wedi gneud eich dewis rhaid oedd mynd, neu fe gaech eich cosbi yn reit drwm. Dibynnai pawb ohonom ar yr ychydig geiniogau a gaem i'n cynnal a gallai Sul digyhoeddiad ein gosod mewn trafferthion ariannol dygn. Un o'r penwythnosau cynta wedi imi gyrraedd Trefeca fe ges Sul yng Nghwm Merthyr. Fûm i erioed ym Merthyr cyn hynny. Roedd trên yn rhedeg o Dalgarth i'r cyfeiriad. Roedd llety ar fy nghyfer. Cyrhaeddais Merthyr yn hwyr y pnawn. Y lle'n berwi o bobol. Y stryd fawr fel twmpath o forgrug. Rown i wedi gweld a bod yn rhan o dyrfa go sylweddol yn ffair G'langaea yn Aberystwyth, ond deallwn y rheini. Saesneg oedd iaith y dyrfa ddieithr ym Merthyr, a minnau'n dechrau pryderu am iaith yr oedfa Sul. Doedd gen i ddim Saesneg i'w sbario a go brin y gallwn i fracsan drwy oedfa yn yr iaith fain ar y pryd. Trois am fy llety a chael croeso, siŵr o fod. Dim ond un peth a gofiaf, roedd yno hen ŵr musgrell—fe un ochor i'r tân a minnau yr ochor arall. Gweithiai'r hen frawd hwn ambell bennill talcen slip a'i anfon i'r papur lleol. Eu gwrthod nhw a wnâi'r golygydd ac yr oedd hynny yn boen i'r hen frawd a ystyriai'i hun yn gryn fardd. Gwrandewais ar ei gŵyn dros y Sul a bûm yn dyfalu lawer gwaith be ddaeth ohono ef a'i farddoniaeth.

Ces wahoddiad i ddychwelyd i'r union gapel a hynny ddeunaw mlynedd ar hugain yn union i'r mis Medi hwn. Cyrhaeddais mewn da bryd ar gyfer yr oedfa chwech. Dim ond un oedfa a gynhelid yno y Sul hwnnw. Roedd un olwg ar y lle o'r tu fas yn cyhoeddi'n glir ei fod yn ddirywiedig a diraen. Mentrais i'r cyntedd a chael fod pethe'n debyg y tu mewn i'r hyn oeddynt y tu fas. Neb yno, a dyna gyfle i mi lygadu'r adeilad o ddifri, ac yn wir rown i'n ofni y byddai'n cwympo ar fy mhen cyn diwedd yr oedfa. Gyda hyn, dyma gyfaill penwyn yn dod i mewn.

'Shwt ŷch chi heno?'

'*Very well, thank you,*' medde fe, a dyma fe'n pwyntio at y cloc wrth gefen y pulpud, '*The workings of that don't work. Sometimes the workings do stop, sometimes it jumps forwards, sometimes it do jump backwards. I think it is alright tonight.* (Dameg fan 'na, rhai fel 'na yw'r saint, onid e?) *Have you a clock? Every preacher should have a clock.*' Ergyd i'r post i'r pared gael clywed, siŵr o fod, meddwn wrthyf fy hun!

'*Do you live here?*'

'*No, I lives down the road.*'

'*Do you work here?*'

'*No, no, I'm an epileptic. My mother dropped me when I was six months and I cracked my 'ead; haven't been right ever since.*'

'*Sorry to hear that.*'

'*When my parents died they found me a 'ome. Mind you, I'm the youngest there. I does the messages, fetch fags, pop and papers.*'

'*And you don't understand Welsh?*'

'*Yes*, bore da, nos da, diolch yn fawr.' Gwelais fod yr eirfa a ganiateid i mi ar gyfer yr oedfa yn go gyfyng. '*Can't understand preachers' long words; you don't use those, do you?*' Gyda hyn dyma rai eraill yn dod ac yn torri ar y sgwrs ddiddorol hon. Lediais emyn a dyma hwn yn canu gyda'r peth perta glywsoch erioed, llais tenor hyfryd. Ei Gymraeg yn lân wrth iddo ganu, canys creffais yn ofalus arno.

Un yn fwy nag a oedd gydag Iesu Grist a ddaeth i'r oedfa, a deg ohonynt yn wragedd. A thybiaf mai fi a'r cyfaill o denor oedd y ddau ieuengaf yno. Cafwyd oedfa syml, ddymunol gyda gwran-dawiad astud, ond bu raid defnyddio'r ddwy iaith. Os yw deunaw mlynedd ar hugain wedi dweud ei stori arnaf i, fel ar bawb arall, heb os, mae'r cyfnod yna wedi creithio, wedi ysigo'r capeli ac oedfaon Cymraeg yng Nghwm Merthyr. Allwn i ddim llai na gofyn, a fydd galw i rywun fynd yno ymhen deunaw mlynedd ar hugain eto? Go brin. Eto, mae'n anodd esbonio, mae'n anodd diffinio'r peth, roedd rhyw naws, rhyw rin yn perthyn i'r dyrnaid, a chynnal oedfa gyda nhw yn brofiad eneiniedig. Heb os, fe'u cânt eu hunain mewn cymdeithas sy'n anialwch mewn llawer ystyr, anialwch moesol, cymdeithasol, ac yn sicr, mewn anialwch crefyddol, eto mae'r rhain yn dal i ddod, yn dal i gredu, yn dal i obeithio am ddyddiau gwell. Soniais rywbeth yn yr oedfa am John Newton, awdur yr emyn *Amazing Grace* a hynny am fod y gyfres *Roots* ar y teledu ar y pryd.

'Dyw hi ddim yn deg i ofyn i chi ganu *Amazing Grace*. Fe ddylwn fod wedi'ch rhybuddio.'

'Ne, ne,' medde un o'r blaenoriaid, gŵr a'i frest yn canu'n ddiogel, 'ma dicon o amser 'da chi?'

'Oes, oes.'

'Ma copi 'da fi yn y tŷ. Mary, cer i moyn e, ma fe ar y piano.'

Daeth copi a dyma hwn yn iste wrth y piano ac yn chwarae *Amazing Grace* yn fendigedig, ac fe'i canwyd â'r tenor yn ei morio hi. Os gwir iddo gracio'i gorun yn chwe mis oed, nid oedd crac yn ei lais.

Roedd tristwch mawr. Roedd golwg ddiflas ar y lle. Ni all sefyll yn hir. Ma dyddie'r adeilad wedi'u rhifo, ond yng nghanol y tristwch i gyd roedd dyrnaid o eneidiau cynnes, hyfryd yn cynnal rhyw-beth drwy'u teyrngarwch, ac yn cael eu cynnal, greda i, ac yr oedd treulio awr yn eu cwmni yn gneud i mi ganu ar y ffordd yn ôl:

> Os dof fi trwy'r anialwch,
> Rhyfeddaf fyth dy ras.

O ie, be ddaeth o'r cyfaill â'i fardd-oniaeth talcen slip? Roedd yno berthynas iddo. Bellach nid yw'n anfon yr un pwt i'r *Merthyr Express*. Os gwrthodwyd ef gan hwnnw fe'i derbyniwyd gan olygydd arall a ystyriai fod cynghanedd ei fywyd wedi ennill iddo le yn rhengoedd y cwmwl tystion. Ie, profiad rhyfedd oedd dychwelyd i'r lle y bu dechre'r daith, a ffrydiodd atgofion yr own i wedi'u hen gladdu. Ma llais y tenor yn dal i ganu yn fy nghlustiau, ac nid yr olwg drist, ddarfodedig a welaf mwy wrth basio'r capel ond yn hytrach clywaf lais y cyfaill a fynnai fod wyrcins y cloc—yn wahanol i wyrcins ei lais e—yn ddiffygiol. Ac mae wyrcins y dyrnaid yn dal i gerdded, er pob newid ac anhawster.

(7 Tachwedd, 1982)

Gwilym

Gweddi a luniwyd ar gyfer cwrdd ordeinio Gwilym E. Davies B.A., B.D., yn y Tabernacl, Caerdydd, ar 30 Mehefin, 1984.

Ar y pnawn Sadwrn ola o Fehefin,
Mil naw cant wyth deg a phedwar
O oed Crist,
Atebasom yn llawen wŷs i'r Tabernacl
    hwn
I neilltuo gŵr ifanc i waith y weinidog-
    aeth.
Sylweddolwn, gyda thristwch, ma neill-
    tuo un i'w ollwng i'r anialwch a wneir.
Ma tirwedd yr anialwch yn boenus o

gyfarwydd i ni:
Capeli'n cau, ac ar werth,
A thenantiaid gwahanol iawn yn dod i
  iste
Ar nythod yr Ysbryd Glân yn y parthau
  hyn,
Ac yn deor ar gywion sydd â marwolaeth
  yn eu hesgyll.
Ciliodd yr emyn i'r clwb a'r cae rygbi;
A theithio'r Sul mewn siarabang i lan y
  môr.
Ac nid Gair yr Arglwydd a geisir
Ond geiriau am ddynion mewn sgandal-
  au sy'n ddarlun o ddyn cnawdol.
Dyna'r anialwch a welir.
Beth, Arglwydd da, am yr anialwch sy'n
  lledu i galon ac enaid ein cymdeithas?
Y Sahara sy'n sarnu a difwyno.
A dyma ni yn mentro gollwng Gwilym
I ganol yr anialwch didostur hwn,
Lle bydd gwynt tra'd y meirw yn ubain
  o'i gwmpas
A'i adael yn oer a rhynllyd,
Yn llef un yn llefain yn y diffeithwch.
Licen ni, nawr, Arglwydd, weddïo

drosto.
Ma un arall a gamodd i anialwch Cymru
Wedi canu am 'ras y genlli'.
Gobeithio, Arglwydd daionus, y caiff Gwilym
'Gawod hyfryd yn y bore ac un arall y p'nawn',
I ireiddio'i ysbryd yn y crindir cras.
Diolchwn am ei baratoad
Ac am ei lwyddiant mewn arholiadau,
Gŵyr ef, a ninnau, fod 'na arholiad anoddach o'i flaen
A bydd galw am fwy na phen da i lwyddo yn honno,
Rhaid wrth galon ar dân.
Wnei di ddwyn y marworyn oddi ar yr allor a'i osod
Yng ngrât enaid y gŵr ifanc hwn
A gyrru cawod o wynt nerthol i droi'r colsyn yn goelcerth?
Diolchwn am ei dras.
Cofiwn gydag anwyldeb a gwên
Am ei dad-cu dawnus,
Y Clement hwnnw, nid o Alecsandria,
Eithr o Gastellnewydd Emlyn.

Er hynny yn un o'r tadau.
Buost ar gannoedd o siwrneiau pregethu
gydag e.
Fe'n gyrru'r car
A thi'n ei yrru e,
Ac o'r bartneriaeth daeth bendith.
Diolchwn am ei dad a roddodd o'i ddawn
I loywi proffwydi ifanc,
A heddiw, ym mlwyddyn yr olympiad yn
ninas yr Angylion,
Dyma ni, Arglwydd, yn estyn y dorch i'r
drydedd genhedlaeth.
Ma rhyw wytnwch rhyfedd yn y fflam
hon!
Wrth ei rhoi yn llaw Gwilym
A'i orchymyn i redeg yr yrfa a osodwyd
o'i flaen
Gweddïwn dros y rhedwr,
Gweddïwn dros y fflam,
Ac yn fwy na dim deisyfwn ar i'r fflam
droi'n ffagl,
A fydd yn difa pob sorod,
Ac yn troi'n oleuni i oleuo pob
tywyllwch.
Wrth ei ollwng gwyddom y byddi Di

gystal â dy air.
'Nis gadawaf chwi yn amddifad,
Eithr myfi a fyddaf gyda chi.'
Gweddïo yr ydym ni y caiff e dy bobol
Yn gadwyn gynnes, gynhaliol,
Yn werddon mewn anialwch.
Boed dy fendith arno,
A gweddïwn y bydd Cymru'n gynhesach
    yn ysbrydol
Wedi gollwng hwn iddi.
Mae gweddïau'r eglwys fuddugoliaethus
    yn y ne, ar ei ran,
Ac y mae'r eglwys filwriaethus ar y
    ddaear,
Wrth gomisiynu milwr newydd,
Yn gobeithio y bydd cledd yr Ysbryd
    Glân yn ei law,
Ac yn barod i drywanu diafol cnawd a
    byd.
Ar y Sadwrn ola hwn o Fehefin, 1984,
Gweddïwn y bydd y dyddiad wedi ei
    argraffu
Fel trobwynt;
Yn ddigwyddiad sy'n ormes o ddiwyg-
    iad.

D. W. Evans, Caer Llanio

Stocyn bach cydnerth gyda bochau gwritgoch oedd e, a'i gorff wedi gwisgo'r blynyddoedd—un ar bymtheg o thrigain ohonynt—yn rhyfeddol o dda, er gwaetha cyfnod o afiechyd, tua'r diwedd. Daeth i ysbyty'r Waun, yng Nghaerdydd, i gael cyfarpar i roi hwb i'w galon. Credodd iddo gael calon newydd! Gosododd bedair mil o filltiroedd ar ei feilomedr mewn 'chydig fisoedd. Dim ond un person y galla i feddwl amdano sy'n rhwbio'i ddwylo mewn diolch fod Dan Evans wedi tawelu. Hwnnw yw syrfewr y sir. Gwibiodd o'i gartre i Landdewibrefi, i Dregaron, i Lambed, i Aberaeron ac i Aberystwyth, ac weithiau ymhellach na hynny. Bydd y draul gryn dipyn yn llai ar gefnffyrdd Shir Aberteifi. Gwibiadau cymwynaswr oeddynt. Treuliodd ei oes yn gwasanaethu ei fro. Câi foddhad mawr o fedru gwneud hynny. Un cymdeithasgar oedd wrth natur, a thawelwch ac unigedd yn anathema iddo. Roedd symudiad ar droed i'w gydnabod am roi hanner canrif o wasanaeth i'r Cyngor Cymuned, yr hen Gyngor Plwy. Pymtheg mlynedd ar hugain o wasanaeth dros y ffermwyr ar un o bwyllgorau'r Bwrdd Marchnata Llaeth. Cafodd ei dystebu am y cyfraniad hwnnw. Gwasanaethai ar fwrdd rheolwyr Ysgol Uwchradd Tregaron, ac roedd hefyd yn un o reolwyr yr ysgol y bu e'n ddisgybl ynddi, ysgol y pentre, Llanddewibrefi. Pan oedd Gŵyl Llanddewi yn ei bri yng nghanol y saithdegau roedd e ar y pwyllgor llywio, er na chytunai â syniadau *avant garde* y ficer blaengar, y Dr. Moelwyn Merchant; ond am mai gŵyl y fro oedd hi, rhaid oedd sicrhau y byddai'n llwyddiant. Onid oedd enw da Llanddewibrefi yn y fantol? Bu'n flaenor ym Methesda am ddeuddeng mlynedd. Diddorol yw sylwi fod y gymdogaeth wedi galw am ei wasanaeth ac yntau yn ei ugeiniau, y ffermwyr pan oedd yn ei dridegau, ond y bu'n rhaid iddo ddisgwyl am ei lyfr pensiwn cyn cael ei alw i flaenori gan ei gapel. Mor amal y digwydd hyn, ac y mae'n dangos camddealltwriaeth o natur swydd blaenor. Nid anrhydedd ar derfyn dydd mohoni, eithr galwad i waith pan fo egni a gweledigaeth yn fwrlwm yng ngwythiennau rhywun. Synhwyrai Dan Evans hynny. Lawer tro y bu'n sôn am ymddiswyddo a gneud lle i rai iau. Roedd amryw o bethe yn cyfri am ei ethol i'r sedd fawr. Ei deulu. Hanai o un o deuluoedd parchus yr ardal. Teulu enwog am ei wasanaeth. Ei dad yn ddyn cyhoeddus—ar y fainc yn Nhregaron am flynyddoedd. Hwnnw a fu'n sbardun i Alun R. Edwards ymddiddori mewn llyfre. Yn Llanio Fawr ceid llyfrgell a darllen. 'Chydig ohonynt oedd yn y fro. Afraid cofnodi i'w dad fod yn flaenor am flynyddoedd. Diau mai eu cysylltiad â 'Sgoldy Llanio oedd y peth a'u gosodai yn y rheng flaen. Yn wir, ar ddaear Llanio y codwyd yr ysgoldy nid anenwog hwnnw. Un anenwadol a bywiog. Cyffrous, dadleugar, cynhyrfus a'r gwreich-

377

ion yn tasgu'n amal. Roedd y ddau a deyrnasai ar y 'Sgoldy ac a oedd yn byw yn y Tŷ Capel, sef Mr a Mrs William Edwards, yn wahanol eu hargyhoeddiadau ac, yn sicr, doedd gwleidyddiaeth sosialaidd William Edwards ddim o'r un lliw â gwleidyddiaeth ffermwr y Llanio Fawr. Ac roedd y gwahaniaeth yna, bid siŵr, yn cymell gwrthdaro. Eto, er gwaetha'r gwrthdaro, byth gynhenna. Anghytuno'n gyson, ond byth amharchu a difrïo. A rywfodd neu'i gilydd, treiddiodd yr awyrgylch i fêr esgyrn Dan Evans. Go brin ei fod yn gweld lygad yn llygad â mi ar amryw o faterion Cymraeg a Chymreig. Gwyddwn ble'r oedd e'n sefyll. Cofiaf ofyn i gyfaill agos:

'Beth am Dan Evans, Llanio?'

A'r ateb a ges:

'Falle ma fe fydd y ffrind gore gewch chi.'

Gwir y gair. Ni bu rhagorach cefnogwr. Fe safai gyda chi, yn ddirgel ac ar goedd. Ffrind cywir iawn. Wedi ei fagu i barchu safbwyntiau gwahanol a chodi uwchlaw'r mân wahaniaethau sy'n tarfu ar amryw ac yn difetha cyfeillgarwch. Fe allai'r ffermwr hwn godi a bod yn fawr, a mawredd mewn person annisgwyl oedd e. Wedi i chi ei weld, a'i brofi, ni allech ond ei edmygu a bod yn ddiolchgar amdano. Fe ddysgodd e rai gwersi pwysig i mi, er na wyddai e mo hynny. A'r elfen arall oedd ffyddlondeb i'r capel. Credai yntau yn hynny ym mhob cylch ar fywyd. Gallech fod yn weddol siŵr y byddai e a'i briod ym mhob oedfa, ac yn gwerthfawrogi, a'r gwerthfawrogi hwnnw ar rai adegau o'r flwyddyn yn disgyn ar fwrdd y mans. Ac ma gair am ei briod yn gwbl briodol—yn wir, yn angenrheidiol. Os dysgodd e 'nabod gwartheg a gwybod y gwahaniaeth rhwng un dda ac un gymedrol, roedd ei ddau lygad yn ei ben pan ofynnodd e i Margaret, ys dwedai e, ddod ato i Lanio. Bu'n gaffaeliad aruthrol iddo.

Ni fynnai, rwy'n siŵr, i unrhyw bortread ohono ei beintio fel sant. Feddyliodd e erioed amdano'i hun yn y golau hwnnw. Roedd yn enghraifft wiw o'r ymadrodd 'ei gyfarthiad yn waeth na'i frathiad'. Hawdd fydde i chi gredu ei fod yn swrth a byr, ac weithiau yn sgaprwth. Dyna ran o'r dyn oddi allan, ar brydiau; o dan hwnna ceid cymeriad gwahanol iawn. Dynoliaeth garedig yn perthyn iddo. Llond ei groen o hiwmor ac yn dynnwr coes heb ei ail. Weithiau roedd yn eich gyrru'n wyllt canys fe ddywedai rywbeth, dim ond er mwyn procio, a châi hwyl wrth weld ambell un yn colli ei limpin. Soniais amdano yn gwibio yn ei gar, wel gwibio ar siwrneion o gymwyn-asau a wnâi. Mynd â rhywrai i'r 'sbyty, neu gyrchu moddion i arall. Dyfeisiai ffyrdd i fod yn Samariad trugarog a gwyddai'r ardal hynny. Os yw'r ffordd yn dawelach o'i osod ym mynwent Llanddewibrefi, gwacach yw'r ardal am fod un o hen deulu a thraddodiad cym-dogaeth dda yn perthyn iddo wedi cilio. Fe ddwedodd rhywun nad yw'n bosibl i chi adael ôl eich traed ar dywod amser wrth iste i lawr. Wel, ma ôl teiars Dan

Evans, Llanio, ar bob carreg yn y cylch!

Y mae un testun diolch. Mae'r traddodiad yr oedd e'n rhan ohono wedi ei drosglwyddo i'w deulu—ei ddau blentyn. Deil David a'i briod, sy'n un o ferched y fro, i ffermio Llanio Fawr, ac y mae dau yn tyfu yno a fydd, gobeithio, yn etifeddu naws y teulu. Ac y mae Elisabeth yn briod â Lloyd Jones, Ystrad Dewi, yntau yn un o fechgyn yr ardal, ac y mae tri o fechgyn yno a fydd yn estyn traddodiad y teulu i'r ganrif nesaf. Roedd hynna yn destun llawenydd mawr i Da-cu Caer Llanio, a hawdd y gallai ymhyfrydu i'w blant fod yn Gymry da ac yn anrhydeddu eu Cymreictod mewn bro, fel pob bro arall, sy'n cael ei bygwth gan ddylanwad estron. Carodd ei fro. Carodd bobol y fro, ac fe'i carwyd ganddynt hwythau. Carodd ei gapel a chefnogodd yn gwbl y rhai a alwyd i wasanaethu'r capel hwnnw. Pe bawn i'n gorfod mentro rhoi fy nghrys ar un o blith y rhai y ces i'r fraint o gydweithio â nhw, fe rown fy nghrys yn ddibetrus ar

Dan Evans.

Roedd wedi llawn fwriadu mynd i'r shew yn Llanelwedd—sefydliad a gefnogodd yn gyson ac yr ymfalchïai yn ei lwyddiant. Galwodd y Brenin heibio ac nid cwmni'r shew a gadd mwy, eithr shew o gwmni.

(30 Gorffennaf, 1984)